KB054944

걸프 사태

국제원유 수급 동향 2

걸프 사태

국제원유 수급 동향 2

| 머리말

　걸프 전쟁은 미국의 주도하에 34개국 연합군 병력이 수행한 전쟁으로, 1990년 8월 이라크의 쿠웨이트 침공 및 합병에 반대하며 발발했다. 미국은 초기부터 파병 외교에 나섰고, 1990년 9월 서울 등에 고위 관리를 파견하며 한국의 동참을 요청했다. 88올림픽 이후 동구권 국교 수립과 유엔 가입 추진 등 적극적인 외교 활동을 펼치는 당시 한국에 있어 이는 미국과 국제사회의 지지를 얻기 위해서라도 피할 수 없는 일이었다. 결국 정부는 91년 1월부터 약 3개월에 걸쳐 국군의료지원단과 공군수송단을 사우디아라비아 및 아랍 에미리트 연합 등에 파병하였고, 군 · 민간 의료 활동, 병력 수송 임무를 수행했다. 동시에 당시 걸프 지역 8개국에 살던 5천여 명의 교민에게 방독면 등 물자를 제공하고, 특별기 파견 등으로 비상시 대피할 수 있도록 지원했다. 비록 전쟁 부담금과 유가 상승 등 어려움도 있었지만, 걸프전 파병과 군사 외교를 통해 한국은 유엔 가입에 박차를 가할 수 있었고 미국 등 선진 우방국, 아랍권 국가 등과 밀접한 외교 관계를 유지하며 여러 국익을 창출할 수 있었다.

　본 총서는 외교부에서 작성하여 30여 년간 유지한 걸프 사태 관련 자료를 담고 있다. 미국을 비롯한 여러 국가와의 군사 외교 과정, 일일 보고 자료와 기타 정부의 대응 및 조치, 재외동포 철수와 보호, 의료지원단과 수송단 파견 및 지원 과정, 유엔을 포함해 세계 각국에서 수집한 관련 동향 자료, 주변국 지원과 전후복구사업 참여 등 총 48권으로 구성되었다. 전체 분량은 약 2만 4천여 쪽에 이른다.

2024년 3월

한국학술정보(주)

| 일러두기

· 본 총서에 실린 자료는 2022년 4월과 2023년 4월에 각각 공개한 외교문서 4,827권, 76만
여 쪽 가운데 일부를 발췌한 것이다.

· 각 권의 제목과 순서는 공개된 원본을 최대한 반영하였으나, 주제에 따라 일부는 적절히
변경하였다.

· 원본 자료는 A4 판형에 맞게 축소하거나 원본 비율을 유지한 채 A4 페이지 안에 삽입
하였다. 또한 현재 시점에선 공개되지 않아 '공란'이란 표기만 있는 페이지 역시 그대로
실었다.

· 외교부가 공개한 문서 각 권의 첫 페이지에는 '정리 보존 문서 목록'이란 이름으로 기록물
종류, 일자, 명칭, 간단한 내용 등의 정보가 수록되어 있으며, 이를 기준으로 0001번부터
번호가 매겨져 있다. 이는 삭제하지 않고 총서에 그대로 수록하였다.

· 보고서 내용에 관한 더 자세한 정보가 필요하다면, 외교부가 온라인상에 제공하는 『대한
민국 외교사료요약집』 1991년과 1992년 자료를 참조할 수 있다.

| 차례

정 리 보 존 문 서 목 록

기록물종류	일반공문서철	등록번호	2021010197	등독일자	2021-01-27
분류번호	763.5	국가코드	XF	보존기간	영구
명 칭	걸프사태 : 국제원유 수급 동향, 1990-91. 전6권				
생 산 과	기술협력과	생산년도	1990~1991	담당그룹	
권 차 명	V.4 1991.1.3-14				
내용목차	★ 국제원유 수급 및 유가전망, 원유 안정확보를 위한 대산유국 외교활동 강화 등 ★ 1991.1.4 페만 전쟁 발발시 미칠 영향과 대책 ★ 1991.1.11 페만 전쟁 시 특별 석유수급 대책(대통령 주재 관계부처 대책회의 동자부장관 보고자료) ★ 1991.1.14 페만 전쟁 발발시 미칠 영향과 대책 ★ 경제 전망 포함				

0001

발 신 전 보

	분류번호	보존기간

번   호 : WUS-0003   910103 1316 FC 종별 : 지급

수   신 : 주 수신처참조   대사. 총영사   WJA -0002   WUK -0002
                                           WGE -0003   WFR -0002
발   신 : 장   관   (기협)   WSB -0003

제   목 : 페르샤만 사태

　　　　연 : WUS-4306, WJA-5440, WUK-2005, WGE-1842, WFR-2415

　　　연호 관련, 페만에서 전쟁이 발발할 경우 귀주재국 정부기관 및 연구소등이 분석하는 아래사항에 대해 지급 보고 바람.

　　o 양측 공격에 의한 유전에 대한 예상타격 및 복구에 소요되는 시간

　　o 원유생산 및 유가에 대한 영향
　　　- 전쟁중, 파괴유전 복구기간중, 복구이후등으로 구분 분석

　　o 세계 경제에 대한 영향 (선진국.개도국 구분)
　　　- 경제성장
　　　- 무 역
　　　- 금융등.　　　　　끝.

　　　　　　　　　　　　　　　　　(국제경제국장 이 종무)

　　수신처 : 주미, 일본, 영국, 독일, 불란서, 사우디대사.

0002

페만 사태가 국민경제에 미치는 영향

1991.1.4
국제경제국

I. 국제 원유수급 및 유가

1. 시나리오 1 (조기평화해결)

    o 수급 : 산유국들의 증산과 소비국들의 소비억제로 공급과잉

    o 유가 : $20/B 이하로 하락 전망

2. 시나리오 2 (현상고착)

    o 수급 : 수급압박 요인은 해소되나 심리적 불안 요인 상존

    o 유가 : $25/B 선에서 등락 예상

3. 시나리오 3 (군사적 충돌)

    o 수급

    - 사우디.이라크, 쿠웨이트 중립지대로부터의 원유공급 전망 중단

      예상 (약 1,000만B/D)

    - 전쟁이 인근지역으로 확산될 경우, UAE. 이란, 카탑의 원유공급도

      차질 예상

    - 수급차질 정도는 전쟁기간, 유전시설 피괴정도, 복구시간등에 좌우

      될 것임.

    o 유가

    - 전쟁발발직후 $50-$80까지 단기급등

    - 수급부족에 심리적 요인이 겹처 $40 선에서 수개월 지속

    - 중기적으로 $30/B 수준으로 하락 전망

      · 원유생산시설 회복 및 이라크.쿠웨이트의 공급 재개

    - 장기적으로 저유가($15-20) 재현 전망

      · 석유소비급감 및 공급과잉

0003

II. 세계경제에 미치는 영향 (전쟁 발발시)

1. 개요

   o 제 1, 2차 석유위기때보다 세계경제에 대한 직접적 영향은 감소 전망

     - 선진제국의 석유 의존도 감소

     - 석유 비축량 증대 및 에너지 효율성 제고

   o '82-'88간 장기 호황 이후의 조정국면 장기화 전망

     - 당초 '91 하반기 이후 회복 예상에서 '92 이후로 회복 지연

2. 부문별 영향

   가. 경기

     o 유가상승으로 경기불황 심화

	1991	1992
$20/B 시	2.9 %	2.9 %
$40/B 시	0.2 %	2.4 %

        자료 : 에너지경제연구원

   나. 무역

     o 유가인상에 따라 세계무역의 축소 불가피

     o 특히 비산유개도국의 경우, 제조원가 상승으로 인한 국제
       경쟁력 상실과 선진국의 경기후퇴에 따른 수출 부진 심화 예상.

   다. 금리 및 외채

     o 인플레 압력에 대처, 추가적 금리인상 불가피.

     o 특히 개도국은 금리 인상 및 원유 수입액 증가로 외채상환 부담
       가중

0004

Ⅲ. 아국 경제에 미치는 영향 (전쟁발발시)

1. 아국 경제의 특성

o 높은 중동 석유의존도

- 총 도입량의 72.1% 점유 ('89)

o 산업구조적으로 에너지 절약의 한계성

- 철강, 석유화학, 시멘트등 에너지 다소비업중 중심

2. 아국경제에 미치는 영향

가. 원유 수급

o 전쟁중 아국원유 소요량 967천 B/D의 약 60% (547천 B/D)

도입 중단 예상

- 사우디, 카탈, CALTEX 로부터의 장기계약 도입량 288B/D 및

전세계 현물시장으로부터 구입량 259천 B/D 중단 전망

o 정부비축 및 정유사 재고 물량으로 단기적 수급 대처 가능

- 90.12.31 현재 정부비축 4,000만배럴, 정유사재고 3,500만

배럴, 수송중물량 3,200만 배럴로 총 1억 700만 배럴 확보

- 도입중단 물량(547천 B/D)을 6개월정도 대체 충당 가능

o 단, 전쟁의 장기화 및 확산, 파괴시설의 복구 장기화등 경우,

수급차질 예상.

나. 국내 유가

o '90.12 1차 인상 (평균 28%)

o '90. 1/4 분기중 30-50% 의 2차 인상 불가피

다. 국내 경기

o 경제성장의 급속한 하락

0005

경제성장율 전망

	1991	1992
$20/B 시	7%	7%
$40/B 시	-3%	4.8%

자료 : 에너지경제연구원, 경제기획원

라. 국제수지

  o 유가 $40/B 시 53.8억불 추가 부담 전망 (기준유가 $20/B)

마. 물가

도매물가전망

	1991	1992
$20/B 시	7.5%	4.5%
$40/B 시	20.8%	8.9%

자료 : 에너지경제연구원, 경제기획원

바. 수출

  o 직접피해액

    - 분쟁지역에 대한 수출 감소분 : 3억불

    - 수출대금 미수금 : 3.5억불

  o 간접 피해액

    - 유가상승 및 세계 경제침체로 인한 수출 타격 심회 예상

      · 에너지경제연구원 분석에 의하면, $40/B 시 '91 수출은

        90년 대비 20.3% (약 120억불) 감소 전망

사. 건설

  o 총 18억불 피해

    - 공사대금 미수령 : 약 10억불

    - 시공잔액 : 약 8억불

0006

3. 대책

　가. 원유수급

　　[단기 대책]

　　o 물량확보를 위한 외교적 노력 경주

　　　- 원유도입선 다변화

　　　　· 소련, 중국 및 비중동국가등으로 도입선 전환

　　　- 장기 공급 계약선 유지 및 확대

　　　　· 특사파견 검토

　　　- 미국과 상호 원유공급 협정체결 검토

　　o 에너지 소비절약시책 강화

　　[장기 대책]

　　o 국내외 유전개발 촉진 및 대체 에너지 개발

　　o 석유비축제고

　　o 에너지 절약형 산업구조으로 전환

　나. 건설

　　[단기 대책]

　　o 사태악화로 현장 철수시, 사후분쟁소지 가급적 제거

　　　- 발주처와 협의, 피해 극소화

　　o 전쟁의 확산 대비, 인근국가 진출 근로자 철수 및 피해 최소화

　　　대책등 강구

　　[장기 대책]

　　o 건설시장 다변화(선진국, 동구등) 및 기술집약형 건설로 전환 추진

0007

Ⅳ. 대 책

1. 관련기관의 대책

   가. 동자부

   o 대책 수립중

   - 국내 석유 소비감축에 중점

   - 석유비축 제고, 국내외 유전개발 및 대체에너지 개발등 기존정책 강화

   o 현단계에서 물량 확보를 위한 구체수단 채택 곤란

   - 비중동지역으로부터 추가원유 도입 난망시

   · 각국의 생산능력에 한계

   나. 관련업체 (유공등)

   o 특별한 대책 없음.

   다. 건설부

   o 사태악화로 현장 철수시, 사후분쟁소지 가급적 제거

   - 발추처와 협의, 피해극소화

   o 전쟁의 확산 대비, 인근국가 진출 근로자 철수 및 피해 최소화 대책강구

2. 종합대책

   가. 원유수급

   [단기 대책]

   o 물량확보를 위한 외교적 노력 경주

   - 원유도입선 다변화

   · 소련, 중국 및 비중동국가등으로 도입선 전환

   - 장기 공급 계약선 유지 및 확대

   · 특사파견 검토

   - 미국과 상호 원유공급 협정체결 검토

   o 에너지 소비절약시책 강화

0008

[장기 대책]

o 국내외 유전개발 촉진 및 대체 에너지 개발

o 석유비축제고

o 에너지 절약형 산업구조으로 전환

나. 건 설

[단기 대책]

o 현장 철수시, 사후분쟁소지 제거위한 현지지도 강화

o 전쟁의 확산 위협시, 인근국가 진출 근로자 철수 대책수립 및 철수지원

[장기 대책]

o 건설시장 다변화(선진국, 동구등) 및 기술집약형 건설로 전환 추진

0003

아국의 원유 도입현황

(단위 : 백만배럴)

구분	'88		'89		'90 (1-11월)	
	물량	%	물량	%	물량	%
오 만	51.3	19.6	66.5	22.4	58.2	20.3
이 란	35.8	13.7	38.6	13.0	32.8	11.4
U A E	40.6	15.57	48.2	16.3	47.0	16.3
북예멘	8.9	3.41	8.5	2.9		
사 우디	7.8	3.02	15.0	5.1	34.0	11.8
쿠웨이트	9.5	3.65	15.1	5.1	17.1	5.9
이라크	12.5	4.87	5.8	1.9	10.5	3.7
키타르	1.3	0.55	3.5	1.2	6.6	2.3
중립지대			14.5	4.9	7.3	2.6
중동지역 계	167.1	64.1	215.8	72.8	213.6	74.3
기타지역	94.0	35.9	80.6	27.2	73.9	25.7
총계	261.1	100	296.4	100	287.5	100

도입형태별 분류 (90.1-10월) (단위 : 천배럴)

장기도입	152,831	(55%)
현물도입	123,547	(43%)
입가공	11,148	(2%)

0010

중동지역 수출입동향

(단위 : 백만불)

구 분	'89		'90 (90.10월까지)		비 고
	수 출	수 입	수 출	수 입	
총 계	62,377	61,464	51,948	55,844	90년 - 수출 : 64,982 - 수입 : 69,713
중동지역 (비중)	2,029 (3.25%)	3,932 (6.40%)	2,050 (3.95%)	4,350 (7.79%)	

원유도입 단가 및 도입액

	'88	'89	'90 (1-11월)
평균도입단가 ($/B)	13.89	15.81	19.29
도입물량 (백만배럴)	261.0	296.4	287.5
도 입 액 (백만불)	3,625.9	4,685.5	5,546.1

0011

중동지역 건설진출현황(90.8 현재)

(단위 : 백만불)

국 가	시 공 중		시공잔액	인력(명)	장비(대)
	건수	급액			
게	329	32,608	8,312	12,227	15,877
쿠웨이트	4	211	82	0	472
이 라 크	5	1,208	755	278	1,316
사 우 디	226	17,462	1,222	3,476	7,653
리 비 이	72	13,395	6,631	6,854	6,708
이 란	8	1,041	397	868	1,122
아랍에미리트	9	390	4	758	299
예 멘	14	320	8	271	95

자료 : 건설부

0012

페만 전쟁발발시 미칠 영향과 대책

1990. 1. 4.

국 제 경 제 국

0013

I. 국제 원유수급 및 유가

1. 수 급

o 사우디.이라크.쿠웨이트 중립지대로부터의 원유공급 전량 중단 예상
 (약 1,000만B/D)

o 전쟁이 인근지역으로 확산될 경우, UAE. 이란. 카탈의 원유공급도
 차질 예상

o 수급차질 정도는 전쟁기간. 유전시설 피괴정도. 복구기간등에 좌우
 될 것임.

2. 유 가

o 전쟁발발직후 $50-$80까지 단기급등

o 수급부족에 심리적 요인이 겹쳐 $40 선에서 수개월 지속

o 중기적으로 $30/B 수준으로 하락 전망

  - 원유생산시설 회복 및 이라크.쿠웨이트의 공급 재개

o 장기적으로 저유가($15-20) 재현 전망

  - 석유소비급감 및 공급과잉

II. 세계경제에 미칠 영향

1. 개 요

o 제 1. 2차 석유위기때보디 세계경제에 대한 직접적 영향은 감소 전망

  - 선진제국의 석유 의존도 감소

  - 석유 비축량 증대 및 에너지 효율성 제고

o '82-'88간 장기 호황 이후의 조정국면 장기화 전망

  - 당초 '91 히반기 이후 회복 예상에서 '92 이후로 회복 지연

0014

2. 부문별 영향

　　가. 경제성장

　　　　o 유가상승으로 경기불황 심화

	1991	1992
- $20/B 시	2.9 %	2.9 %
- $40/B 시	0.2 %	2.4 %

　　　　자료 : 에너지경제연구원

　　나. 무역

　　　　o 유가인상에 따라 세계무역의 축소 불가피

　　　　o 특히 비산유개도국의 경우, 제조원가 상승으로 인한 국제
　　　　　경쟁력 상실과 선진국의 경기후퇴에 따른 수출 부진 심화 예상.

　　다. 금리 및 외채

　　　　o 인플레 압력에 대처, 추가적 금리인상 불가피

　　　　o 특히 개도국은 금리 인상 및 원유 수입액 증가로 외채상환 부담
　　　　　가중

0015

Ⅲ. 아국 경제에 미칠 영향

1. 아국 경제의 특성

   o 높은 중동 석유의존도

      - 총 도입량의 72.1% 점유 ('89)

   o 산업구조적으로 에너지 절약의 한계성

      - 철강, 석유화학, 시멘트등 에너지 다소비업종 중심

2. 아국경제에 미치는 영향

   가. 원유 수급

      o 전쟁중 아국원유 소요량 967천B/D (동절기)의 약 60% (547천B/D)
        도입 중단 예상

         - 사우디, 키탈, CALTEX 로부터의 장기계약 도입량 288B/D 및
           전세계 현물시장으로부터 구입량 259천B/D 중단 전망

      o 정부비축 및 정유사 재고 물량으로 단기적 수급 대처 가능

         - 90.12.31 현재 총1억 700만 배럴 확보 (정부비축 4,000만배럴,
           정유사재고 3,500만 배럴, 수송중물량 3,200만 배럴)

         - 도입중단 물량(547천B/D)을 6개월정도 대체 중단 가능

      o 단, 전쟁의 장기화 및 확산, 파괴시설의 복구 장기화등 경우,
        수급차질 예상.

   나. 국내 유가

      o '90.12 1차 인상 (등유, 휘발유에 대해 평균28%)

      o '90. 1/4 분기중 30-50% 의 2차 인상 불가피

다. 국내 경제성장

o 경제성장의 급속한 하락

	1991	1992
$20/B 시	7%	7%
$40/B 시	-3%	4.8%

자료 : 에너지경제연구원, 경제기획원

리. 국제수지

o 유가 $40/B 시 53.8억불 추가 부담 전망 (기준유가 $20/B)
  - 유가인상시의 소비감소 (약14%) 감안

미. 도매물가

	1991	1992
$20/B 시	7.5%	4.5%
$40/B 시	20.8%	8.9%

자료 : 에너지경제연구원, 경제기획원

바. 수출

o 직접피해
  - 전쟁발발시 해상운송로 차단등으로 이란, 요르단을 포함한
    걸프지역 수출에 일시적 타격 예상
    · 중동지역에 대한 수출액 : 연간 20억불 ('89년기준)
    ※ 기 피해액 (이락 및 쿠웨이트)
      - 수출 감소분 3억불 및 수출대금 미수급 3.5억불

o 간접 피해
  - 유가상승 및 세계 경제침체로 인한 수출 타격 심화 예상
    · 에너지경제연구원 분석에 의하면, $40/B 시 '91 수출은
      90년 대비 20.3% (약 120억불) 감소 전망

0017

사. 건설

    o 전쟁발발시 사우디등 주변국 건설 공사에 차질 예상

      · 사우디   시공중 금액 : 174억불, 시공잔액 : 12억불

      이랍에미리트 시공중 금액 : 3.9억불, 시공잔액 : 400만불

    ※ 기 피해액 (이락 및 쿠웨이트)

      - 공사대금 미수령 : 약 10억불

      - 시공잔액   : 약 8억불

Ⅳ. 대 책

1. 원유수급

[단기 대책]

    o 물량확보를 위한 외교적측면 지원

      - 원유도입선 다변화

        · 소련, 중국 및 비중동국가등으로 부족분 수입선 대체 노력

      - 장기 공급 계약선 유지 및 확대

      - 미국과 상호 원유공급 협정체결 검토

    o 에너지 소비절약 강화

[장기 대책]

    o 국내외 유전개발 촉진 및 대체 에너지 개발

    o 석유비축증량

    o 에너지 절약형 산업구조로 전환

2. 건 설

[단기 대책]

    o 사태악화시 주재국 정부 및 발주처와 협력, 피해극소화, 공사

      계속 어부 결정

0018

[장기 대책]

  o 전쟁 종결후 활성화될 복구사업 적극 참여 추진

  o 건설시장 다변화(선진국, 동구등) 및 기술집약형 건설로 전환 추진

0019

아국의 원유 도입현황

(단위 : 백만배럴)

구분	'88		'89		'90 (1-11월)	
	물량	%	물량	%	물량	%
오 만	51.3	19.6	66.5	22.4	58.2	20.3
이 란	35.8	13.7	38.6	13.0	32.8	11.4
U A E	40.6	15.57	48.2	16.3	47.0	16.3
북예멘	8.9	3.41	8.5	2.9		
사우디	7.8	3.02	15.0	5.1	34.0	11.8
쿠웨이트	9.5	3.65	15.1	5.1	17.1	5.9
이라크	12.5	4.87	5.8	1.9	10.5	3.7
카타르	1.3	0.55	3.5	1.2	6.6	2.3
중립지대			14.5	4.9	7.3	2.6
중동지역 계	167.1	64.1	215.8	72.8	213.6	74.3
기타지역	94.0	35.9	80.6	27.2	73.9	25.7
총계	261.1	100	296.4	100	287.5	100

도입형태별 분류 (90.1-11월) (단위 : 천배럴)

장기도입	152,831	(55%)
현물도입	123,547	(43%)
입 기 공	11,148	(2%)

0020

중동지역 수출입동향

국 가	'89		'90 (90.10월끼지)	
	수 출	수 입	수 출	수 입
총 계	62.377	61.464	51.948	55.844
중동지역(비중)	2.029 (3.25%)	3.932 (6.40%)	2.050 (3.95%)	4.350 (7.79%)
쿠 웨 이 트	210	381	114	493
이 리 크	67	64	90	173
레 비 는	35	0.7		
시 우 디	1.041	-226	-633	943
요 르 단	57	-22	28	26
시 리 이	9	1	18	7
이랍에미리트	462	858	396	836
납 예 멘	2	0.05	4	0
북 예 멘	38	2	16	3
키 티 르	13	101	8	148
오 만	23	1.158	18	959
비 레 인	15	54	13	56
이 란	215	616	405	530
이 집 트	115	113	131	89

0021

원유도입 단가 및 도입액

	'88	'89	'90 (1-11월)
평균도입단가 ($/B)	13.89	15.81	19.29
도입물량 (백만배럴)	261.0	296.4	287.5
도 입 액 (백만불)	3.625.9	4.685.5	5.546.1

자료 : 동자부

유가변동 추이

	7.31	8.31	9.28	10.9	11.26	12.4	12.14	12.27
Dubai	17.20	25.92	37.04	35.41	29.45	25.30	22.22	23.45
Oman	17.65	26.52	37.64	36.01	30.00	25.85	22.77	24.00
Brent	19.49	28.62	41.12	41.68	35.45	31.30	26.83	27.47
WTI	20.75	27.42	39.47	40.76	33.27	29.50	26.57	27.11

0022

중동지역 건설진출현황(90.8 현재)

(단위 : 백만불)

국 기	시 공 중		시공잔액	인력(명)	장비(대)
	건수	급액			
계	339	34,027	9,149	12,505	17,665
쿠웨이트	4	211	82	0	472
이 리 크	5	1,208	755	278	1,316
사 우 디	226	17,462	1,222	3,476	7,653
리 비 이	72	13,395	6,681	6,854	6,708
이 란	8	1,041	397	868	1,122
이랍에미리트	9	390	4	758	299
에 멘	14	320	8	271	95

자료 : 건설부

0023

외 무 부

종 별 :

번 호 : UKW-0021　　　　　　　　　　　　일 시 : 91 0104 19101

수 신 : 장관(중근동,미북,기협,구일,기정동문)

발 신 : 주 영 대사

제 목 : 걸프사태

　　　당관 조상훈 참사관은 1.4.(금) 외무성 중동과장 MR. EDWARD GLOVER 와 걸프사태의 진전에 관하여 면담한 바, 동 과장의 발언요지를 아래 보고함

　　　1. 걸프사태의 전망은 극히 어두운(BLEAK) 상태이며, 특히 내주부터 매우 민감한 단계로 진입할 것이 분명한 바, 1.15. 시한전에 이락측에 무력사용이 임박했다는 인식을 주기위한 노력이 계속될 것임

　　　2. 메이저 수상은 금주말 부터 사우디(1.6-8), 오만(1.8-9)및 이집트(1.9)를 방문 예정이며, 허드 외상은 내주 후반부터 바레인, 카탈, 아랍 에미레이트, 요르단 및 터키를 방문 예정임

　　　3. 후세인 요르단 국왕은 1.3.(목) 메이저 수상과의 회담 및 오찬에서 종전과 같이 대화 필요성을 강조하였으나, 동 국왕의 대화라는 것은 이락에 대한 양보를 의미하는 것으로서 영국측은 이에대해 유엔결의에 기초한 기본입장을 재차 분명히 했음

　　　4. 무력충돌이 있을경우 쿠웨이트내 유전에 대한 타격이나 환경면의 손실에대하여는 여러가지 견해가 있을 수 있으며, 극히 중대한 영향이 있을것이 분명하나 그 정도에 관한 예측 자체는 극히 어렵다고 봄

　　　5. 금 1.4.(금) 룩셈부르그에서 개최되는 EC 외상회의와 관련, 영측은 EC 가 이락대표를 유럽의 어느 지점에서 만나는데 반대하지는 않으나, 이락에 EC 대표를 파견하는데는 반대하는 입장임. EC 와 이락간의 접촉은 어디까지나 미-이락외상회담에 대한 보완조치로 행해져야 한다는 것이 영국의 입장임

　　　6. 이락에 잔류하고 있는 대사관원 6 명을 철수시킬 계획은 현재로서는 없으나, 사태의 진전에 따라 매일 매일 대책을 점검해 나갈것이며, 사태가 악화될 경우 대피를 위한 교통수단으로서는 육로에 의한 방안을 검토하고 있음. 끝

　　　(대사 오재희-국장)

中아국　　미주국　　구주국　　경제국　　정문국　　안기부

PAGE 1

91.01.05　　06:59
외신 2과 통제관 FE
0024

91.12.31. 까지

PAGE 2

0025

분류번호	보존기간

발 신 전 보

WPH-0007   910105 1047 FC

번   호 :

종별 :

수   신 : 주   수신처참조   대사 . 총영사

발   신 : 장   관   (기협)

제   목 : 페만사태

WMA -0010   WDJ -0018
WSG -0005   WTH -0016
WBU -0001

1. 마닐라 발 1.4자 AFP 보도에 의하면, ASEAN 정유회사들이 1.3-4간
마닐라에서 회합을 갖고 페만전쟁발발에 대비 1986에 체결된 ASEAN
Petroleum Security Agreement (APSA)를 이행하는 mechanism 을 협의
하였다 하는 바, 동 mechanism 내용등 관련사항 상세를 지급 파악 보고바람.

2. 아울러 상기 ASEAN Petroleum Security Agreement 를 입수 최단
파편 송부바람.   끝.

(국제경제국장   이 종무)

수신처 : 주필리핀, 말련, 인니, 싱가폴, 태국, 브르네이대사

보 안 통 제	

앙 고 재	90 년 1 월 5 일	기안 책임 과	기안자 성 명		과 장	심의관	국 장 전결		차 관	장 관	
			홍성태								

외신과통제

0026

GLBL
00163 ASI/AFP-AI35-----
u f ASEAN-oil   01-04 0321
   Econews
   ASEAN firms up oil-sharing process in case of Gulf war

   MANILA, Jan 4 (AFP) - Oil companies from the Association of Southeast
Asian Nations (ASEAN) said Friday they had firmed up a plan to share their oil
supplies in case deliveries from the Middle East are disrupted by a Gulf war.
   A statement issued after a two-day conference in the Philippine capital
said the mechanism for activating the ASEAN Petroleum Security Agreement
(APSA) would be submitted to ASEAN economic ministers for final approval.
   Under the scheme, any ASEAN oil-importing country which suffers an oil
supply shortfall of more than 20 per cent can invoke the APSA, which has never
been activated since it was forged in 1986.
   ASEAN groups oil exporters Brunei, Indonesia, Malaysia and importers the
Philippines, Singapore and Thailand.
   "The significant thing is that the ASEAN national oil companies affirmed
their commitment to the implementation of APSA," Philippine National Oil Co.
(PNOC) vice president Orlando Galang said after the meeting ended.
   "With the refinement of the guidelines of APSA, its implementation will be
facilitated in the event war breaks out in the Middle East."
   A spokeswoman for the PNOC, Fe de la Cruz, said the oil producers would
contribute to a pool from which the three importers could draw in case of need.
   But any importer can draw only enough supplies from the pool to restore
its reserves to 80 per cent of its needs, she said.
   Conference participants decline to give figures. Mr. Galang said only that
member countries would make a "constant, continuous input" to determine how
much oil to pool for APSA.
   Indonesia produces 1.4 million barrels of oil a day, Malaysia 600,000
barrels and Brunei 150,000 barrels, officials said. On the consumption side,
Thailand requires 450,000 barrels a day, Philippines 240,000 barrels, and
Singapore 100,000 barrels.
   rc/gd
AFP 040935 GMT JAN 91

√ ASEAN Petroleum Security Agreement
(APSA)

● **3차소집(9월 28일)**: 연말까지는 원유 및 제품공급이 충분하다고 판단, 비상석유 비축분방출을 표방하지 않기로 결정.   대신에 상당량의 공급부족사태 발생시 즉각 조치를 취할 준비태세를 갖추도록 지시.

```
┌─── < 긴급융통 제도의 골자 > ──────────────────────────┐
│ ● 특정국의 석유공급이 기준소비량(과거 1년간 하루 평균소비량)의 7% 이상 │
│   감소한 경우, 1) 당사국은 1차로 수요의 7%를 억제, 2) 나머지 부족분은 │
│   회원국이 융통                                       │
│ ● 회원국 전체의 석유공급이 기준소비량의 7% 이상 감소한 경우, 1)회원 각 │
│   국은 소비의 7%를 억제, 2) 억제후의 부족분은 비축량으로 보충, 3) 비축 │
│   량 보충으로도 기준소비량의 93%에 못 미칠 경우 그 부족분을 회원국간에 │
│   융통                                             │
└────────────────────────────────────────────────┘
```

● 현재 IEA는 ①에너지 消費節約, ②석유 대체에너지인 가스 및 기타 에너지로 轉換 등 石油需要억제 조치를 강구중.   또한 석유사로 하여금 1979년 제 2차 석유 위기를 상기시키면서 과잉현물구매를 자제하고 대신 장기계약의 확대나 필요하다 면 상업용 비축유의 공격적 소비를 요망.

● IEA의 純輸入基準 석유비축은 90일을 勸告하고 있음.   현재 9월말 기준 1981년 이후 가장 높은 수준인 99일분이 비축되어 있음..

2. 국 내 대 응

가. 미   국

● 걸만사태발생 직후 부시와 미에너지부는 미국소비자들의 에너지절약조치의 실시 외 석유사의 휘발유가격인상 자제를 요망. 휘발유가격인상 자제에 대해 석유각사 는 본질에 따를 것이나 국제가격과의 가격차이가 장기화되는 경우 재고한다는 단 서적 답변.

-12-

0028

외 무 부

종 별 :

번 호 : USW-0050   일 시 : 91 0105 0846

수 신 : 장관(기협,경일)

발 신 : 주미대사

제 목 : 페르샤만 사태

대: WUS-0003

대호,페만에서 전쟁이 발발할 경우 원유수급및 세계경제에 미치는 영향에 대해주재국정부 연구기관 접촉결과및 당지 언론보도 내용등을 종합,아래 보고함.

1. 유전에 대한 예상타격

O 전쟁이 발발할경우 페만지역 유전에 대한 타격의정도는 전쟁의 규모와 지속기간에 따라 달라질것이나, 일반적으로 재래식 무기에 의해 유전을 심각하게 손상 또는 파괴한다는것은 어려운것으로 알려지고 있고, 이락군의 유전공격능력(미사일 및 미사일발사기 재고수준, 정확도등)에 대해서도 회의적인 시각이 지배적인바, 당지 전문가들은 테러리스트 공격에 의한 대규모 유전파괴가 성공하지 않는한 페만지역 유전이 심각하게 손상될 가능성은 높지 않은 것으로평가하고 있음.

가. 사우디 유전

O 당지 전문가들은 전쟁발발시 파괴될 가능성이있는 유전은 전체의 10 푸로 미만으로 평가하고 있음.

O 쿠웨이트 국경 인접지역의 유전과 해상유전(OFF-SHORE OIL FACILITIES) 이 위험한바, 이들 유전(일일 2-3 백만배럴의 생산능력 보유)도 파괴될 가능성은 높지 않으나 파괴위험에 대비 단기간의 조업중단이 이루어질 것으로 예상됨.

나. 쿠웨이트 유전

O 이락군이 이미 쿠웨이트 유전시설의 상당부분을 심각하게 손상하였으며,기타유 전지역에도 대부분 지뢰를 가설하였으므로 전쟁발발시에는 당분간 원유 생산이 불가능한 것으로 평가됨.

다. 이락 유전

O 미국은 일부 정유시설을 제외한 이락내 유전은군사적 공격대상에서 제외하고

| 경제국 | 차관 | 1차보 | 2차보 | 중아국 | 경제국 | 정문국 | 정와대 | 총리실 |
| 안기부 | 동자부(1.7) | | | | | | | |

PAGE 1

91.01.06   09:40 DF

외신 1과   통제관

0029

있으므로 전쟁이 단기간내에 종결될 경우 이락내 유전이 파괴될 가능성은 낮은 것으로 평가됨.

2. 복구에 소요되는 기간

0 파괴범위 및 정도에 따라 달라지나 대체로 완전히 파괴된 유전을 복구하는데는 12-18개월이 소요됨(원유수송에 필요한 도로, 항만등 시설이 파괴되었을 경우 이보다 장기간 소요)

3. 원유생산 및 유가에 대한 영향

가. 원유 생산

0 이락 및 쿠웨이트로부터의 원유수입 중단에 따른 세계 원유 공급 부족량은 여타국의 증산으로 이미 충당하고 있으므로, 전쟁 발발시에도 사우디 유전의 파괴 정도가 경미할 경우 세계원유생산량에 미치는 영향은 미미할 것으로 평가됨.

0 또한 전쟁 발발시 미국은 1일 1백만배럴 이상의 전략 비축원유(SPR)를 방출할것으로 기대되고 있고, 일본,서독등 주요 서방국가들도 자국보유 SPR 을 방출할것으로 예상되며, 사우디도 현 생산량보다 증산할 수 있는 능력을 갖추고 있어 원유 공급은 큰 영향을 받지 않을 것으로 예상됨.

나. 유가

0 전쟁발발 직후에는 심리적 요인에 따른 PANICBUYING 에 의해 유가가 급속히 인상될것으로 예상됨(일부 전문가는 배럴당 50-70불전망)

0 다만 당지 전문가들은 전쟁발발이후에도 상기1 항 및 3-가항의 요인에 의해 원유수급에 큰 변동이 없을 경우에는 유가가 배럴당 25-35 불 수준을 유지할것으로 전망하고 있으나, 유가결정에 심리적정치적 요인이 중요한 역할을 담당함을 감안하여 전쟁이 장기화될경우 유가전망에 대해서는 단정적인 언급을 회피하고 있음.

0 전쟁종결 및 파괴유전시설의 복구후에는 원유시장내의 심리적 반작용, 세계경제성장둔화에따른 수요감퇴, 과잉공급발생등으로 인해 유가가급속히 인하될 것으로 전망됨.

(일부전문가들은 배럴당 15-17 불 수준을 거론하고있으나, 일부는 EC 내의 생산량 조절합의에의해 단기간내에 20불 수준을 회복할수 있을 것으로 예측하기도함)

4. 세계 경제에 대한 영향

0 폐만에서의 전쟁이 세계경제의 미치는 영향은 주로 유가인상과 심리적 위측효과를 통해 나타날것이나, 영향의 정도는 전쟁의 규모, 기간

PAGE 2

0030

및원유수급변동상황등에 의해 결정될 것임.

0 당지 전문가들은 전쟁발발로 유가가 대폭 인상될 경우, 세계경제는 물가상승,이자율상승,경제성장후퇴 및 교역량 감소등으로 인해 큰 타격을 받을 것이나, 그타격의 정도는 과거 1,2차석유위기보다 덜 심각한 것으로 전망하고 있음.(이락-쿠웨이트사태가 세계경제에 미치는 영향에대한 USW-3757 보고 참조)

가. 경제성장

0 당지 전문가들은 유가가 배럴당 10 불 인상될경우, 선진국의 경제성장은 1 푸로 감소되며,물가는 0.5-1 푸로 인상되는 것으로 평가하고 있음.

0 선진국이 지난 10년간 생산량대비 에너지사용도(ENERGY INTENSITY:ENERGY USE PER UNIT OF OUTPUT)를꾸준히 감소시켜온 반면, 개도국은 ENERGY INTENSITY가 오히려 계속증가해와 현재 선진국의 2배에달하고 있으므로 유가인상에 의한 개도국의 경제성장율 감소및 물가인상효과는 선진국보다 훨씬심각할것임.(GNP 대비 에너지 수입액 비중이 OECD 국은 1 푸로 인데 비해 아시안 신흥공업국은 3.2 푸로임)

나. 무역

0 유가인상은 세계경제성장 둔화 및 소비.부자감소를 초래,비석유산품수요감소를통한 세계 교역량 감소라는 결과를 갖고 올것임.

0 선진국의 경우 산유국에 대한 공산품 수출증가를 통해 타격을 일부 완화할수 있으나, 대부분의개도국은 교역조건의 악화, 선진국시장에서의원자재 수입감퇴로 큰 타격을 받을 것으로 예상됨.

다. 금융

0 유가인상에 따른 인플레이션 압력을 완화하기위해 이자율인상이 필요한바, 이는 선진국과 개도국을 막론하고, 경제성장을 둔화시키는 결과를 초래함.

0 특히 세계금융시장에서의 이자율 인상을 과다한 외채부담을 안고 있는 중남미, 동구권등의 개도국에 대한 타격을 가중시킬 것으로 전망됨.

(대사 박동진-국장)

軍의료진 내달 페灣파견

國會 동의안 제출 유사시 油類배급제등 검토

정부는 앞으로 페르시아灣 사태의 전개추이를 보아가며 국내油價의 추가인 상시기도 결정키로 했다.

정부는 7일상오 李부총리 주재로 페灣사태대책특별위 원회를 다시 열어 구체적 대 응방안을 세울 계획이다.

서 보다 많은 원유를 확보토 록 독려할 방침이다.

또 페灣사태의 전개추이를 보아가며 국내油價의 추가인 상시기도 결정키로 했다.

상시 中東지역에 있는 국내 건설업체근로자들과 현지교 민및 건설장비등을 신속히 철수시킬수 있는 대책을 강 구키로 했다.

정부는 앞으로 페르시아灣 에서 전쟁이 터질경우 사우 디아라비아등 中東지역으로 부터의 원유도입量이 일시적 으로 줄어드는 한편 精油社들 로 중단될 가능성이 높다고 하여금 국제원유 현물시장에

보고 멕시코 베네수엘라 인 도네시아등 非中東지역으로 부터의 원유도입물량을 대폭 늘려나가는 한편 精油社들로

정부, 페灣대책회의 내일再開

정부는 페르시아灣사태의 책회의를 갖고 이같이 결정 성에 대비, 1백~2백명수 했다.

준의 軍의료진을 오는 2월중 파견키로하고 이달중 열리는 정부는 이날 회의에서 비 임시국회에 파견동의안을 제 출키로 했다.

또 원유비축을 늘리고 도 입선을 다변화하는 한편 최 악의 유사시에는 油類배급제 를 실시하는 방안도 검토키 로 했다.

정부는 5일상오 三淸洞안 가에서 李承潤부총리 李相玉 외무 李鍾九국방 李相熙건설 장관및 徐東權안기부장 丁海 昌청와대비서실장등이 참석 한 가운데 페르시아灣사태대

매일경제신문

91. 1. 6.

국제原油價 10% 오르면 국내 총생산 0·18% 감소

소비자物價 0·1% 상승   KDI분석

페만사태악화로 국제원유가격이 오를등, 국내유가가 또다시 오를 경우, 석유·화학제품등 油類와 직접 관련이 있는 산업은 물론 국내 석유제품가격이 5·1%의 가격인상압력을 즉각 받는 것을 비롯, 운수·통신및 고무제품 등의 업종도 심각한 타격을 받게될 것으로 드러났다.

5일 韓國개발연구원(K

DI)이 분석한 「油價인상의 산업부문별 효과분석」보고서에 따르면 原油도입가격이 10%상승했을때 국내 석유제품가격이 5·1%로 가장 크게 화 학제품(0·35%), 석유제품(0·3%) 및 고무제품(0·22%)의 순으로 나타났다.

또 수출은 금액기준으로 0·903%(89년기준) 5천만달러가 감소하는 반면, 수입은 0·083%(5억6천만달러)가 늘 어나, 무역수지에 6억1 천만달러의 적자요인이 추가되는 것으로 분석했다.

각각 10%, 6%씩 인상됐을때 실질국내총생산(GDP)이 0·18%감소하는것을 비롯, 고용이0·37% 감소하며, 소비자물가는 0·1%상승하는 효과가 나타난다고밝혔다.

이 보고서는 또 우리나라의 원유도입단가가 지난 81년 배럴당 34달러에서 89년 16달러까지 떨어졌다가 지난해 9월 30달러를 넘어선뒤, 연간변동률이 1백%를 넘어서 국내산업이 받는 충격은 매우 크다고 지적했다.

한편, 이 보고서는 국제 원유가및 석유제품가격이

0·903%) 및 고무제품(0·325%) 들도 큰 영향을 받게될 것으로 분석됐다.

또 국내유가가 10%오를 경우, 생산감소효과는 운수·보관·통신서비스카 0·41%로 가장 크고화

5일 韓國개발연구원(K

0033

91. 1. 6.

올原油도입 26%증가

3억8천만배럴 中東의존 60%로 축소

5일 동자부가 경제기획원에 통보한 「91년도 原油도입계획」에 따르면 급년에 쌍용·유공등 정유사의 정제능력이 日産 25만배럴가량이 늘어나고 소비량이 크게 증가할 것으로 예상, 도입물량을 작년 3억5천만배럴(추정) 보다 8천1백만배럴 (26·5%)이 증가한 3억8천6백만 배럴에 달할것으로 집계했다.

이같은 원유도입물량은 작년도 2·8%증가(89년 2억9천6백만배럴) 보다 대폭 늘어난 것이다.

또 石油제품(휘발유·등유·벙커C油·나프타등) 수입량은 △89년 4천1백만배럴 △90년1억배럴 추정, 11월末 현재 8천4백만배럴에서 △91년도에는 1억2천만배럴에 달할 것으로 예상하고 있다.

정부는 올해 原油도입물량을 작년보다 26·5%증가한 3억8천6백만 배럴로 계획을 세우고 中東의 존도를 현재의 65%에서 60%정도로 크게 낮출 방침이다.

이를 위해 蘇聯·中國·베트남등 국가들로 원유도입선을 다변화하기로 했다.

올 通商方向 전망

高油價·국제인플레로 먹구름

UR관련 韓·美間 마찰 지속될 듯

柳莊熙
(연합통신 경제부장 직무대행)

외 무 부

종 별 : 지 급

번 호 : SBW-0033

일 시 : 91 0106 1030

수 신 : 장 관(기협,중근동,동자부,기정,국방부)

발 신 : 주 사우디 대사

제 목 : 페만사태

대:WSB-0003

대호 관련 당지 석유전문가들의 견해를 종합보고함

1. 양측 공격에 의한 유전에 대한 예상타격 및복구에 소요되는 시간

0 이라크의 공격으로 인한 사우디 유전의 피해는 하기와 같은 이유로 별로크지 않을 것임

-원유채굴시설이 넓은 지역에 산재해 있어 공군력이 열세인 이라크로서는 폭격에 한계가 있으며 미사일에 의한 공격도 용의치 않음

-유전의 파괴는 MINING 이 아닌 폭격이나 미사일공격으로는 별효과가 없음

-이란-이라크전시에도 유전등의 피해는 크지 않았음

0 복구 소요시간도 사우디의 경우에는 오랜기간을 요하지 않을것으로 봄

2. 원유생산 및 유가에 대한 영향

0 주재국은 전쟁중에도 가급적이면 현수준의 원유생산을 유지하려고 최대한 노력할것임

0 전쟁발발시 유가는 전쟁계속기간,사우디뿐만아니라 이라크 및 쿠웨이트 석유시설 파괴정도,항만시설 파괴여부,복구에 소요되는 기간,선진국의 비측원유 방출여부등 수많은 변수에 의해 좌우되는 관계로 현시점에서 예상이 극히어렵다는 것이 대부분의 견해임(일부인사는전쟁중의 유가로 베럴당 70불정도로 예상하기도함).끝

(대사 주병국-국장)-

공람	국제기구	차관보	담당과	과장	국장	차관보	차 관	장 관

경제국   1차보   2차보   중아국   정문국   정와대   총리실   안기부   국방부
동자부

PAGE 1

91.01.06   17:54 DY

외신 1과 통제관

0036

42   걸프 사태 국제원유 수급 동향 2

페灣전쟁 1개월이상 지속 땐 유류配給制 실시

정부대책회의 정부비축油 긴급 방출키로

정부는 페르시아灣 사태가 15일이후 전쟁국면으로 치달을 경우 국제油價가 60~70달러선까지 폭등하고, 사우디아라비아 카타르 기타 전쟁인접국가들로부터 석유도입이 차질을 빚을것으로 예상, 정부 비축유를 긴급방출키로 했다.

또 페灣사태가 전쟁상태를 1개월이상 지속하면 油類배급제를 실시하는 한 편 이라크 쿠웨이트 사우디 아라비아주변 5개국의 4천9백여명의 교민과 해외 건설 요원을 대피시키기 외의 産油國으로부터 원유

정부는 7일 상오 李承潤부총리주재로 李相玉외무, 鄭永儀재무, 李陽瑞상공, 李熺逸동자, 李相熙건설, 許南薰환경처장관및 金鍾仁청와대경제수석등이 참석한가운데 제3차 페灣대책특별위원회를 열고 이같이 결정했다.

이날 페灣特委는 UN안 보리가 결정한 이라크철군 시한인 15일을 고비로 전쟁이 발발할 가능성이 높다고 판단, 국내 석유수급의 안정을위해 전쟁지역이

도입량을 늘리고 사우디아 라비아 카타르등으로부터 질이 발생할것에 대비, 약 4천만배럴에 달하는 정부 비축유를 긴급 방출키로 하루평균 21만배럴(전체 도입油의 20%)의 도입차 했다.

외 두 부

종   별 :

번   호 : JAW-0045   일   시 : 91 0107 1752

수   신 : 장관(경일,통이,기협,아일)

발   신 : 주일대사(경제)

제   득 : 세계경제 전망보고

대 : WJA-5440

대호 1항 관련, 주재국 주요경제학자, 연구소 및 언론등의 견해를 종합한 91년도 세계경제 전망을 하기 보고함.

1. 분야별 전망

가. 통상분야

O 90년도 12월의 U/R 각료회의에서 합의에 실패한 U/R 교섭은 91.1.15 재개될 것이나 타결여부는 예측 불가

O U/R 교섭이 타결되지 못한것은 표면적으로는 농업보호 삭감을 둘러싼 미국과 EC의 대립이 원인이나, 근원적으로는 80년대의 세계 무역구조 변화와 미국의 지도력저하에 연유

O 미국 의회내에서는 U/R 교섭이 결렬될 경우 301조에 의한 보복론이 대두되고 있으나, 미행정부 및 산업계는 이에 반대

O 미국의 산업계와 일본, 동남아, EC 와의 상호 의존관계를 고려할때, BLOC 화는미국으로서도 바람직하지 않으며 결국 미국은 다국간 교섭을 계속할 것으로 예상

나. 재정, 금융

O 90년도 세계금융 시장이 동서 냉전종결,중동사태등 국제정치 상황에 따라 다대한 영향을 받았음에 비추어 91년에도 경제요인뿐만 아니라 정치요인에 의해 큰 영향을 받을것으로 전망

O 경제면에서는 미.일.독의 금리동향이 촛점이 될것인바, 90년도에는 일.독이 인플레를 우려하여 금융긴축을 계속하여 왔으나 미국은 90년후반기에 경기후퇴를 타개하기 위해서 금융완화책을 실시, 향후 이러한 미.일.독의 금융정책 역행현상이 언제까지 계속될것인지가 주목(독일의 장기 금리는 이미 미국은 상회, 일본도

경제국   2차보   아주국   경제국   통상국   정문국

91.01.07   22:42 DP

인신 1과 통제관

0038

단기금리의 일부가 미국보다 고율)

다. 원유

0 현재의 중동사태의 진행방향에 대해서는 예측 불허하나, 가까운 시일내에 해결될 가능성이높음.

0 따라서 91년은 원유시장에서 90.8 이후와 같은 대혼란이 발생할 가능성은 희박

0 그러나 세계적인 경기축소로 석유수요는 증대되지않고 있는바, OPEC 을 비롯한산유국은 중동사태 해결후의 생산과잉에 따른 가격급락에 직면 예상

- IEA 등에 의하면, 90년 4/4분기의 서방진영의 총석유 재고는 약 33억 바렐으로94일분에 달하고있음.

0 한편 대 이라크 경제 제재조치로 수입이 불가능한 이라크.쿠웨이트산 원유 생산량(일일 400만 바렐)을 보전하기 위해 사우디를 중심으로 OPEC 국가들은 증산을 계속하여 왔는바, 90.12의 총생산량은 2,300만 바렐에 달하여 90.7 OPEC 총회 결정 생산량(일일 2,249 만 바렐)을 초과

0 90.12 OPEC 총회에서는 중동사태 종료후 90.7총회 결정 생산량에 복귀할 것에합의하였으나, 물리적으로 조속한 감산은 어려울것임.

0 원유가격은 OPEC 평균으로 바렐당 20불 이하로 하락하리라는 전망이 있는바, 사우디가 SWING PRODUCER 역할을 수행하며 OPEC 가 감산체제로 돌입할 경우 91년 하반기에는 두바이산 원유로 바렐당 20불대 전반으로 안정될 전망

0 그러나 중동전쟁이 발발하는 최악의 경우 원유가는 년평견 바렐당 60.9불이 될 것으로 보이는바, 일본의 경우 195억불 규모의 경상수지적자 및 불황국면에 돌입하게 되리라고 예측됨.

2.지역별 전망

가.미국

0 미국경제는 90년 4/4분기 이후 8년만에 RECESSION 상태가 되었는바, 현상황에서는 91년중반부터는 MILD RECESSION 으로 될 가능성이높음. 다만 경기를 이끌어갈 요소가 결핍되어 있는바, RECESSION 탈피후도 잠재 성장율을 하회할 저성장이 계속될전망임.

0 미국의 실질 GNP 성장율은 91년 4/4분기까지는 마이너스 성장이 계속되나, 하반기 부터는 플러스가 된다는 관측이 일반적임. 미국의 금융기관 연구소들의 추정에 의하면 90년 4/4분기의 실질성장율은 -1.3프로, 91년 1/4분기-0.9프로, 2/4분기

PAGE 2

0039

0.5프로, 3/4분기 2.0프로, 4/4분기 2.5프로 될 것으로 보이며, 년 평균으로는 90년 1.0프로, 91년 0.3 프로로 예측됨.

　0 금번의 RECESSION 의 파급효과는 크게 우려되지 않는바, 근거는 하기와 같음.

　- 잉여 재고가 적다는 점.

　- 개인소비가 대폭 감소될 가능성이 희박

　- 달러화의 약세 영향으로 수출이 견실히 증대

　- FRB 에 의한 금융완화 효과

　0 단지, 불안요인으로는 해외자금의 유입 규모가 적어지는 것인바, 유럽과의 금리 역전, 일본의 장기금리와의 금리차 축소등으로 일.유럽으로 부터 자금유입이 적어질 가능성이 높음. 이경우 재정적자의 국내자금 보전 가능 여부가 문제임.

　나.유럽

　0 동독지역의 경제부흥 부담을 안고 있는 독일이 유럽경제를 여하히 LEAD 해 갈것인가가 촛점으로, EC 위원회의 예상에 의하면 독일이 국내경제에 치중하는 만큼,유럽 전체로서는 마이너스 효과가 파급.

　0 EC 측 예측에 의하면 EC 의 경제성장율은 90년 2.9프로에서 91년에는 2.2프로로 감소될 것으로 보임.

　0 한편 91년 중반경에는 87.1. 결정된 EMS 의 재조정이 이루어질 가능성이 있음.

　다.아시아

　0 1차산품 의존형으로 부터 공업제품 수출형으로 경제의 중심이 옮겨가고 있는 아시아 각국에 있어서, 미국을 비롯한 선진국의 경기후퇴,원유가 상승, U/R 결렬등은확대 PACE 의 저해요인으로 작용. 그러나 중국의 견실한 경제회복이 플러스 요인으로 작용할 것으로 전망.

　0 아시아 주요국의 실질경제 성장율(예상)

　- 한국: 8.7프로(90), 6.7프로(91)

　- 중국:3.0프로(90), 4.0프로(91)

　- 대만: 5.1프로(90), 4.9프로(91)

　- 홍콩: 1.5프로(90), 3.1프로(91)

　- 싱가폴: 8.2프로(90), 5.2프로(91)

　- 태국: 9.3프로(90), 7.1프로(91)

　- 말련: 9.4프로(90), 8.1프로(91)

PAGE 3

0040

- 인니: 7.9프로(90), 7.6프로(91)

라.쏘련, 동구

0 91년은 쏘련 경제에 있어서 최대의 시련이 닥쳐올 것인바, 그르바쵸프 대통령이 권한을 최대활용하여 개혁을 여하히 단행해 나갈것인가가 관건

0 쏘련의 경제관련 시급 현안 사항

- 투블화의 교환성 확보를 위한 재정.금융개혁

- 통화의 과잉 유동성 억제(쏘련내 투기성 단기자금은 3,000-5000억 루블)

0 동구제국의 경제개혁 단계

- 농산물 가격 보조금의 삭감등에 의한 가격개혁(1단계)

- 국영기업 민영화등에 의한 민간경제에의 이행(2단계)

0 상기 개혁 추진 관련, 가격정책 실행시의 폴란드와 같이 국민저항이 예상되는바, 이를 단행할수 있는 여건조성이 시급한 현실.끝.

(공사 이한춘-국장)

관리번호 91-13

외 무 부

종 별 :

번 호 : UKW-0032

일 시 : 91 0107 1820

수 신 : 장관(기협,기정동문)

발 신 : 주 영 대사

제 목 : 페르샤만 사태

대 : WUK-0002

대호관련, 당관 이참사관이 금 1.7(월) 외무성 J. THORNTON 에너지 담당관을 접촉 파악한 내용을 아래 보고함

1. 미국등 서방측이 이락내의 유전을 직접 공격할 가능성은 희박하다고 보며, 이락이 사우디 유전에 대한 공격을 감행할 경우에도 그 타격은 크지 않을 것으로 봄. 만약 사우디 유전이 피해를 보는 경우에도 단시일내에 복구될 것으로 보며, 그 타격이 매우 심각한 경우에도 수개월이면 완전 복구될 것으로 예상함

2. 일단 전쟁이 발발하고 일방 유전에 대한 공격이 감행되는 경우에는 일시적으로 원유생산이 감소되고 단기적으로 급격한 유가인상이 예상(배럴당 50 불)되나 국제에너지 기구(IEA)등의 적극적인 개입으로 빠른 기간내에 수습될 수 있을 것으로 봄

3. 상기 전쟁이 단시일내에 수습될 경우에는 세계경제에 큰 영향이 없을 것으로 보며, 상당기간 지속될 경우에는 유가 인상에 따른 부담으로 개도국들은 심각한 어려움에 직면할 것으로 보나, OECD 포함 선진국들은 73 년 석유파동 이후 대체 에너지 전환 및 석유 저장시설 확충으로 상당히 유연한 입장에서 대처할 수있을 것으로 봄.끝

(대사 오재희-국장)

91.6.30 까지 30 까지

공람	국제경제국	인(년월일)	담당	과장	국장	차관보	차관	장관

경제국   장관   차관   1차보   2차보   구주국   중아국   안기부

외   무   부

종   별 : 지   급

번   호 : USW-0054   일   시 : 91 0107 1528

수   신 : 장 관 (경일,기협,통일)

발   신 : 주 미 대사

제   목 : 세계경제 전망

대: WUS-4306

1. 대호, 91년도 세계경제 전망에 대해 당지 연구기관 전망및 언론 보도내용등을종합, 아래 보고함.

가. 개괄

0 91년도에는 주요국의 고 이자율 정책과 인플레이션 상승에 따른 실질소득의 감소로 90년에 비해 경제성장이 둔화될 것이나, 70년대 초반과 같이 전세계적인 불황(RECESSION) 으로는 접어들지 않을 것으로 전망됨.

나. 경제성장

0 세계경제는 89년 3.3 프로, 90년 2.8 프로의 성장율에 비해 91년도에는 크게 둔화된 2.0 프로 성장율을 기록하고, 92년도에는 다소 회복세를 보여 2.5프로 성장율을 달성할수 있을 것으로 전망됨.

(IMF 는 91년 세계경제 성장율을 2.5 프로로 전망)

(1) 선진국

0 미국은 90년 하반기부터의 경기후퇴 추세가 91년 전반기까지는 계속될 것으로예상되며, 91년중 1 프로 정도의 경제성장을 기록할 것으로 전망됨.(OECD 는 91년 미국 경제성장율을 전반기 1.2 프로, 하반기 1.8 프로로 전망하고 있음)

0 일본과 서독의 경제성장이 선진국 경제성장의 견인차 역할을 담당할 것이나, 일본, 서독도 90년에 5 프로내외의 성장을 기록한데 비해 91년에는 3 프로 정도의 성장을 기록할 것으로 전망됨.

0 기타 불란서, 영국, 카나다등 서구제국도 90년도에 비해 성장이 둔활될 것으로전망됨.

(2) 개도국

경제국   2차보   미주국   경제국   통상국

PAGE 1   91.01.08   08:21 FC
                                                            외신 1과 통제관
                                                                              0043

0 개도국 전체의 실질 GDP 성장율은 90년의 2.25 프로에 91년에는 4 프로로 증가할 것으로 전망됨.

0 아시아국들은 내수증가와 역내 교역증대에 힘입어 5 프로내외의 성장을 기록할수 있을 것이며, 특히 한국.태국.인니등은 90년에 비해 높은 성장을 시현할수 있을것으로 전망됨.

0 중남미 제국중 알젠틴, 브라질, 칠레등은 경제자율화 정책및 외채감소를 통해 90년에 비해 현저한 경제성장을 기록할수 있을 것으로 전망됨.

0 동구권 제국은 외채부담, 경화 부족, 경제적 개혁에 필요한 제도 미비, 세계경제 여건 악화(경제성장 둔화, 고이자율, 유가인상, 최대 무역상대국인 소련경제 악화)등으로 90년에 이어 어려운 한해를 보낼 것으로 예상되나, 총생산량은 90년의 급격한 감소이후 안정화할 것으로 전망됨.

0 아프리카 제국은 91년에도 세계 여타지역과의 경제적 격차가 심화될 것임.

다. 실업율

0 선진국의 실업율은 90년의 6.5 프로에서 91년에는 7 프로로 증가할 것으로 전망됨.

0 세계 전체로는 취업율 성장율이 0.5-1.5프로 감소할 것으로 전망됨.

라. 인플레이션

0 OECD 는 선진국의 91년 인플레이션율을 전반기 6 프로, 하반기 4.5 프로로 전망하고 있으며, IMF 는 91년 선진국의 인플레이션율을 4.25 프로로 전망하고 있음.

0 개도국의 경우 91년에 이어 높은 인플레션을 유지할 것으로 예상되는바, 아시아 지역의 신흥공업국의 경우 수입원유 의존도가 높아 유가인상에 의한 인플레이션 상승 불안이 상존하고 동구권 국가도 가격자율화 정책으로 인플레이션 억제가 어려울것으로 우려되고 있음.(다만, 일부 중남미국가와 동구권 국가의 긴축 통화정책이 충실히 수행될 경우 개도국간 인플레이션율의 차이는 감소할 것임)

마. 이자율

0 페만사태에 따른 유가인상으로 통화정책은 전반적으로 긴축기조를 유지할 것으로 전망됨.

0 특히 일본은 국내 인플레이션 억제를 위해, 서독은 통독과정에 소요되는 자본유치를 위해 고이자율 정책을 계속할 것으로 전망됨.

0 미국, 영국등 현재 경기후퇴 국면에 있는 국가들은 단기 이자율은 감소할

PAGE 2

0044

가능성이 있으나, 장기적으로는 인플레이션 때문에 경제성장 촉진을 위한 팽창정책으로전환 할 수는 없을 것으로 예상됨.

바. (무역)

0 세계 교역증가율은 90년의 둔화추세를 계속, 88년 9 프로에서 91년에는 5 프로내외를 기록할 것으로 전망되나, 91년 하반기에는 다소 회복할수 있을 것으로 전망됨.

0 UR 타결의 지연으로 미국등에 의한 무역보복이 증대될 것이며, 지역적 블록형성 움직임이 강화될 것으로 예상되는바, 미국은 맥시코와의 자유무역 협정체결등 중남미 국가와의 무역 증진노력을 강화해 나갈 것이며, EC 도 92년 시장단일화 계획의 완결을 위해 계속 노력할 것임.

(1) 선진국

0 89년에서 91년까지 선진국의 수입은 3.5 프로 감소, 수출은 1.75 프로 감소되며, 그결과 선진국의 무역적자는 91년에 280억불로 감소될 것으로 전망됨.

0 달러환율의 하락으로 미국의 수출이 계속 호조를 보일 것이며, 불란서, 이태리, 영국의 세계 시장점유율이 증가하는 반면 서독의 시장점유율은 감소할 것으로 전망됨.

(2) 개도국

0 아시아 신흥 공업국을 제외한 개도국은 수입증가율이 수출증가율을 상회, 비석유 생산 개도국의 무역적자는 90년에 비해 120-220억불 정도 증가하며, 아시아 신흥공업국의 무역흑자도 감소할 것으로 전망됨.

사. 페만사태의 경제적 영향

0 미국 정부는 페만사태의 경제적 영향은 91년 상반기중에야 비교적 정확하게 평가 할수 있다고 보고있으나, 잠정적으로 페만사태에 따른 유가인상으로 90년중 경제성장율이 0.5 프로 감소되었으며 인플레는 0.5-1 프로 증가될 것으로 추정하고 있음(일부 전문가들은 유가가 배럴당 10 불 인상될 경우 경제성장은 1 프로 감소, 인프레는 1.5-2 프로 증가된다고 분석하고 있음.

0 미 정부는 막대한 규모의 재정적자 부담으로 인해 재정지출 증가를 통한 경기진작 정책을 추진할수 없다는 점을 감안, 연방 준비은행(FRB)에 대해 이자율은 인하할것을 요구하고 있으나 연준은 유가인상에 따른 인플레이션 상승을 우려, 대폭적인 이자율 인하를 거부하고 있음.

0 당지 전문가들중에서는 미국의 경기침체가 페만사태 이전에 이미 시작되었으며,

PAGE 3

0045

페만사태는 소비자 및 투자자들의 경제에 대한 신뢰도를 더욱 감퇴시킴으로서 경기회복을 지역시키고 있을 뿐이라는 견해가 지배적인바, 대부분의 전문가들은 현재 미국경제의 불황은 단기적인 현상이며 불황의 정도도 별도 심각하지 않으므로, 91년 후반부터는 경기가 회복될 것이라고 전망하고 있음.

2. 참고로 미 정부는 세계경제 전망에 대한 공식평가는 발표하지 않으며, 91년 미 경제전망에 대해서는 1월 중순이후 발표 예정임.

3. OECD 의 91년 선진국 경제전망표를 별첨 FAX 송부함.

첨부: USW(F)-44

(대사 박동진-국장)

주 미 대 사 관   보안 종저 [서명]

번호 : USW(F) - *0044*

수신 : 장 관 (경아, 기획, 동아.) [서명]

발신 : 주미대사

제목 : USW—0054 첨부 ('1124)

Appendix

OECD Summary of Projections
(seasonally adjusted annual rates)

	1989	1990	1991	1992
REAL GNP				
U.S.	2.5	1.0	0.9	1.9
Japan	4.9	6.1	3.7	3.8
Germany	3.9	4.2	3.0	2.6
OECD Europe	3.5	2.9	2.1	2.5
Total OECD	3.4	2.8	2.0	2.5
REAL TOTAL DOMESTIC DEMAND				
U.S.	1.9	0.7	0.1	1.1
Japan	5.9	6.4	4.1	3.8
Germany	2.7	4.5	3.1	2.2
OECD Europe	3.4	3.1	2.1	2.3
Total OECD	3.4	2.7	1.7	2.1
INFLATION (GDP DEFLATOR)				
U.S.	4.1	4.2	4.9	4.5
Japan	1.5	1.5	2.2	1.9
Germany	2.6	3.4	4.3	4.0
OECD Europe	5.5	5.8	6.1	5.4
Total OECD	4.3	4.3	4.9	4.3

$ Billion

	1989	1990	1991	1992
CURRENT BALANCE				
U.S.	-110.0	-103.6	- 93.8	-60.8
Japan	57.2	38.4	37.0	36.1
Germany	55.4	49.3	29.8	17.9
OECD Europe	6.5	-14.7	-34.3	-46.2
Total OECD	-79.2	-111.1	-117.4	-95.1

全面戰땐 배럴당 60弗 폭등

철수시한 1週남긴 페灣… 油價전망

13弗시대 복귀 不能… 「高油價」이미 點火

美가 승리하더라도 35~40弗線 크게 뛸듯

폭락·방지위해 쿠웨이트등 OPEC선 공급과잉 자제

페灣을 둘러싼 긴장은 U N이 1월15일을 이라크의 철군시한으로 정한 페르시아灣사태의 D데이가 다가오면서 세계 석유시장에 긴장감이 감돌고 있다. 국제원유가는 작년말이후 평균 23달러대에 거래되고 있다.

지난 4일 중동산 원유 5개국 평균 「안정기미」를 보이기도 했다. 「안정기미」를 보이기도 했다.

평화적해결 不透明

그러나 원유가격의 안정은 80년대의 저유가시대에 비해서는 여전히 높은 가격이다.

교착상태 30弗線

페灣사태가 평화적으로 해결된다는 시나리오에서는 배럴당 15달러선까지 하락할 것으로 국제원유가가 배럴당 13~14달러에 머물던 중동산유가 21달러의 21달러대로 복귀할 것으로 전망되고 있다.

OECD 百일분비축

OPEC의 생산쿼터를 위 곧 폭락하고 되면 유가는 피해자가 될 가능성이 항상

안정적 需給대책 시급

점부는 이미 작년11월 유종의 가격을 23%나 부유종의 우리경제에는 주름살이 우리경제에 대처하기 위해 석유위기에 대처하기 위한 단기적인 시장동향에 대한 대응과 함께 국내산업에 미치는 폐해를 최소화할수 있도 위해 안정적인 수급대책을 세우고 있다. 이와함께 에너지절약자세가 어느 소비자나 기업과 가계등 소비자 어느 때보다 요청되고 있는 상황이다.

〈羅鍾顕기자〉

0048

관리
번호 91-14

외 무 부

종 별 : 지급
번 호 : SGW-0009
수 신 : 장관(기협,아동)
발 신 : 주 싱가폴 대사
제 목 : 폐만사태

일 시 : 91 0108 1100

대: WSG-0005

1. 대호관련, 당관 황정일서기관이 1.7. 마닐라개최 APSA 제 3 차 집행기구회의에 주재국대표로 참석한 MR.ONG ENG TONG 싱가폴 석유회사 (SPC) SENIOR MANAGER 를 접촉, 파악한 내용을 아래 보고함.

가. APSA 협정은 아세안 회원국이 전쟁, 지진, 대화재등 긴급사태로 인해 심각한 원유공급 부족상황에 처하게 될경우 회원국중 산유국 (인니, 말련, 브루네이)이 비산유 회원국에 대하여 원유를 우선 공급해 주는 것을 기본내용으로 하고있는바, 금번 마닐라회의는 작년 11 월 아세안 에너지장관 회담시 필리핀측의 제의로 열리게 된것임.

나. 금번회의의 목적은 지난 86 년 동 협정 체결이후 아세안 회원국들의 산유량및 소비량에 변화가 있어 동 자료를 UPDATE 시킴과 동시에 폐만전쟁 발발가능성에 대비 산유국의 원유공급 약속등 협정의 이행절차를 재확인하는데 있었음.

다. 동 협정에 규정된 긴급사태 처리절차에 의하면 돌발사태로 인해 자국의원유 소비분의 20 프로 이상 공급부족을 겪게 되는 회원국은 아세안 사무국장에게 긴급사태 발생을 통보하면서 집행기구회의의 소집을 요구할수 있으며, 이경우 아세안 사무국장은 7 일이내에 해당국가에서 회의를 소집하여 관련국이 긴급한 상황에 처해있는지 여부를 판단하게 됨. 동회의 개최후 3 일이내에 각 회원국의 APSA 집행기구는 자국의 에너지장관에게 회의결과를 권고하며, 에너지장관은 봉상 이를 존중한다함.

라. 원유공급량및 가격은 당사국간 직접협상에 의해서 결정되는바 공급가격은 시장가격을 기준으로 하게됨.

3. APSA 텍스트는 비공개라함. 끝.

경제국   차관   1차보   2차보   아주국

91.01.08   13:18
외신 2과 통제관 BW
0049

(대사-국장)

예고: 91.6.30. 까지

0050

외 무 부

종 별 :

번 호 : PHW-0024

일 시 : 91 0108 1600

수 신 : 장관(기협,아동)

발 신 : 주 필리핀 대사

제 목 : 페만사태(자료응신 2호)

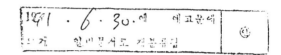

대:WPH-07

1. 대호 ASEAN PETROLEUM SECURITY AGREEMENT(APSA)이행하는 MECHANISM 을 협의하는 회의를 필리핀 국영 석유회사(ORLANDO GALANG 부사장 주재하에 당지에서 1.3-4 간 개최되었는바, 동 회의결과 아세안 국가들이 페만전쟁 발발등으로 석유수급 상황에 비상 사태가 발생하였을때 석유수출 아세안 국가들이 석유수입 아세안 국가들의 석유 공급을 지원하기 위한 아래와 같은 절차를 마련하였음.

가. 아세안 석유안보 협약(APSA) 제 2 조 2 항에 따라 비상사태 발발로 어느 아세안 국가가 자국 석유 소비분에서 20 프로 이상 부족분이 발생하였을때 인니소재 아세안 사무국에 석유 공급 지원을 요청할수 있음.

나. 상기 요청을 접수한 아세안 사무국은 2 일이내에 아세안국가들에게 동 사실을 통보하고 이에따라 7 일 이내에 아세안 국가의 에너지 장관 회합이 소집됨.

다. 동 회합에서 3 일 이내에 석유 공급량, 가격, 지불조건을 결정하도록 함.

2. 현재 아세안국가중 석유 수출국가는 인니, 말레이시아, 브루나이 이며 수입국가는 필리핀, 태국, 싱가폴로서 필리핀의 일일 석유 소비량은 24 만 배럴,태국은 45 만 배럴, 싱가폴은 1 만 배럴로 알려지고 있음.

비상사태 발발시는 주로 인니가 자국의 1 일 140 만 배럴 생산에서 자국 소비분 67 만 배럴을 제외한 양을 석유수입 아세안 국가들에게 우선적으로 공급하기 위한 것으로 보임.

3. APSA TEXT 는 1.11.(금) 당지발 파편 송부하겠음.

(대사 노정기-국장)

예고:91.6.30. 까지

공 람	국 제 경 제 국	연 월 일	담 당	과 장	국 장	차관보	차 관	장 관

경제국   장관   차관   1차보   2차보   아주국   정와대   안기부

외 무 부

종 별 :

번 호 : FRW-0048

일 시 : 91 0108 1810

수 신 : 장관(경일,기협,구일)

발 신 : 주 불 대사

제 목 : 페만사태 무력분쟁 대비 석유수급 제한조치

대:WFR-2415

연:FRW-0019

대호 관련, 주재국 정부는 페만사태가 무력분쟁화 되었을 경우에도, 주재국내 석유 결핍 사태가 초래될 가능성은 극히 희박할 것으로 전망하고 있으나, 유사시에 대비하여 산업성을 중심으로 아래와 같이 점진적 4 단계 대처방안을 수립한것으로 알려짐.

-아래-

1. 주요대상

0 주재국내 최대 석유 소비분야인 차량통행을 중심으로 제한조치를 취하되 상황을 보아 여타분야로 확대

2. 단계별 제한조치 및 기대효과

01 단계:현재의 차량제한 속도(시내 시속 50KM) 준수(연간 70 만톤 절감효과)및 주택난방 기온의 19 도 제한(연간 1 백만톤 절감)

02 단계:고속도로내 시속 120KM 제한(연간 40 만톤 절감)

03 단계:일요일 차량통행금지(50 만톤 절감) 및 1 주일에 2 일간 주유소 영업금지, 필요시 격일로 차량통행 실시

04 단계:석유 배급제 실시(1956 년 스웨즈운하 사태시 기실시한바 있음)

3. 실시

0 상기 단계별 조치는 정부고시로 즉각 시행가능

4. 기타

0 주재국 정부는 페만 무력분쟁시에도 극단적인 조치를 취할 가능성은 거의 없을 것으로 보고있으며, 최악의 경우에 사용할 약 100 일간의 석유를 비축하고 있음. 끝.

경제국	장관	차관	1차보	2차보	구주국	경제국	청와대

PAGE	국제경제국	91년1월9일	담당	과장	국장	차관보	차관	장관
람								

91.01.09   05:52

외신 2과 통제관 CF

0052

(대사 노영찬-국장)
예고:91.12.31. 까지

접 수 (

검 토 필(1991. 6. 30.)

외　무　부

원　본

종　별 :

번　호 : BUW-0003

일　시 : 91 0109 0900

수　신 : 장관(기협,아동)

발　신 : 주 브루나이 대사

제　목 : 페만사태

　　대:WBU-1

　　당관 김서기관은 1.7. ABDUL KANI 석유국장이 출타중임으로 수상실 석유국의 MOHD
YUSOF 과면담 파악한바 아래보고함

　　1. 대호 APSA 협정은 아세안회원국중 수요량의 20%이상의 석유부족으로 곤란을겪는
회원국가가 타 산유회원국으로 부터 석유공급지원을 요청할수있게 되어있는바 금번
마닐라회의는 필리핀측 요청에의해 개최된것으로서 필리핀은 페만전쟁발발시 동협정의
적용희망을 표시하였다고함

　　2.　브루나이로서는　동협정이　적용될경우　총수출원유중　현물시장에서의
판매원유등(20%미만)으로　공급　지원할것이나　아국등을　포함한　장기계약에의한
수입국에대해서는 하등의 영향을 줌이없이 장기공급 계약대로 수출할것이라함

　　3. 현재 브루나이의 일 원유생산 능력은 15 만 배럴로서 증산 여력이없어 현수준
유지할것이라함

　　4. 동협정은 대외비문서로서 제공할수없다고함. 끝
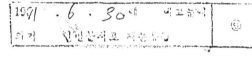

　　(대사허세린-국장)

　　예고: 91.6.30

						분류
						보안

경제국	장관	차관	1차보	2차보	아주국	정와대	안기부

관리 번호 91- 17

외 무 부

종 별 :

번 호 : MAW-0035   일 시 : 91 0109 1800

수 신 : 장관(기협,아동)

발 신 : 주 말련 대사

제 목 : 페만사태

대:WMA-0010

1. 당관 이준규 서기관은 대호 회의에 참석했던 주재국 국영석유회사(PETRONAS)의 MOHD. IDRUS 부장을 접촉, 동 회의 관련 사항 파악한바, 아래보고함.

가. 1986 년 협정 주요 내용

O 긴급 사태 발생하여 특정 회원국이 원유 공급량이 수요의 80 % 이하로 떨어질 때 회원국간 긴급 공급절차 규정

O 상기 사태 발생시 수요국은 아세안 사무국에 긴급회의 소집요청, 7 일 이내에 아세안 주재로 동 수요국 수도에서 회의 개최, 동 회의에는 각 회원국의 지정 집행기구(주로 국영석유회사)대표들이 참석

나. 마닐라 회의 주요 내용

금번 회의에는 필리핀의 요청으로 소집되어 페만 전쟁 발발시 대책에 관해 토의했음. 구체적 성과는 각국의 산유량 및 원유 수급량에 대한 DATA 의 UP-DATE였으며 필리핀등이 인니, 말련등에 대해 추가 공급에 대한 확약을 요청했으나 받아들여지지 않았음. 필요시 수요국의 요청에 의거 긴급회의가 재 소집될것임.

2. 상기 협정으로 인해 아국과 같은 비 회원국에 대한 공급이 차질을 빚을 가능성에 대해 동인은 이 협정이 강제적인 것이 아니며, 또한 공급은 시장 가격에 기준하도록 되어있기 때문에 그러한 우려는 필요없을 것이라함. PETRONAS 로서는 장기 공급 계약을 계속 준수함은 물론, 단기 공급도 가급적 FIRST COME, FIRST SERVED BASE 에 의거하게 될것이며, 상기 ASEAN 간의 협조도 우선 STOCK 이있고, 수요국으로부터의 구체적 요청이 있을 경우에 가능할 것이라함.

3. 협정문 TEXT 는 입수 노력중임.끝

(대사 홍순영-국장)

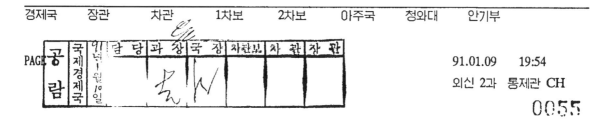

경제국	장관	차관	1차보	2차보	아주국	청와대	안기부

담당	과장	국장	차관보	차관	장관

PAGE

예고:91.6.30 까지

1991 . 6 . 30 .에   예고문대
    가   인가문서로 재분류함   ⊙

0056

이라크 . 쿠웨이트事態 報告

1. 當事國動向

ㅇ 美 國

- 부시大統領은 페灣 駐屯 美國 同盟國에 보내는 放送 메시지에서 1月 15日이 確實한 戰爭日字가 아니며 사담이 平和냐 戰爭이냐를 택할 날짜라고 말하고 이라크의 쿠웨이트로부터 完全하고 無條件的 撤收를 再強調

- 베이커 美 國務長官은 8日 프랑스, 독일, 이탈리아를 訪問 頂上들과 會談 豫定 이번 訪問은 反 사담 후세인 立場을 보다 확고히 하기 위한 說得이 目的임

- 이라크 兵士를 태운 이라크군 헬리콥터 6대가 7일 사우디 북동부 國境을 넘어와 多國籍軍 측에 망명을 要請

ㅇ 이 라 크

- 이라크 駐在 美大使館은 마지막 文書를 燒却

- 사담 후세인은 水曜日 제네바 會談에 별로 期待를 걸고 있지 않으며 이라크가 攻擊 받으리라 確信하고 있음.

- 外國 大使館들은 最惡의 경우를 對備하고 있음

2. 主要國反應

ㅇ 프랑스

- 7일 롤랑 뒤마 外務長官은 프랑스가 獨自的으로 事態의 平和的 解決을 위한 努力을 기울일 것을 宣言

ㅇ 영 국

- 존 메이저 英國 首相은 이라크軍의 部分的 撤收는 絶對로 받아들일 수 없으며

- 戰爭이냐 平和냐 하는 問題는 사담 후세인의 UN決議에 대한 完全한 履行이 열쇠라고 사우디에서 가진 記者會見에서 밝힘.

ㅇ 요르단

- 요르단의 후세인왕이 페灣事態의 平和的 解決方案을 摸索하기 위해 8일 독일 본에 到착

ㅇ U N

- UN은 페灣 戰爭勃發 危險을 理由로 이스라엘, 레바논, 요르단 및 시리아에 있는 UN關聯機構의 모든 非必須 要員들이 現地를 떠나도록 勸告

3. 石油市場 動向

ㅇ 價格動向 : 前日對比 0.33 - 0.38 $/B 下落

	7.31	8.31	9.28	10. 9	1. 7	1. 8	增減
Dubai	17.20	25.92	37.04	35.41	22.28	21.95	△0.33
Oman	17.65	26.52	37.64	36.01	22.83	22.50	△0.33
Brent	19.49	28.62	41.12	41.68	26.45	26.07	△0.38
W T I	20.75	27.42	39.47	40.76	27.48	27.12	△0.36

0057

폐灣 戰爭 勃發時 國際原油需給 및 油價 展望

(公館 報告 綜合)

1. 原油 需給

o 기본적으로 戰爭期間 및 戰爭規模, 油田施設 파괴 정도, 復舊時間등에 좌우

o 對替的으로 原油需給에는 문제가 없을 것으로 전망

　- 戰爭勃發경우, 폐灣地域 油田에 대한 打擊 可能性 미미

　　· 油田파괴는 Mining 이 아닌 爆擊이나 미사일 攻擊으로 効果 별무

　　· 이라크의 油田攻擊 能力 懷疑的

　　· 파괴 가능한 사우디 油田 10% 미만 분석

　- 이라크·쿠웨이트産 原油供給 不足分, 餘他國 增産으로 旣超過 充當

　- 90. 4/4분기 西方陣營 總 石油 在庫 약 33억 배럴(94일분)

2. 油價

o 戰爭勃發直後 心理的 要因에 따라 油價急騰 ($50-70/B 전망)

o 原油需給에 큰 변동 없을 경우 $25-30/B 전망

o 戰爭終結 및 파괴 油田施設 復舊後 油價急洛 ($20/B 이하)

　- 心理的 反作用, 需要減少, 供給過剩

　- OPEC 減産體制 돌입 경우, 91년 下半期 $20/B 선에서 안정 전망

3. 世界 經濟에 대한 影響

o 經濟成長

　- 油價 $10/B 인상 경우, 先進國 經濟成長 1% 減少, 物價 0.5-1% 引上 전망

　- 에너지 사용율이 높은 開途國의 경우, 영향이 先進國 보다 심각

o 貿易

　- 世界 經濟成長 鈍化, 消費·投資減少로 貿易 萎縮

o 金融

　- 인플레이션 壓力으로 利子率 引上 및 開途國 外債負擔 가중

0058

湾 戦争 勃発時 国際原油 需給 및 油価展望

1991. 1

外 務 部

> 페르샤灣에서 戰爭勃發 경우, 國際原油需給 및 油價 展望에 대하여 다음과 같이 報告합니다.

1. 原油 需給

o 基本的으로 戰爭期間 및 規模, 油田施設 破壞 정도, 復舊時間等에 左右

o 大部分 專門家들 原油需給에는 問題가 없을 것으로 展望

- 戰爭勃發 경우, 폐灣地域 油田에 대한 打擊 可能性 微微
  . 油田破壞는 Mining이 아닌 爆擊이나 미사일 攻擊으로 效果 별무
  . 이라크의 油田攻擊 能力 懷疑的
  . 破壞 可能한 사우디 油田 10%未滿 分析

- 이라크. 쿠웨이트産 原油供給 不足分, 餘他國 增産으로 旣超過 充當

- 90. 4/4分期 西方陣營 總 石油 在庫 約 33億 배럴(94日分)

0060

2. 油 價

○ 戰爭勃發 直後 心理的 要因에 따라 油價急騰
(50-70弗/B 展望)

○ 原油需給에 큰 變動 없을 경우 25-30弗/B 展望

○ 戰爭終結 및 破壞 油田施設 復舊後 油價急落
(20弗/B 以下)

- 心理的 反作用, 需要減少, 供給過剩
- OPEC 減産體制 突入 경우, 91년 下半期
20弗/B 線에서 安定 展望

3. 世界 經済에 對한 影響

○ 經濟成長

- 油價 10弗/B 引上 경우, 先進國 經濟成長
1% 減少, 物價 0.5-1% 引上 展望
- 에너지 使用率이 높은 開途國의 경우, 影響이
先進國 보다 심각

○ 貿易 및 金融

- 世界 經濟成長 鈍化, 消費.投資減少로 貿易 萎縮
- 인플레이션 壓力으로 利子率 引上 및 開途國
外債負擔 加重

0061

페르샤만에서 戰爭勃發경우, 國際原油需給
및 油價 展望에 대하여 다음과 같이 報告
합니다.

1. 原油 需給

o 기본적으로 戰爭期間 및 戰爭規模, 油田施設 파괴 정도, 復舊時間등에 좌우

o 대부분 전문가들 原油需給에는 문제가 없을 것으로 전망

- 戰爭勃發경우, 페灣地域 油田에 대한 打擊 可能性 미미

    · 油田파괴는 Mining 이 아닌 爆撃이나 미사일 攻擊으로 効果 별무

    · 이라크의 油田攻擊 能力 懷疑的

    · 파괴 가능한 사우디 油田 10% 미만 분석

- 이라크·쿠웨이트産 原油供給 不足分, 餘他國 增産으로 旣超過 充當

- 90. 4/4분기 西方陣營 總 石油 在庫 약 33억 배럴(94일분)

2. 油價

o 戰爭勃發直後 心理的 要因에 따라 油價急騰 ($50-70/B 전망)

o 原油需給에 큰 변동 없을 경우 $25-30/B 전망

o 戰爭終結 및 파괴 油田施設 復舊後 油價急洛 ($20/B 이하)

- 心理的 反作用, 需要減少, 供給過剩

- OPEC 減産體制 돌입 경우, 91년 下半期 $20/B 선에서 안정 전망

3. 世界 經濟에 대한 影響

o 經濟成長

- 油價 $10/B 인상 경우, 先進國 經濟成長 1% 減少, 物價 0.5-1% 引上 전망

- 에너지 사용율이 높은 開途國의 경우, 영향이 先進國 보다 심각

o 貿易 및 金融

- 世界 經濟成長 鈍化, 消費·投資減少로 貿易 萎縮

- 인플레이션 壓力으로 利子率 引上 및 開途國 外債負擔 가중

0062

외 무 부

종 별 :

번 호 : GEW-0038

일 시 : 91 0109 1800

수 신 : 장관(경일, 기협)

발 신 : 주 독 대사

제 목 :

대:WGE-0003, 1842

연:GEW-0030, 0037

대호 당관 이상완 참사관은 1.8. 외무부 BOBINGER 자원 부국장을 면담 아래추가 보고함

가. 주재국은 이락. 쿠웨이트로부터의 원유도입을 중단(과거 도입시 전체의2 프로), 영국, 노르웨이 등이 주 도입선이 되고 있고, 페만사태의 유동성으로정부기관은 대호와 관련된 경제적 영향및 전망을 집중 분석한바는 없다함

나. 동 부국장은 전쟁발발시 유가는 급등(바렐당 75 불선 예상)할것이나 이는 산유량에 직접 관계되기보다는 유가인상 우려에 대한 기대심리때문이며 사우디등의 증산분을 포함, 막대한 세계 원유저장량, 타 산유국의 증산, 메이저의 작용으로 원유가가 매우 유동적으로 변동될 것으로 전망된다 함.

(대사-국장)

예고:91.12.31. 까지

접 수 (1991. 6. 30.)

공 람	국제경제국	연·월·일	담 당	과 장	국 장	차관보	차 관	장 관

경제국　　장관　　차관　　1차보　　2차보　　구주국　　경제국

페灣戰대비 油類3단계대책 마련

長期化조짐땐 月內 값引上

정부는 페르시아灣사태 해결을 위한 美·이라크 외무장관회담이 결렬, 전쟁 가능성이 한층 높아짐에 따라 10일 비상체제에 돌입, 전쟁발발과 동시에 강력한 油類소비억제시책을 펴는 한편 페灣지역으로 가는 수출상품선적 및 유람船제계획을 마련했다.

油類 수급 방안

＜1단계＞

승용차 10부제 운행

네온사인 가동 단축

석유사용 發電 중단

유흥업소 영업 축소

＜2단계＞

승용차 짝홀수 운행

業務用車 50% 감축

TV 방영시간 단축

＜3단계＞

유류 배급제등 실시

油類수급대책

동력자원부는 현재 1단계 소비억제시책으로 △승용차 10부제운행 △석유사용 네온사인 가동단축 △상업용네온 등 전기절약, 유흥업소 영업시간단축 등을 실시키로 했다.

그러나 전쟁이 1개월이상 장기화할 것으로 판단되는 2단계 소비억제시책으론 △승용차 짝홀수 운행 △버스등 대중교통수단을 제외한 관용·업무용차량의 50%운행 감축 △TV방영시간 단축등을 검토중이다.

輸出品 제3국 대기 조치

운항일정을 일시점검하는 등 비상체제에 돌입했다.
상공부관계자는 그동안 中동지역의 우리나라상사 주재원들은 이미 작년12월6일까지 모두 철수했기때문에 이지역에서의 추가적인 대피계획은 필요없다고 밝혔다.

0064

중앙일보

91. 1. 11.

페灣사태 對策 이렇게 세우자

寄稿

金辰炯 (에너지 경제연구소 석유·가스수급 연구실장)

석유소비 줄이는 것이 最善

에너지政策 바꾸고 자발적 국민운동 필요

0065

9일 제네바에서 열린 美·이라크 외무장관회담은 일단 결렬되었다. 이것은 곧 전쟁돌입을의 미한듯은 아니지만 이라크가 쿠웨이트에서 철군하지 않는한 전쟁발발 가능성은 더 한층 높아진게 사실이다.

국제원유가격(OPEC평균)은 89년에 배럴당 16.56달러였고 90년 상반기에도 16.15달러에 불과하였다. 90년하반기에는 페灣사태발발로 배럴당 평균 26.39달러를 나타냈다. 결국 90년 전체의 평균油價는 21·27달러로 28%가 오른 셈이다.

9일현재 국제油價는 25달러 수준인데 일단 美國과·이라크 간에 전쟁이 발발한다면 전쟁 뉴스만으로도 油價는 40달러이상으로 폭등할 것이다.

전쟁발발후 3∼4일간의 전황은 유가향방의 중대한 갈림길이 될것이다. 단기전 양상으로 이복합적으로 작용하여 폭등 이 경우 유가는 세가지 요인이 될것이다. 첫째, 전쟁이 시장을 기미가 보이면 유가는 20달러 라는 수급외적 요인이

있다. 현재 다국적군에 참여해 있는 이집트가 이탈할 수 있고, 이란도 개입할 가능성이 있다.

이러한 세가지 요소가 복합적으로 작용함으로써 유가는 40달러를 돌파할정이다. 물론 美國의 전략석유비축(5억9천만 배럴)이 방출되고 IEA(국제에너지기구)의 석유긴급융통제도가 극심하게 작용, 유가폭등을 부추기게 된다.

둘째, 사우디아라비아(현재 하루 8백50만배럴생산)의 일부 유전 그리고 쿠웨이트 유전의 다수가 피해를 보게됨으로써 세계경제는 물론 우리나라와 같은 非産油 開途國의 타격은 지난 1, 2차 석유위기에 비할수 없이 심각할 것으로 보인다.

페灣이 전쟁에 휩싸이면 곧 중동전체가 전쟁터로 변할것이며 원유수출에가 발생함으로써 유가상승이 즉각적인 유가급등으로 이어질 것은 자명하다. 이경우 그렇지 않아도 物價高와 수출부진등 각종의 경제위기에 직면하게 된 우리나라는 심각한 타격을 받게 된다. 이를 위해서는 탈바꿈하여야 한다. 이를 위해서는 지역·난방사업등 열병합발전의 확대, LNG도입정의 단축, 전화대사업의 적극 추진되어야

망된다.

용계획 전면수정 불가피

폐灣 開戰대비… 非常대책 점검

석유配給制등 단계적 시행
수출 큰 타격… 高인플레 우려

▶ 원유도입관
는가하면 선
진은 油公의

▲經濟運用 =經濟運用계획은 油價를 배럴당 25달러선으로 가상하고 짜여졌다.
따라서 전쟁발발로 그이상 폭등하고 이같은 상태가 장기화되면 경제운용계획은 전면적인 손질이 불가피해진다.

그러나 정부는 전쟁이 어날경우 각산업에 영향을 줄수밖에 없는 물가·자원운용·통화정책·국제수지등 경제전부문에 대한 대응책을 점검해본다.

페르시아灣사태악화에 따른 정부·업계의 대응책을 점검해본다.

外換위기까진 없을듯

전쟁이 나면 페르시아灣에 인접한 사우디·카타르·UAE등에서의 도입도 사실상 어려워질 것이므로 판단, 하루약 28만8천배럴의 도입차질이 빚어질 것으로 보고있다.

재 1억7천만배럴(原·제품, 정부재고포함)에 이르는 국내비축유로 충분히 의존할 수 있기 때문에 해외수입이 큰 차질을 제외하고는 없을것이라는 판단이다.

안전지대로 전원대피
▲建設 =이라크현장에 모두 90명의 근로자·직원을 남겨고있는 現代건설·正友개발등 4개 건설·漢陽종합 최우선이다.

페르시아灣사태가 美國·이 업체철수럼을 인력및 책을 단계별로 시행에 옮긴 다. 업계 또한 기업마다 비상 대책기구를 가동, 본격적인사 후대책을 각각하나갈 계획이 다.

페르시아灣사태 발발로 작년8월이후 수출차질액은 이 라크·쿠웨이트에 대한 교역

하루 29萬배럴 차질

▲에너지 =전쟁이 일어날경 1개월, 공장의 가동감축등을 검토하 고있다.
또 전쟁이 장기화되고 공 급차질이 30일이상 생긴다는 방침인데 현재 백급제를 실시하고있다 는 방침이다.

주재원 安全에 최우선
▲업계 =三星물산·現代종합상사등은 전쟁과 평화적해결의 가능성에 각각 대비한 비상계획을 마련해놓고있다. 우선 전쟁이 일어날 경우 주재원들의 신변안전을

만7천㎘, 등유 16만1천㎘,경 45만ℓ은 농촌지역에 공급할 예정이다.
또 대부분의 석 유화학 관련제품의 유화학 관련제품을 감안, 우선 모내기에 필요한 육묘 상자, 비축토록 관련업계에 육 묘상자 비축자금 50억원을 지

주재원 安全에 최우선

이와함께 정부는 나프타가 주원료인 비료값의 안정을 위한 특별대책을 마련한다.

91.1.10.

세계各國 에너지관리계획

전략비축石油 방출 방침 美國
영업시간·심야放送 단축 日本

【파리聯合】페르시아灣의 전쟁발발 위험이 고조되면서 세계의 주요석유수입국들은 냉·난방기구의 사용시간을 줄이고 석유배급제를 실시하는 한편 자동차 속도제한을 낮추는등의 전쟁발발에 대비한 에너지관리계획을 준비하고 있다.

美에너지부는 전쟁이 발발할 경우 1차오일쇼크에 따라 지난 75년부터 비축이시작된 전략비축석유(SPR)를 방출하도록 제안할 방침이다.

된 약 5억8천6백만배럴의 SPR를 처음 90일간 하루 최대방출량을 3백50만배럴로 잡고 그이후에는 3백20만배럴씩 방출할 경우 美國 원유수입의 절반이상을 대체할 수 있을 것으로 전망되고 있다.

또 사무실과 가정에서의 에너지절약을 촉구하고 2부제 운행을 실시하는한편 지난 56년 수에즈운하사태때 사용됐던 석유

해안의 소금물굴에 저장을 권유하는 한편 겨울철택시스와 루이지애나의고상점 영업시간의 단축도록 제안할 방침이다.

한편 자동차 속도를 현재의 시속 1백30km에서 시속 1백20km로 제한시킬 예정이다. 또한 일요일의 자동차 운행을 불법화하고 필요할 경우 IEA의 비상분배체제를 발동시킬 것이라고말했다.

國際에너지기구(IEA)21개회원국들은 오는 11일 전쟁이 발발할 경우 우 취할 수 있는 조치에 관해 논의하기 위해 파리에서 회담을 개최할 예정이다.

헬가·슈테그 IEA 사무총장은 기자회견을 통해 필요할 경우 IE

실내 난방을 섭씨 21도이하로 유지하고 심야TV방송을 단축하도록 하고 있다.

이탈리아도 에너지수급 상황에 따라 석유의 사용을 7%, 15%, 30%씩 감축하는 3가지계획을 연구하고 있다.

프랑스 산업부는 단계적인 에너지 절약계획을 발표해 놓고 있다.

한국일보

91. 1. 11.

美·이라크간의 평화협상이 일단 결렬로 끝남에 따라 국제유가·금값·달러貨가 급등하고 證市가 폭락세를 보이는등 세계경제가 초긴장상태에 접어들었다.

국내에서도 10일 證市가 폭락세를 보였으며 페르시아灣에서 전쟁이 터질경우 석유수급의 불안과함께 유가폭등에 따른 국제수지악화는 물론 수출차질과 국내물가불안등으로 경제운용계획의 전반적인 수정이 불가피할 전망이다.

이에따라 정부는 페르시아灣대책위원회및 관계장관회의를 통해 비상시 원유확보 방안과 석유배급제, 중동진출 인력대피 수출전환등 단계적인 대책을 단계적으로 추진중이며 민간업계에서도 기업별로 비상대책기구를 가동, 일일점검체제에 들어갔다.

◯…정부는 이날부터 비상수급계획을 수립했으나 페灣을 앞당겨 1월중에 2차유가인상 시책을 펴는 한편 2월초쯤 물가종합대책을 세우고있다.

開戰치닫는 페灣파고
국내파급 非常 숨가쁜 경제계

이달중 油價인상 검토
수출 10여억弗 차질전망… 새販路 모색
원유 조기도입… 보험료급등 부담 가중

0068

정유회사들은 지난해8월 페灣사태가 일어난 직후부터 원유모입대책을 계속 검토해 온만큼 큰 문제는 없을 것이다.

長 官 報 告 事 項

報 告 畢

1991. 1.10.
中 近 東 課

題 目 : 제네바 會談 決裂과 걸프事態 展望

ㅇ 美.이락 外務長官間의 1.9. 제네바 會談은 6時間 半에 걸쳐 열리는 중에
各其 本國과의 協議를 위해 두차례나 休會를 함으로써 어느정도 進展이
있을 것으로 期待 되었으나, 結果的으로는 決裂된 것으로 判明 되었는바,

ㅇ 會談後 兩國 外務長官의 記者會見과 關聯 各國의 反應을 綜合하여 볼때
今後 展望은 아래와 같습니다.

---

1. 平和的 解決 可能性

가. 베이커 長官은 記者 會見에서 兩國間의 再協商 可能性이 없음을 示唆하고
부쉬 大統領도 이점을 確認 하였으나 平和的 解決에 대한 期待를 完全히
抛棄하지는 않았다고 함으로써 關聯諸國의 平和 努力에 期待를 表示하였음.

나. 西方의 仲裁 努力으로 가장 눈에 띄는것은 미테랑 佛蘭西 大統領의 노력인바,
佛蘭西는 일단 美國의 立場과 努力을 支持하는 EC 諸國과 同一한 步調를
취하면서도 中東問題의 包括的 解決을 위한 國際會議에 대해 同情的인 立場을
示唆하면서 中東平和會議를 積極 推進해온 알제리등 今番 事態에 비교적
中立的인 아랍國家들과 함께 積極的인 仲裁 意思를 表明하고 나서고 있음.
實際로 제네바 會談이 決裂된 直後 미테랑 大統領은 記者會見에서 이러한
仲裁 立場을 分明히 하고 會見 直前 부쉬 大統領과도 通話 했다고 밝힘으로써
美國도 佛蘭西의 仲裁를 諒解 했음을 示唆함. 다만 미테랑 大統領은 이락이
1.15.전 撤軍하지 않으면 佛蘭西도 대이락 武力行事에 參與하게 될 것이라고
함으로써 이락의 伸縮性 있는 協商 姿勢를 公開的으로 促求한 것으로 볼수
있겠음.

0069

다. 佛蘭西 以外에 蘇聯도 바그다드에 特使를 派遣 고르바쵸프의 親書를
   전하겠다고 하였으며 外信의 報道 傾向을 綜合 判斷하면 이에 대해 큰
   期待를 거는 것 같지는 않음

라. 한편 케야르 유엔 事務總長도 今明間 바그다드를 訪問할 것이라고 하는바
   會談 決裂後 부쉬 大統領이 發表한 것으로 보아 수일전 부쉬가 케야르를
   休養地에 招待했던 那實로 보아 이것은 美側의 이니시어티브에 의한것이
   分明하며 따라서 이락이 이에 呼應하리라고 期待하기는 어렵다고 보겠음.
   美國이 이것을 알면서도 推進하는 것은 開戰이 不可避할때 美國으로서
   最大限의 外交努力을 傾注했다는 것을 對內外에 誇示하기 위한 것으로 봄.

2. 戰爭 勃發 可能性

   가. 따라서 現在 마지막 期待는 결국 佛蘭西와 中道 아랍國을 代表하는
      알제리의 共同 努力인바 이것도 일단은 1.15. 까지의 時限的인 努力으로
      보아야 하며, 그렇기 때문에 美國이 이를 諒解한 것으로 추측됨.

   나. 미국은 제네바 會談 決裂 直後 징발권에 관한 명령을 내림으로써(내용은
      확실치 않음) 開戰이 한발짝 다가왔다는 印象을 강하게 주었으나 이는
      실제로 戰爭 遂行을 위한 準備와 同時에 이락에 대한 美國의 決意를 재과시
      하고 미테랑등의 仲裁 努力을 支援코자 하는 의도도 있는 것으로 보임.

   다. 일단, 會談 決裂로 戰爭 可能性은 높아졌다고도 볼수 있으나 불란서가
      아랍권에 歷史的으로 오랜 緣故를 가지고 있고 그중에서도 특히 깊은
      관계를 가지고 있는 알제리가 마침 今番 事態에 中道的 立場을 취함으로써
      仲裁에 유리한 위치에 있어 兩國이 共同으로 努力한다면 어느정도 성과가
      있을 수 있겠다는 期待를 가질수도 있겠음. 끝.

0070

주 필 리 핀 대 사 관

주비정 700 - 0020   1991. 1. 10.

수 신 : 장관

참 조 : 국제경제국장, 아주국장

제 목 : 페만사태

연 : PHW - 0024

연호, 언급한 아세안석유안보협약(APSA)Text를 별첨 송부합니다.

별 첨 : 상기 협약문 각 1부.   끝.

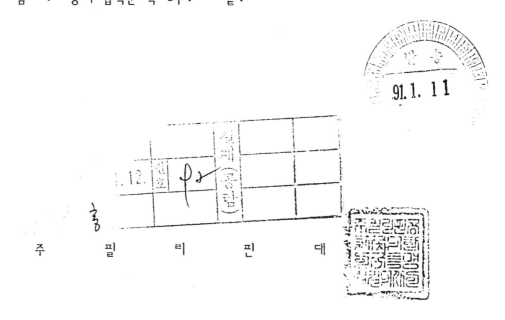

주   필   리   핀   대

ASEAN PETROLEUM SECURITY AGREEMENT

THE GOVERNMENTS OF BRUNEI DARUSSALAM; THE REPUBLIC OF INDONESIA, MALAYSIA, THE REPUBLIC OF THE PHILIPPINES. THE REPUBLIC OF SINGAPORE AND THE KINGDOM OF THAILAND, being members of the Association of South East Asian Nations, hereinafter referred to as ASEAN :

REFERRING to the Agreement on ASEAN Energy Cooperation signed at Manila, Philippines, on 24 June 1986.

CONSIDERING that the establishment of a petroleum security agreement among ASEAN Member Countries will contribute to the strengthening of the economic resilience of the individual Member Country. as well as to the economic resilience and solidarity of ASEAN :

HAVE AGREED on the following provisions :

ARTICLE I

ESTABLISHMENT OF THE ASEAN EMERGENCY
PETROLEUM SHARING SCHEME

The Governments of the ASEAN Member Countries hereby agree to establish the ASEAN Emergency Petroleum Sharing Scheme for crude oil and/or petroleum products in times/circumstances of both shortage and oversupply.

0072

ARTICLE II

GUIDELINES FOR THE ASEAN EMERGENCY PETROLEUM

SHARING SCHEME

Shortage Situation

(i)   In the event of critical shortage or when at least one Member Country is in distress, the oil exporting members of ASEAN commit to supply, towards meeting such shortage, that amount of indigenous ASEAN crude oil and/or indigenous ASEAN petroleum products equivalent to :

Crude Production Capability

plus   available imports of crude oil and/or petroleum products

less   (a)   the amount contractually committed to traditional buyers,

(b)   domestic consumption,

(c)   crude oil and/or petroleum products exports by oil contractors/operators or refiners serving mainly international markets, to which the government has no entitlement, and

(d)   the amount of crude oil and/or petroleum products not owned directly by the government, taking into account processing facilities in the distressed country/countries.

0073

(ii)   If the above quantity added to other available supplies is
         less than 80 percent of the normal domestic requirements of
         the country in distress, then the ASEAN Governments will
         endeavour to make available to the supply pool of the
         country in distress, an additional 10 per cent of the
         volume of each type of crude oil and/or petroleum products
         to which the oil exporting country has entitlement. Any
         request of supply to cover needs beyond 80 per cent of
         normal requirements* shall be negotiated on a bilateral
         basis.

(iii)   Such emergency oil supplies shall be for domestic
         consumption in the distressed countries.

         Oversupply Situation

(iv)   In times of indigenously-sourced crude oil and/or petroleum
         products oversupply, the importing Member Countries should,
         so far as practicable, purchase exports of Member Countries
         in distress so as to raise the latter's exports to at least
         80 per cent of the normal exports taking into account the
         importing country's domestic requirements of the volume of
         each type of crude oil and/or petroleum products, processing
         facilities, as well as existing supply commitments.
         "Exports" here is understood to exclude exports by oil
         contractors/operators to which the government has no
         entitlement.
         Supply negotiations on the above shall be done on a
         bilateral basis.

         0074

In the event that there is more than one Member Country affected by an emergency shortage or oversupply, then the available quantity to be committed shall be initially allocated in proportion to their respective normal domestic consumption and exports, for the 12 month period immediately preceeding the emergency.

Governing Conditions

(vi)   For the purpose of this Agreement :

"shortage" shall refer to an emergency situation in which at least one ASEAN Member Country suffers extreme petroleum shortage, due to unexpected natural calamity such as earthquake or other calamity such as an explosion of production facilities, storage or refinery plants or an abrupt stoppage of import due to war or other similar crisis and due to worldwide petroleum shortage situation in the ASEAN Member Countries concerned or in other parts of the world, and is unable to cope with such situation through its domestic supplies and procure the needed supply through normal channels of trade to the extent that the total supply is less than 80 per cent of the normal domestic consumption requirements.

"Oversupply" shall refer to an emergency situation in which ASEAN Member Countries are suffering extreme petroleum oversupply due to worldwide petroleum oversupply situation, and are unable to cope with such situation through their normal channel or trade to the extent that the total export

0075

(vii)   In the event of either a shortage or an oversupply the Member Country in distress shall give notice of such emergency situation to the ASEAN Economic Ministers on Energy Cooperation which should decide within 3 weeks of such notice to put the Emergency Petroleum Sharing Scheme into operation.

(viii)   The period of emergency shall be determined by the ASEAN Economic Ministers on Energy Cooperation through consultation.

(ix)   The prices and other conditions shall be subjected to bilateral negotiations between the appropriate parties.

(x)   The guiding principle in the arrangement shall be the spirit of assistance; no undue advantage shall be taken of any adverse position faced by a Member Country.

(xi)   The Member Countries shall nominate the respective executing agency for the purpose of implementing this Agreement.

The Member Countries in distress shall exert all efforts to cope with the adverse situation through domestic and normal acceptable commercial means before invoking assistance under this Scheme.

In the case of less critical difficulties, the country affected may directly negotiate with any other ASEAN Member Country in the spirit of mutual assistance...

0076

ARTICLE III

FINAL PROVISIONS

1.   This Agreement is subject to ratification by the ASEAN Member Countries.

2.   The Instruments of Ratification shall be deposited with the Secretary General of the ASEAN Secretariat who shall promptly inform each ASEAN Member Country of such deposit.

3.   This Agreement shall enter into force on the thirtieth day after the deposit of the sixth Instrument of Ratification.

4.   No reservations may be made to this Agreement either at the time of signature or ratification.

5.   Any amendment to the provisions of this Agreement shall be effected by consent of all the ASEAN Member Countries.

6.   This Agreement shall be deposited with the Secretary General of the ASEAN Secretariat who shall promptly furnish a certified copy thereof to each ASEAN Member Country.

IN WITNESS WHEREOF, the undersigned, being duly authorized thereto by their respective Governments, have signed this Agreement.

DONE in Manila, Philippines this 24th day of June 1986, in seven copies in the English language.

0077

For the Government of the
Kingdom of Thailand:

DR. ARUN PANUPONG
Deputy Minister for Foreign Affairs

For the Government of
Negara Brunei Darussalam:

H.R.H. PRINCE MOHAMED BOLKIAH
Minister for Foreign Affairs

For the Government of the
Republic of Indonesia:

PROF. DR. MOCHTAR KUSUMAATMADJA
Minister for Foreign Affairs

For the Government of Malaysia:

TENGKU AHMAD RITHAUDDEEN
Minister for Foreign Affairs

For the Government of the
Republic of the Philippines:

SALVADOR H. LAUREL
Vice-President
and
Minister for Foreign Affairs

For the Government of the
Republic of Singapore:

S. DHANABALAN
Minister for Foreign Affairs

0078

원 본

외 무 부

종   별 : 지급

번   호 : DJW-0058   일   시 : 91 0110 1650

수   신 : 장관(기협)

발   신 : 주 인니 대사

제   목 : 페만 사태

대:WDJ-0018

대호 관련, 당관 여참사관이 1.10. 동 회의에 참석했던 주재국 PERTAMINA 사 NYOMAN SUDIBIO 수출국장과 면담한 내용 하기 보고함.

1. ASEAN 6 국중 인니는 1.6 백만 B/D 생산능력 보유(페만사태 발생이후 1.4백만 B/D 를 생산하고 있음) 67 만 B/D 소비, 말련은 60 만 B/D 생산능력 보유, 24 만 B/D 소비, 부루네이는 24 만 B/D 생산능력 보유, 9 천 B/D 를 소비하고 나머지는 수출하고 있음.

ASEAN 비산유국인 태국은 45 만 B/D, 필리핀 24 만 B/D, 싱가폴 10 만 B/D 를 수입하고 있으며, APSA 는 1986.6.24. 긴급사태 발생시 ASEAN 역내 원유 및 유류공급 협력 협정으로서 페만에서 전쟁이 발발하여 중동 산유국으로부터 원유 수송이 불가혀여 ASEAN 비산유국 비축량이 정상 수요량의 80 프로 이하로 감소될경우 APSA 를 발동키로 하였으며, 구체적인 지원은 ASEAN 비산유국이 필요량을요청하고 이를 ASEAN 에너지 장관회의(AMEC)에서 검토, 쌍무지원 형태의 협력을 하기로 함.

2. 동 협력은 ASEAN 산유국이 고정계약에 의거, 장기 공급하는 물량의 여유물량이 있을시 가능하며, 인니는 일본, 한국등 기존의 장기계약 체결국 공급물량을 감축시키면서 ASEAN 비산유국을 우선 지원하지는 않을 것임.끝.

(대사 김재춘-국장)

예고:91.6.30. 까지

공 람	국 제 경 제 국	91 년 1 월 11 일	담 당	과 장	국 장	차관보	차 관	장 관

경제국   차관   2차보   아주국   동자부

외 무 부

종 별 :

번 호 : FRW-0067

일 시 : 91 0110 1900

수 신 : 장관(기협)

발 신 : 주 불 대사

제 목 : 페르시아만 사태

대:WFR-0002

대호관련, 금 1.10. IEA 생산국담당 PAUL VLAANDEREN 과장 면담내용 아래 보고함.(조참사관 접촉)

1. 유전 예상타격 및 복구시간

0 전쟁은 기본적으로 국지전이 될것이므로 쿠웨이트와 일부 이라크 유전지대를 제외하고는 여타 국가 유전은 별다른 영향을 받지 않을것임.

0 일설에 쿠웨이트내 약 1,000 개의 유정(OIL WELL) 모두가 파괴될수 있을 것이라 하나, 이는 현실적으로나 기술적으로 불가능함. 주된 타격대상은 유전시설이 될것이며 동 시설 복구에는 수개월정도(1 년이내) 소요될 것임.

2. 원유생산 및 유가영향

가. 원유생산

90.8. 이후 사실상 이라크와 쿠웨이트의 생산이 거의 중단된 상태에서(90.4/4 분기 이라크 40 만 B/D, 쿠웨이트 10 만 B/D 생산) 이들 부족분은 사우디등의 추가 생산으로 보충되고 있으므로, 양국의 유전시설이 최악의 경우 모두 파괴된다 하여도 국제시장에 별다른 영향을 주지는 않음.

0 연이나, 전쟁으로 인해 쿠웨이트 인접 사우디 유전이 불가피하게 일부 폐쇄되거나 타격을 받을경우 국제시장에 약 250 만 B/D 의 공급부족이 일시적으로 예상됨.

0 현재로서는 주요 석유생산국의 초과 생산능력은 여유가 없으나, OECD 국가및 석유회사의 비축량(90.10. 현재 96 일간 사용가능한 477 백만톤으로 이는 81년이후 최고 수준)과 FLOATING STORAGE 등으로 동 부족분을 충분히 충당할수 있음.

나. 유가영향

경제국   장관   차관   1차보   2차보   정문국   안기부

PAGE 1

공람	국제경제국	년월일	담당	과장	국장	차관보	차관	장관

91.01.11   07:23

외신 2과   통제관 FE

0080

0 전쟁 발발시 유가는 심리적 요인및 부기등으로 일시 폭등(40 불선 초과)할것으로 예상되나 단기간에 그칠것으로 보며, 석유 소비국가의 적절한 대응과 필요시 정부 비축분의 방출(OECD 국가 일일 최대 3.5 백만 B/D) 로 진정될것임.(전후 유가는 수급사정에 비추어 20-25 미불선이 적절할 것으로 봄)

0 이와관련 1.11(금) 개최 IEA 이사회에서는 석유수급에 차질이 있을 경우 OECD 차원에서 즉각 대응할것임을 석유회사에 주지시킴으로써 심리적 요인에 의한 가격상승 가능성을 사전에 최대한 억제토록 할것임.

0 사실상 OPEC 의 국별 쿼타제가 붕괴된 상태에서 OPEC 회원국내 POWER SHIFT 가 이루어져 전후 OPEC 의 실효성있는 생산통제가 의문시됨. 특히 쿠웨이트및 이라크가 전쟁후 유전시설을 복구하여 정상 수출할 경우 석유공급 과잉으로 불필요한 가격 하락 가능성을 배제할수 없음. 끝.

(대사 노영찬-국장)

예고:91.12.31. 까지

잠 조 전(i·91 . 6 . 30 .

페灣戰이 세계經濟에 미치는 영향

高油價강타…沈滯확산 加速化

投資·生産·購買도 위축…선택

0082

페灣에서의 전쟁은 갈수록 성장둔화조짐을 보이고 있는 세계경제에 막중한 타격을 입혀 성장기조를 뒤흔들 것임에 틀림없다. 지난 8년간 거침없는 성장가도를 달려온 세계경제는 이번 전쟁을 고비로 완연한 후퇴국면으로 진입, 그 회복을 쉽사리 예측하기 어려울 것으로 보인다.

모두가 우려하는 高油價들외에도 전쟁자체가 세계기업및 소비자들의 신뢰에 끼칠 심리적 영향은 이들의 정상적인 소비및 생산활동저하로 곧바로 연결된다.

대다수 경제전문가들은 이번 전쟁이 中東유전에 피해를 입히지 않는다 하더라도 기업및 소비자신뢰도의 급감자가 일부국가들의 경기침체를 가속화시킬 것으로 분석하고 있다.

이같은 신뢰도의 영향은 高油價못지않게 소비자신뢰도의 하락은 비자지출의 격각, 기업 신규투자 감소등의 상황에 직면, 당초의 낙관론을 수정해 경기침체를 시사했다. 소비자신뢰도의 구매력 위축도 위축시켜 소비지출의 GNP(국민총생산)의 3분의 2를 점하는 미국의 경우 가장 어려움으로 떨어지고 있다. 유럽과 일본은 현재 미국보다 비교적 나은 형편이지만 페灣戰으로 인한 급격한 상품수요증가가 서서히 식어가고 있는가운데 전쟁으로인한 高油價가 동독 및 유럽에서 회담을 갖고 페灣전쟁 지역의 경제회복을 상당히 둔화 시킬것이 확실하기 때문이다.

OECD는 그러나 최근 美소

전쟁 가능성이 전혀 없는 것은 아니다. 노무라경제연구소는 최근 OECD는 현재 油價가 배럴 담 10달러 될경우 세계선진공업 국들의 GNP성장률은 연간 1 %포인트 떨어질 것으로 분석하 근 이탈리아와 스페인이 이번 전쟁으로 경기침체에 떨어질 가능

페灣戰으로인해 금융시장에 자금색이 심화될 경우 이들 국가 미국은 특히 페灣사태로인해 株價의 폭락, 제3세계 악성부채 증가, 기업파산급증으로 인해 최악의 경영난을 겪게되고있다.

성이 높은 것으로 내다봤다. 이라크의 쿠웨이트침공이후 이미 현저한 경기둔화를 보여온 프랑스는 전쟁발발과함께 그 둔화속도가 훨씬 빨라질 전망이다.

고 있다. 이는 경기둔화조짐을 보이고 있는 일본국가들의 금융시장에 자금을 응급수혈, 金利인하를 유도하고 두페灣사태이후에도 독일도 결코 자대출을 활성화하려할 것이나 낙관만 할수 없는 입장이다. 統하지만 세계주요국 금융업계는 G7(선진공업7개국)재무장관 최근들어 유례가 드문 경영악화 및 중앙은행총재들은 오는 21일 위기를 맞고 있어 500억달러들의 경영악화 뉴욕에서 회담을 갖고 페灣전쟁 이같은 조치가 쉽게 대출완화로 에 대한 철저한 대응책을 강구할 이어지기 어려운 형편이다. 세계 예정이다. 그러나 이들이 취할수 금융업계는 현재 부동산가격과

유럽으로 떨어내기에 충분한 것이다. 최근들어 세계주요국 금융업계는 고질적인 재정적자가 더큰폭으로 늘어나고 있다. 현재 미국의 페灣주둔군 유지비는 연간 3백억달러로 추산되고 있으며 이에 따라 올회계연도의 재정적자는 당초 예상되었던 2천5백억달러 보다 5백억달러가 더 불어날 전

이같은 페灣戰으로인해 불려올

폐灣 戰爭 勃發時 國際原油需給 및 油價 展望

둉자부, 안기부, 경기원 송부

1991.1.11.
외무부 국제경제국

1. 原油 需給

o 기본적으로 戰爭期間 및 戰爭規模, 油田施設 파괴 정도, 復舊時間등에 좌우

o 대부분 전문가들 原油需給에는 문제가 없을 것으로 전망

   - 戰爭勃發경우, 폐灣地域 油田에 대한 打擊 可能性 미미

     · 油田파괴는 Mining 이 아닌 爆擊이나 미사일 攻擊으로 効果 별무

     · 이라크의 油田攻擊 能力 懷疑的

     · 파괴 가능한 사우디 油田 10% 미만 분석

   - 이라크·쿠웨이트産 原油供給 不足分, 餘他國 增産으로 旣超過 充當

   - 90. 4/4분기 西方陣營 總 石油 在庫 약 33억 배럴(94일분)

2. 油價

o 戰爭勃發直後 心理的 要因에 따라 油價急騰 ($50-70/B 전망)

o 原油需給에 큰 변동 없을 경우 $25-30/B 전망

o 戰爭終結 및 파괴 油田施設 復舊後 油價急洛 ($20/B 이하)

   - 心理的 反作用, 需要減少, 供給過剰

   - OPEC 減産體制 돌입 경우, 91년 下半期 $20/B 선에서 안정 전망

3. 世界 經濟에 대한 影響

o 經濟成長

   - 油價 $10/B 인상 경우, 先進國 經濟成長 1% 減少, 物價 0.5-1% 引上 전망

   - 에너지 사용율이 높은 開途國의 경우, 영향이 先進國 보다 심각

o 貿易 및 金融

   - 世界 經濟成長 鈍化, 消費·投資減少로 貿易 萎縮

   - 인플레이션 壓力으로 利子率 引上 및 開途國 外債負擔 가중

0083

報告畢

1991. 1 . 11.
國際經濟局
(技協 -   )

長 官 報 告 事 項

題目 : 페灣 戰爭 勃發時 國際原油需給 및 油價 展望 (公報 報告 綜合)

1. 原油 需給

o 기본적으로 戰爭期間 및 戰爭規模, 油田施設 파괴 정도, 復舊時間등에 좌우

o 대부분 전문가들 原油需給에는 문제가 없을 것으로 전망

- 戰爭勃發경우, 페灣地域 油田에 대한 打擊 可能性 미미

· 油田파괴는 Mining 이 아닌 爆擊이나 미사일 攻擊으로 効果 별무

· 이라크의 油田攻擊 能力 懷疑的

· 파괴 가능한 사우디 油田 10% 미만 분석

- 이라크·쿠웨이트産 原油供給 不足分, 餘他國 增産으로 旣超過 充當

- 90. 4/4분기 西方陣營 總 石油 在庫 약 33억 배럴(94일분)

2. 油價

o 戰爭勃發直後 心理的 要因에 따라 油價急騰 ($50-70/B 전망)

o 原油需給에 큰 변동 없을 경우 $25-30/B 전망

o 戰爭終結 및 파괴 油田施設 復舊後 油價急洛 ($20/B 이하)

- 心理的 反作用, 需要減少, 供給過剩

- OPEC 減産體制 돌입 경우, 91년 下半期 $20/B 선에서 안정 전망

3. 世界 經濟에 대한 影響

o 經濟成長

- 油價 $10/B 인상 경우, 先進國 經濟成長 1% 減少, 物價 0.5-1% 引上 전망

- 에너지 사용율이 높은 開途國의 경우, 영향이 先進國 보다 심각

o 貿易 및 金融

- 世界 經濟成長 鈍化, 消費·投資減少로 貿易 萎縮

- 인플레이션 壓力으로 利子率 引上 및 開途國 外債負擔 가중

양 고 재	기 술 협 력 과	91 년 인 인	담 당	과 장	국 장	차관브	차 관	장 관

0084

폐灣 戰爭時 特別 石油需給 對策

1991. 1. 11. 대통령주재
관계부처 대책회의
동자부장관 보고

1991. 1

動 力 資 源 部

0086

1. 우리나라 原油需給에 미칠 影響

┌─【 基本　前提 】─────────────────────────┐
│ ㅇ 戰爭地域이 當事國外에 폐灣 一部地域으로 擴散
│   - 사우디．中立地帶．카타르의 石油輸出이 全面 中斷
│ ㅇ 戰爭은 1個月 內에 終結될 것이며, 戰後 石油生産施設
│   被害 復舊에는 最小限 5個月 所要
│   - 戰爭期間 : 戰爭地域으로 부터의 原油導入은 全面 中斷
│   - 復舊期間 : 平均 50% 水準의 導入만 可能
└─────────────────────────────────┘

ㅇ 戰爭期間(1個月):戰爭地域으로 부터 長期契約分(288千B/D)과
　　　　　　　　　　現物 導入分(259千B/D)의 全量導入中斷

ㅇ 復舊期間(5個月):被害復舊中 戰爭地域으로부터 50% 水準의 長期
　　　　　　　　　　契約分(144千B/D)과 現物 導入分(130千B/D)만
　　　　　　　　　　導入 可能

【 原油導入 蹉跌(船積基準) 】

(單位 : 千B/D)

區　　分		長期契約	現物導入	計	備考(導入中斷比率)
原油 所要		708	259	967	-
導入 蹉跌	戰爭中	①288	259	547	56.6 %
	復舊中	144	130	274	28.3 %

註 : ① 長期契約分 導入中斷(사우디 175, Caltex 95, 카타르 18)

- 1 -

0087

2. 戰爭勃發時 石油需給 特別對策

가. 基本方向

○ 原油導入不足分은 精油社 在庫 및 政府備蓄分을 活用 對處
 → 越冬期 需給安定을 위하여 國內精製施設의 正常稼動

○ 消費抑制를 위한 段階別 需要管理 對策을 推進하여 伸縮對應

○ 必要時 國內石油類 價格 調整으로 消費 抑制 强化

○ 非常石油需給特別對策委를 日日 點檢體制로 轉換, 運營

○ 戰爭이 長期化되어 製品需給의 蹉跌이 發生時 主要油種의
 配給制 實施

나. 原油需給對策

○ 原油保有現況 ('90.12月末 現在) : 81.6百萬B

【 石油 保有 現況 ('90.12月末 基準) 】

	政府備蓄	精油社在庫	輸送中物量	合　　計
原　　油 (百萬B)	38.0	14.0	29.6	81.6
製　　品 (百萬B)	1.8	21.0	2.8	25.6
計　　(百萬B)	39.8	35.0	32.4	107.2
持續日數 (日)	35	30	28	93

註 : 持續日數 ('91年 計劃 1,146千B/D 基準)

○ 戰爭以外의 地域으로부터 原油導入이 順調로울 境遇,
 旣保有 精油社 在庫 및 政府 備蓄油를 活用하여 180日分의
 正常需要 充當 可能

○ 段階別 備蓄油 活用計劃

　┌1段階(戰爭期間 1個月) : 導入輸送中인 物量으로 充當
　├2段階(復舊期間 2個月까지):政府備蓄 및 精油社在庫 活用(70:30)
　└3段階(復舊期間 2個月지난後) : 原油確保 狀態를 勘案 備蓄油
　　　　　　　　　　　　　　　　　　使用計劃 再樹立

- 2 -

0088

다. 石油消費 抑制對策

　○ 備蓄油를 活用, 國內 精製施設을 正常 稼動하여 國內生産에는
　　　蹉跌이 없으나, 製品輸入이 全面 中斷되어 一部 油種(燈油,
　　　프로판)의 不足 發生

【 '91.1~3月 越冬期中 製品需給 判斷 】

(單位 : 百萬B)

區 分	揮發油	燈油	輕油	B-C油	프로판	全油種
總 需 要 供 給	6.7 7.9	14.3 13.3	28.2 35.8	36.6 43.3	7.9 7.6	116.8 129.4
過 不 足 需要對比	1.2 -	△1.0 △7%	7.6 -	6.7 -	△0.3 △3%	12.6 +11%

　○ 消費抑制를 위한 段階別 主要措置

　　　┌─────────────────────────┐
　　　│ 1段階 措置 : 戰爭 勃發時 │
　　　└─────────────────────────┘

　　- 非常局面을 克服하기 위한 總體的 節約 施策을 講究

　　　　. 自家用 10部制 實施
　　　　. 專貰,觀光,官用버스 10部制 實施
　　　　. TV 放映時間 短縮 (2時間)
　　　　. 大型 네온사인 使用 全面 禁止
　　　　. 非石油發電 設備의 最大 稼動

　　　┌──┐
　　　│ 2段階 措置 : 長期化 조짐 또는 國內需給의 蹉跌 우려시 │
　　　└──┘

　　- 需要抑制 施策의 強化

　　- 揮發油 쿠폰제 및 燈油 配給制 實施 檢討

　　- 部分的인 制限 送電 實施 檢討

　　※ 實際狀況에 따라 伸縮的으로 對應

- 3 -

0089

라. 國內油價 管理 方案

ㅇ 戰爭 勃發時 國際 原油價格은 暴騰 展望

區 分	韓國에너지經濟研究院	日本에너지研究所
戰爭期間	50-60 $/B	40-50 $/B
復舊期間	30-35 $/B	30-40 $/B

ㅇ 段階別 對應 方案

【 1段階 】 必要時 石油消費 抑制를 위하여 國內石油價格 調整
- 調整 基準 : 戰爭 終結後 豫想되는 原油價 水準으로 國內油價
引上調整 (23$/B 時 22%水準)

【 2段階 】 戰爭의 長期化로 繼續 高油價 持續될 경우에는
追加的인 油價調整을 檢討

─────《 結 論 》─────

페灣 戰爭勃發時, 以上 報告드린 特別石油需給對策을 蹉跌없이
推進하여 우리나라에 미치는 影響을 最小化하고 國內石油需給에
萬全을 기하도록 하겠음.

<＜ 參考 ＞>

[段階別 消費抑制 施策]

	1段階 (戰爭 勃發時)	2段階(戰爭 長期化時)

主要
施策
	○ 輸送手段의 減縮運行實施
	
	  - 自家用 10部制
	
	  - 專貰, 觀光, 自家버스
	    10部制
	  - 官用및 公共機關用버스
	    10部制
	
	○ 家庭用 大型 煖房보일러
	  에는 燈油 대신 輕油供給
	  (油槽車에의한 燈油配達
	  禁止)
	
	○ 非石油發電 設備의 最大
	  稼動
	
	○ 電力需要 減縮을 위한
	  節電施策 推進
	
	  - T.V 放映時間 短縮
	    (2時間 短縮)
	  - 大型 네온사인 使用
	    全面 禁止
	  - 全國的인 街路燈
	    隔燈制 實施
	  - 産業體 및 公共機關의
	    節電運動 展開
	
	○ 必要時 石油價格 調整
		○ 輸送手段의 減縮運行 强化
		
		  - 自家用車輛 쿠폰제 實施
		    (20% 節減)
		  - 專貰,觀光,自家버스 50%減縮
		
		  - 貨物車 10% 減縮
		
		○ 燈油配給制 實施
		
		  - 家庭炊事用全量配給(月20ℓ)
		  - 煖房用은 制限 供給
		
		○ 制限送電 實施
		
		  - 制限對象 : 全國 2,731個
		    線路中 1,016個 線路
		
		    ⌈ 1順位:家庭, 業務用爲主
		           (546個)
		    ⌊ 2順位:産業用爲主(470個)
		
		  - 制限方法 : 하루 一定時
		    間 輪番制로 制限 送電
		
		    ⌈ 1順位 : 日平均 2時間
		
		    ⌊ 2順位 : 日平均 1時間
		
		○ 需給蹉跌 油種의 選擇的
		  價格 調整

期待
效果
	全油種의 10% 消費節減
	
	⌈ 節減量 : 130千B/D
	⌊ 節減額 : 28億원/日
	       (30$/B 基準)
		全油種의 15% 消費節減
		
		⌈ 節減量 : 195千B/D
		⌊ 節減額 : 46億원/日
		       (30$/B 基準)

- 5 -

0091

외 무 부

종 별 : 지 급

번 호 : JAW-0130   일 시 : 91 0111 1141

수 신 : 장관(기협,경일,봉이,아일,중근동,미북)

발 신 : 주 일 대사(경제)

제 목 : 페르시아만사태

대: WJA-0002

대호 페만에서 전쟁이 발발할 경우의 영향에 관해 주재국 경제기획청 및 일본에너지경제연구소, 중동경제연구소등 관련 민간 주요연구소들이 분석하는바를 다음 종합 보고함.

1. 유전에 대한 예상 타격 및 유가에 대한 영향(1991 년중)

가. "한정적 군사충돌" 경우.

0 91.3 월 이내에 한정적 군사충돌이 발생, 비교적 단기간에 다국적군이 승리할 경우, 쿠웨이트의 일부 유전은 큰 피해를 입으나, 사우디의 유전은 별로 피해를 입지않을 것으로 예상.

0 군사적 충돌로 인해 일시적으로 유가가 40-50 불배럴 전후로 급등하나, 사우디의 유전에 거의 영향이 없으므로 충돌 종료후에는 유가가 20 불대 전반으로 하락예상

-연평균 유가는 25 불 전후 예상

나. "대규모 군사충돌" 경우.

0 대규모 충돌경우는, 쿠웨이트의 유전설비 뿐만 아니라, 사우디-쿠웨이트 국경에서 30-100 KM 이내에있는 SAFANIYAH, MANIFA, MARJAN, ZULUF 등의 사우디 북부의 해상유전, 유전생산시설, 수출시설도 큰 피해를 입을것으로 예상.

0 이의 복구에 약 6 개월이 소요되는바, 동 기간동안 1 일 200-250 만 배럴의 원유생산이 감소예상.

0 유가는 일시적으로 50-60 불 전후까지 급등하나, 일.미.독을 중심으로 1 일 200-300 만 배럴의 전략 비축분이 방출되어 유가가 결국 30-40 불 전후로 안정 예상.

-현재 일.미.유럽의 비축분은 약 10 억 배럴정도(세계 전체로는 33 억 배럴)

0 가격급등에 따른 석유수요 감소, 사우디 및 쿠웨이트의 유전복구등으로

경제국 통상국	장관 청와대	차관 안기부	1차보	2차보	아주국	미주국	중아국	경제국

PAGE 1

91.01.11   13:51
외신 2과   통제관 FE
0092

하반기에는 유가가 25 불 전후로 더욱 하락예상

　-연평균 유가는 30 불 전후 예상.

　0 일부에서는 90.8. 사태발생후 소비국들의 비축분 증가, 91 년들어서의 미.유럽의 경기후퇴에 따른 수요감소 및 사우디등의 증산조치가 사태종료후 즉시 감산체제로 전환하기 어렵다는 점에서 결국 생산과잉에 의해 금년도 유가가 20 불 이하로 하락을 예상.

　2. 세계경제에 대한 영향.

　가. 세계 경제성장 둔화

　0 유가상승으로 각국의 국내수요 감소, 가격인상등이 우려되며, 그 결과로 생산둔화, 고용악화, 소비수요 감퇴, 금리인상등 성장 제약요인 예상

　-단, 74 년 1 차 석유위기, 80 년 2 차 석유위기 당시보다는 영향이 작을것으로 예상

　-탈석유화가 진전된 선진국에 비해 개도국이 더큰 타격예상

　-또한 대부분의 개도국은 장기금리 상승으로 외채지불 부담증가 예상(장기금리 1 프로 상승시 추가이자 지불을 위해 GNP 의 0.4 프로 추가소요)

　나. 주요 지역별 영향

　1) 일본

　0 물가 안정속에 경기확대 기조가 계속되고 있으며, 선진국중에서도 가장 잘 탈석유화가 추진되어온 점등에서 1 차 석유위기시의 1/4 정도의 영향예상(유가 30 불 기준).

　2) 미국

　0 89 년 2/4 분기 이후 경기 후퇴국면을 맞고있으며, 서비스 가격을 중심으로 인플레 압력이 지속되고 있는바, 유가상승으로 물가상승, 경기후퇴가 가속될 것으로 예상.

　0 미국은 연 30 억 배럴의 원유를 수입하고 있는바, 배럴당 1 불 인상시 30 억불의 무역수지 악화요인 발생

　3) 서구

　0 석유 순 수출국인 영국은 석유수출 대금증가가 예상되며, 기타 서구제국도 경기가 총체적으로 견조를 유지하고있는 만큼 물가의 일부 인상을 제외하고는큰 영향없을 것으로 예상.

PAGE 2

0093

4) 동아시아

0 아시아 NIES 는 석유 순 수입국으로서 공업화의 진전, 자동차 보급의 증대등으로 석유의존도가 높은바, 유가상승은 최근 상승세인 물가 더욱 악화시키고, 무역수지의 악화, 경제성장의 둔화등 악영향을 초래예상.

-특히, 한국, 대만, 홍콩은 현재 경기 조정국면에 있는바, 금번 사태로 경기회복이 더욱 늦어질 가능성이 큼.

-또한, 한국, 대만은 중동지역과의 경제관계가 큰 만큼, 이라크, 쿠웨이트에의 수출기회의 상실, 현지사업의 정지등으로 국제수지에 큰 영향이 있을것으로보임.

0 한편, 대미 수출의존도가 약 30 프로에 달하는 아시아 NIES 로서는 미국의 경기후퇴로 인해 상당한 영향 예상.

0 ASEAN 국가중에서는 필리핀, 태국이 중동근로자 귀국 및 쌀수출시장 상실로 가장 큰 피해 예상.

5) 쏘련, 동구

0 쏘련의 석유수출은 전체수출의 약 30 프로를 점하고 있는바, 유가상승은 무역수지 개선, 외화수입 증가에 기여.

다. 오일머니 발생에 의한 영향의 가능성

0 원유가격이 금후 1 년간 배럴당 30 불 수준일경우, OPEC 국가의 추가 석유판매 수입은 900 억불에 달할것으로 보이나, 이자금이 오일머니로서 국제금융 시장을 통해 세계경제에 미칠 영향은 1,2 차 석유위기시에 비해 상당히 작을것으로 예상.

-우선, 900 억불이 국제금융시장 신용액의 네트 폴로우에서 차지하는 비중이 20 프로로서 1 차 위기수의 63 프로, 2 차 위기시의 48 프로에 비해 낮은 수준임.

-둘째, OPEC 국가들이 83 년 이후 대체로 경상수지 적자상태로서 사우디, UAE 를 제외하고는 순 채무국이며, 순 채권국인 사우디의 경우에도 재정적자가 계속되고 있는바, 금번 발생하는 오일머니는 결국 대외채무의 지불 또는 재정적자의 해소에 사용될 가능성이 큼. 끝

(공사이한춘-국장)

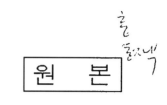

관리 번호	91-26

외 무 부

종 별 :

번 호 : FRW-0068   일 시 : 91 0110 1920

수 신 : 장관(기협,사본:국방부))

발 신 : 주 불 대사

제 목 : 페르시아만 사태

대:WFR-0002

연:FRW-0067

대호관련, 금 1.10. 주재국 공업성 석유국 GREMILLOT 부국장및 GUY MAISONNIER 국제과장 면담내용 아래 보고함.(조참사관, 오서기관 접촉)

1. 유전 파괴 피해

0 기본적으로 쿠웨이트의 유전(OIL FIELD)을 파괴할수는 없으며, 상당수의 쿠웨이트 유정과 유정시설이 타격을 받을것이나 유정 보수에는 수주일, 유정시설 복구에는 수개월이면 가능할 것임.

0 사실상 국제원유시장에서 쿠웨이트와 이라크의 SHARE 가 없어진 상태에서 쿠웨이트및 이라크의 유정이 파괴된다 하여 국제시장에 미치는 영향은 미미함.

2. 원유생산 및 유가영향

가. 원유생산

0 이란-이라크 전쟁의 경험에 의하면, 이라크는 사막전에서 수세에는 능하나, 공격적이지는 못했으므로 인근 국가가 타격을 받을 가능성은 크지않음.

0 연이나, 쿠웨이트에 인접한 일부 사우디 유전이 불가피하게 영향을 받을 경우, 최대 300 만 B/D 까지 공급부족은 예상되나 사우디내 여타 유전의 추가생산(최고 850-1,000 만 B/D)과 소비국 비축분 방출로 수급상 균형을 유지할수 있음.

나. 유가영향

0 전쟁 발발시 유가는 40-60 불 까지 상승할수 있으나 이는 수급상의 문제가 아니라 심리적 요인에 의한것이므로 오래 지속될수는 없으며 IEA 를 중심한 석유 수입국의 비축분 방출로 부기에 의한 가격상승을 억제될수 있을것임.

0 특히 금년 동절기 기후가 온화하여 수요가 줄어들것으로 예상되며, 또한 각국이

경제국	장관	차관	1차보	2차보	중아국	청와대	안기부	국방부

공 람	국제경제국	년 월 일	담당	과장	국장	차관보	차관	장관

PAGE 1

91.01.11   22:50
외신 2과 통제관 DO

0095

과거 OIL SHOCK , 이란. 이라크전등을 통해 새로운 사태에 대응하는 경험이 축적되어 전후 유가는 25 불선 정도로 안정될 것임.

　3. 불란서 대응책

　0 주재국 정부는 연호와 같이 차량속도 및 주거 온도제한등 4 단계 대응책을 수립하였으며, 석유공급 부족이 전체 소비량의 7 프로까지 영향을 받을경우 비축분을 방출할 계획임.

　0 주재국은 과거 OIL SHOCK 경험을 통해 여타 에너지로 사용이 가능한 산업은 이미 대체를 완료하였으므로(예:시멘트 산업은 석탄사용) 석유소비절약은 에너지 대체가 불가능한 차량운송 분야에 집중되어 있음.

　0 주재국은 90.9. IEA 회원국 가입을 정식 신청하였으며 91 년 상반기에는 정식 회원국이 될것으로 예상됨. 끝.

　(대사 노영찬-국장)

　예고:91.12.31. 까지

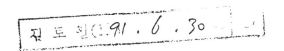

　　집 토 일(:91. 6. 30

PAGE 2

0096

주 필 리 핀 대 사 관

주비경 750 - **0007**   1991. 1. 10.

수 신 : 장관(사본 : 재무부장관(국제금융국장),
           상공부장관(통상국장))

참 조 : 국제경제국장

제 목 : 페르샤만 사태악화에 대비한 대처방안

　　　　표제 관련, 주재국에서 논의되고있는 사항을 수집보고 하오니 귀부업무
에 참조하시기 바랍니다.

첨 부 : 페르샤만 사태악화에 대비한 대처방안 1부.   끝.

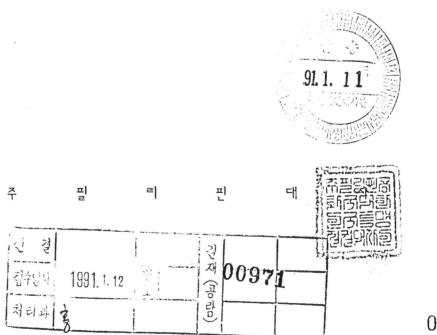

필리핀의 페르샤만 사태 악화에 대비한 대처 방안
==

'91.　1.　10.

주　필　리　핀　대　사　관

0098

지상 수집한 각부문별 우발계획(안)요약(Contingency Plans)

1. 아키노 대통령은 페르샤만의 전쟁발발에 대비하여 1991.1.11 국가안전보장 회의를 소집해 놓고있음.
   - 여기서 야당을 포함한 각계 인사와 사태 대비책을 논의 예정임.
   - 특히 대통령의 비상시 권한 행사를 확대 하기 위한 입법을 포함한 생필품 의 가격통제, 수급조절등 협의.(참조 P.1-3)

2. 필리핀 정부는 80억페소에 달하는 7개부분의 내핍 절약계획을 수립하고있음.
   - 정부 차량등의 매각
   - 정부 부처 차관급이하 간부직원축소
   - 컨설탄트 고용을 포함한 수상,보수 지급제한
   - 불요불급한 외국여행 중지 ,   · 불요불급한 세미나,회의소집 중지
   - 10% 정부행정 비용절감
   - 10% 정부직원 감축등

3. 교통 통신부문 대책(안)
   - 가상 시나리오 : 전쟁발발로 석유 50% 감산, 배럴당 석유가격 $40-$60
   - 주당 근무일수 감축 - 3일
   - 은행 근무일수는 4일로 단축 계획임
   - 근로자 출·퇴근 차량 의무적인 실시로 자가용 차량운행 축소
   - 차량 주행속도 제한 시속 25-60km
   - 우선 순위에 따른 연료배정등
     개스 배급을 위한 쿠폰제활용 : 전체 차량의 35%해당,
     산업용등 65% 쿠폰없이 판매
   - 격·일제 차량운행등(참조 P 6-8)

0099

4. 식량부문 대책(안)

- 사태악화시 비료가격 상승으로 인한 농산물 가격 상승과 운송비등
  코스트인상 예상에 따른 대비책
  - 농산부문 예산증액 28억페소
  - 비료도입에 따른 세금 납기 연장
  - 농산부문에 금리인하등(참조 P 9)

5. 상공부문 대책(안)

- 석유, 농수산물등 7개 품목에 대한 가격실링제도입
- 매점 매석 행위 단속을 위한 특별팀 구성운영(경찰 포함)(참조 P10-11)

6. 근로자 철수 계획(안)

- 사우디 593,000명, 쿠웨이트 2,000명, 이라크 100명을 관계국과
  협의 안전지대로 철수
  - 쿠웨이트, 이라크 주민은 이란과 터키로 철수

7. 재정 외환 금융부문 계획(안) (참조 P 15-20)

- 재정 적자축소를 위하여 관세를 9%추가인상 200억페소 추가 재정수입
  (91.1.13부터 시행)

- 정부 소유또는 통제하에 있는 기업 매각 추진 : 123개
- 현행 정부 달러보유액 21억불, 민간부문 보유액 37억불로서 6-8개월
  추가 달러 유입없이 지탱가능하나 달러 사용에 관한 우선순위 수립
  - 석유수입, 농산물수입등
- 그러나 외채이자 지급중지를 추진할것이라는 보도도 있음(참조 P 18)
  - 년간 이자부담액 : 753억페소(공공부문 : 590억페소, 민간부문 : 163억페소)

0100

- 통화의 긴축운용

    · 90년 30% 증가에서 91년 20%이내 증가

    · 은행 예금 지급 준비율 인상 21% → 25%

- 총재정 적자 GNP 대비 90년 5.3%(500억페소) → 91년 3.5%
  (300억페소)로 축소

8. 실업자 흡수 대책(안)

- 91년중 해외근로자 귀국등으로 실업자는 3백4십만 증가예상 : 총 실업자
  5백4십만, 실업율 13.1%

- 실업자를 농업부문 근로인력으로 흡수

    · 농업부문 생산 1%증가시 인력 흡수 승수효과 7%(참조 P 21)

9. 장기적인 에너지 대체 추진

- 전력개발을 석유에서 석탄위주로 대체

    · 2005년에는 석유 의존도를 현행 47-50%에서 17% 수준으로 낮춤,
      석유 의존도는 50%수준으로 올림.

10. 기타 페르만에서 전쟁 발발시 언론 매체의 보도 규제도 고려하고있음
    (참조 P 25)

0101

MANILA BULLETIN
JANUARY 3, 1991
THURSDAY

Aquino calls meeting of Nat'l Security Council

By FRED M. LOBO & ROD L. VILLA

President Aquino and Congress leaders yesterday started working out emergency powers to enable the government to cope with the effects of the impending Gulf war, particularly on food and fuel distribution.

The President called the National Security Council (NSC) to an emergency meeting on Friday, Jan. 11, including opposition leaders and other groups, to discuss the serious situation confronting the country in the face of the Gulf conflict.

Executive Secretary Oscar Orbos as-

contingency plans have been drawn up by task forces and that the government is consulting various sectors on how such plans are to be carried out effectively.

"The possibility of an emergency powers legislation for the Gulf crisis is the subject of consultation between myself and leaders of Congress, particularly the House of Representatives," Mrs. Aquino said.

"Price control of basic commodities is already contemplated and is a possible measure, in case of an emergency," she

The President sent Orbos yesterday to the House to meet with Speaker Ramon Mitra Jr. and other congressmen.

"We discussed preliminarily the draft bill giving the President emergency powers to cope with the situation," Orbos said.

"We are talking here of efficiently managing resources, assuring supply and distribution (of vital commodities), given the constraints," he said.

Orbos said the emergency powers may be granted to the President even before the Gulf war erupts

government machinery "to preempt any move from any interested sector to take advantage of the situation and to control the situation so that it will not go out of proportion as to cause disturbance."

Orbos added that a special session of Congress may be called if necessary to tackle the emergency powers legislation.

NSC Director Rafael Ileto said the President decided to call the NSC to a meeting on Jan. 11, with opposition leaders, including Vice President Salvador Laurel, Senate Minor-

EMERGENCY

(Cont'd from page 1)

Floor Leader Juan ice Enrile, and use Minority Floor der, Salvador Es- ere III, invited to meeting.

he President will t with an "ex- ded NSC," to in- le leaders and rep- entatives of gious and other ortant sectors, istant Press Sec- ry, Lourdes Siy- co said.

rs. Aquino ex- sed her gratitude members of the se of Representa- s for their full ort in this time of s.

he assured the ne that the gov- ent is "in full rol of the situa- and ready to t any and all arios."

Sobriety

eaker Ramon V. a Jr. and Execu- Secretary Oscar Orbos yesterday ed for sobriety, g the need for ctive sacrifice in war erupts in Persian Gulf. ey said the situ- remains grave o one can foretell t will happen in Persian Gulf, but said that steps be taken to en- the Philippines rvive.

ting as Presi- Aquino's official emissary, Orbos set the pace for joint Ex- ecutive-Congress ac- tion by to attending the House "Caucus of Leaders."

They decided to:

1. Allot a ₱10-bil- lion standby fund to cover purchases of prime commodities and other vital items and other costs of the emergency situation.

2. Call for a special session, at the in- stance of the Presi- dent, to refine and ratify the contingen- cy measures even be- fore the official open- ing of the next session of Congress on Jan. 14.

3. Form a 24-hour House emergency staff to take charge of the dissemination of information, moni- tor enforcement dir- ectives, and coordi- nate activities through 205 elected and sectoral repre- sentatives with di- rect access to the peo- ple. The body named Speaker Pro Tempore Antonio V. Cuenco (LDP, Cebu City) and sectoral Rep. Art Borjal (for the dis- abled) to take charge of the staff.

4. Name Assistant Majority Floor Lead- er Ronaldo Zamora (LDP, San Juan- Mandaluyong) to head a special com- mittee to refine a package of bills on the contingency plans, including the grant of presidential emergency powers.

5. Hold a two-day workshop, attended by representatives of the three branches of the government, and labor, religious, civic, youth, cultural com- munities, and other sectors of the nation, at the Asian Insti- tute of Management in Makati on Friday and Saturday.

6. Form a special committee headed by Rep. Jose de Venecia (LDP, Pangasinan) to draft an action plan with Malacañang for the safety and evacu- ation of 480,000 Fili- pino workers in Sau- di Arabia and the Middle East zone of conflict.

In the group with De Venecia, chair- man of the House for- eign affairs commit- tee, are Rep. Leonardo Guerrero (LDP, Cavite), chair- man of the agricul- ture committee; Rep. Alberto Veloso (LDP, Leyte), head of the labor committee; Rep. Bonifacio Gil- lego (NUCD, Sorso- gon), leading the spe- cial task force on overseas Filipino; and Rep. Michael Mastura (LDP, Ma- guindanao), repre- senting the Muslims.

The measures are designed to guaran- tee the availability at any time of food, fuel, power, foreign exchange, and main- tain peace and order, Mitra and Orbos said.

Salonga Senate President

Jovito R. Salonga asked President Aquino yesterday for a meeting soon to for- mulate executive-leg- islative contingency plans in case war breaks out in the Middle East.

Salonga issued the call as other senators pressed the Execu- tive Department to map out national emergency plans in case the US-led mul- tinational force en- gages Iraq in an armed conflict on or before the Jan. 15 deadline issued by the United Nations Security Council for Iraq to leave Kuwait.

If war breaks out, ordinary legislative agenda would auto- matically be set aside to allow the Senate to take up urgent matters, Salonga said.

These include:

1. Maintaining peace and order when the economy deteriorates.

2. Building up food supply.

3. Drawing up plans in case of clo- sure of industries which will mean mass layoff of labor.

Herrera

Sen. Ernesto Her- rera yesterday urged the government to approve his proposal to stop the deploy- ment of Filipino workers in the Mid- dle East due to the possibility of war breaking out in the region.

With the United Nations deadline only 13 days away, Herrera said it would be foolhardy for the government to allow the continued deploy- ment of workers in the Gulf area.

Deferred

Various labor and consumer groups said yesterday that they would defer their mass action plans against new oil price hikes, exorbitant power rates, and high cost of living in deference to the Gulf conflict.

"We will wait for developments in the Middle East after Jan. 15 before draw- ing up any mass ac- tion plans," they said. "We will do whatever is incum- bent upon us to help the country pass through the crisis that the conflict in the Persian Gulf would spawn."

The groups, led by the Integrated Labor Organization (ILO- Phils.), Sandigan ng Manggagawang Pili- pino (Sandigan), Philippine Consum- ers Foundation (PCF) and Philippine Con- sumers Union (PCU), expressed the hope that the government will stick to its com- mitment not to raise anew the prices of pe- troleum products ex- cept in case of actual shooting war in the Middle East. (ETS)

Contract

The Executive and Legislative branches of government and various sectors of so- ciety are expected to sign a "social con- tract" to pursue a "common agenda" at the end of a two-day consultation meeting at the Asian Insti- tute of Management (AIM) in Makati which starts tomor- row, Executive Secre- tary Oscar Orbos said yesterday.

The meeting was called in anticipation of crises on food, fuel and foreign exchange that the country will face if a shooting war breaks out in the Middle East should Iraq fail to meet the Jan. 15 deadline set by the UN Security Council for the with- drawal of its troops from Kuwait.

Orbos said the preparation of a "common agenda" similar to one drafted by Mexico when it was in crisis will be the highlight of the meeting which will be addressed by Pres- ident Aquino and other officials.

The meeting was organized to inform various sectors of the problems facing the country, find ways on how to maximize and use more efficiently scarce resources, and "work toward a due direction" in the re- maining 500 days of President Aquino's six-year term, he said in an interview.

Orbos also urged the public to send their complaints and observations to the Malacañang Action Center at the Ka- layaan Hall of Mala- cañang, Manila and vowed swift action on their concerns.

Manila Chronicle

January 8, 1991

Tuesday

0104

Senate issue: Power limits

JOHANNA SON
and CHERRY VELARDE
Staffmembers

SENATOR Jose Lina Jr. yesterday asked Senate President Jovito Salonga to immediately call a caucus to forge a consensus on whether to grant President Aquino emergency powers.

In a statement, Lina, who had sponsored the first set of emergency powers that Congress gave the President in the aftermath of the December 1989 coup try, urged Mrs. Aquino to make up her mind on whether to seek emergency powers so Congress could immediately act on her request.

Lina, chairman of the committee on constitutional amendments, revision of codes and laws, also said he was willing to sponsor again a bill granting the President special powers to cope with the effects of a full-blown Gulf war.

Some senators, including Ernesto Maceda, want to grant the President emergency powers even without a Gulf war because the economic situation "is already precarious."

The military, on the other hand, believes the President does not need full emergency powers.

Armed forces chief of staff Gen. Rodolfo Biazon yesterday said President Aquino should only be granted limited emergency powers to contend with the economic effects if war breaks out in the Persian Gulf.

Assuring the people that the military would remain under civilian control even if the peace and order situation goes out of hand, Defense Secretary Fidel V. Ramos said: The President need not invoke her emergency powers nor declare martial law even if there are terrorist attacks in the country as a result of a shooting war in the Middle East."

He told local officials of Olongapo City, with whom he discussed the government's emergency measures, that the President has adequate power to prevent anarchy and has the full support of the military and the police forces.

Last week, Mrs. Aquino announced she would call a special session to discuss the granting of special powers if the Gulf situation deteriorates in the next few days.

"I am requesting the Senate leadership to call immediately an emergency caucus to determine the sentiment of the senators on this question," Lina said.

According to Lina, congressional action on Jan. 14, when session resumes, may be too late because public hearings have to be held on an emergency powers bill. The resumption of session is just a day away from the Jan. 15 deadline set by the United Nations for Iraq to leave Kuwait.

"Such a caucus is also urgent and necessary in view of the seemingly

Continued: Page 9

Senate issue: Power limits

From Page 1

unclear stance of the executive branch on the need for emergency powers," Lina said.

The senators agree that the emergency powers the President would like "are those not covered or provided for by existing legislation."

"But the Office of the President should act now if it really believes that responding to grim scenarios would require legislation granting emergency powers to the Chief Executive," Lina said.

In a press conference, Maceda said: "There is good reason to grant standby emergency powers already,

even if there is no war. The economic crisis is such that the country would feel the ill effects of the disasters and all the errors of 1990, including the oil price increases, this year."

Explaining why he was against the granting of full powers to the President, Biazon said Mrs. Aquino would only need her special powers to stem expected labor unrest and control the prices of commodities.

He said that mass activities such as the "Welgang Bayan" should also be banned during such a situation on the strength of the "no permit, no rally" policy to keep peace and order.

Predicting the chances that a war may erupt at 60-40, the

AFP chief said the military is prepared to keep peace and order in the country.

"We are talking of the possibility of a Gulf war as if a war will happen in the country. It's not true. The only threat to our national security is internal. All measures of the government have been put together to handle this," he said.

The threat to peace would not come from the communist insurgents whose number is declining or the Muslim separatists who are dormant, he said.

Meanwhile, Sen. Wigberto Tañada asked President Aquino to form a sixth task force to forge contingency plans for foreigners in the country.

MANILA BULLETIN
DECEMBER 2, 1991
WEDNESDAY

Gov't austerity program readied

By MARCIA RODRIGUEZ

President Aquino will issue in the next two weeks a series of orders on an austerity and savings program aimed at trimming the expenditures of government offices by as much as ₱8 billion.

Budget Secretary Guillermo Carague said Mrs. Aquino has agreed in principle to the concept of the seven-point policy option which he presented to her and which was approved by the Development Budget Coordinating Committee (DBCC).

Carague said the seven points, which are to be further studied and refined, are as follows:

1. Selling government vehicles, excluding those assigned to the President, vice president, Senate president, speaker of the House of Representatives, and heads of the constitutional commissions.

2. Limiting undersecretary and assistant secretary positions to two and three, respectively, in all departments or offices. Expected savings is ₱20 million.

3. Eliminating all honorariums and similar allowances, including the hiring of consultants — ₱1.7 billion savings.

4. A moratorium on all foreign travel, except those funded with grants by foreign institutions or those expressly autho-

(Turn to page 5, col. 5)

GOV'T

(Cont'd from page 1)

rized as necessary by the Office of the President — ₱200 million savings.

5. A moratorium on seminars, conventions, and similar activities funded with agency budgets — some ₱50 million savings;

6. Requiring 10 percent reserves on all non-personal services expenditures — ₱6 billion savings.

7. Reducing government personnel by five percent by the end of June and by 10 percent on cumulative basis by the end of December and non-renewal of about 50 percent of contractual employes of agencies with several thousands of contractual and casual workers — ₱1 billion savings.

President Aquino ordered Orbos to study and recommend ways to reduce the number of officials with Cabinet rank and improve the effectiveness of government, starting from the Office of the President.

While Carague said that all seven policy options were approved, the proposal to reduce government personnel is contrary to the assurance of President Aquino that there will be no mass layoffs in the government.

0105

ISSN 0116-3701

PUBLICATION OF THE YEAR
ROTARY CLUB OF MANILA

The Manila
CHRONICLE

★ ★ ★

Vol. XXXIII. No. 211

Manila, Philippines, Wednesday, January 9, 1991

24 Pages. Three Sections Including Shipping.

P5.00 in Metro Manila

Cory orders 10% cut in gov't personnel this year

Mrs. Aquino

PRESIDENT Aquino, in an expected retrenchment move, has directed all government offices to trim their staffs by 5% by June this year and by 10% at yearend.

The "staff reduction program," according to Administrative Order 205, will be done through "voluntary retirement and redeployment."

The President instructed the budget department to issue rules and guidelines for its implementation.

The broad administrative order

spells out economic measures for fiscal year 1991 to make up for its budget deficit while trying to cope with the crisis spawned by the Gulf conflict.

In the administrative order, national and local government agencies, including government-owned and -controlled corporations, are directed to:

☐ Discontinue the grant and payment of honoraria and similar allowances, including representation and transportation allowances authorized in the General Appropria-

tions Act.

☐ Defer the hiring of consultants, except foreign-assisted projects where this is explicitly provided under terms and conditions of the agreement.

☐ Stop needless foreign travels, except those fully funded from grants or those authorized by the Office of the President.

☐ Suspend the holding of seminars, conventions and annual anniversary celebrations funded from agency budgets, except meets and activities by public schools and

state universities and colleges.

In addition, Mrs. Aquino formally authorized the sale of government vehicles used by secretaries, undersecretaries, assistant secretaries, and directors.

As a primary condition to the sale of the vehicles, vendees will continue to use their vehicles for official business but must assume the costs for gasoline, repair and maintenance.

Officials who want to buy the vehicles can obtain financing from the Government Service Insurance

System and other government financing institutions.

The order said rules and regulations for the financing program would be formulated by the finance and budget departments and representatives of GFIs in consultation with the Commission on Audit.

The government had been trying to reduce its personnel in the past few years.

But it had not been able to actually take such a politically unpalatable move. — **Lito Zulueta**

0106

DOTC prepares plan in case of Gulf war

By VITTORIO O. HERNANDEZ, *Reporter*

The Department of Transportation and Communications (DOTC) has prepared a contingency plan for the transport sector in case a shooting war erupts at the Gulf area.

The plan is for a scenario where oil delivery will be reduced to 50%, a drastic jump in crude prices ranging from $40 to $60 per barrel, and a 60-day fuel inventory. However, many of the measures are geared mainly for the Metro Manila area.

Sources said the plan includes three-day workweeks, carless weekdays, the opening of private subdivisions and military camps to light traffic, compulsory provision of shuttle service for employees, reduction in allowable speed limits ranging from 25 to 60 kilometers per hour, route diversion and a fuel allocation scheme.

PRELIMINARY

The DOTC plan, however, is still a preliminary one and could still be revised, the source added.

The following is the priority scheme (in descending order) for various types of fuel:

• aviation fuel — military planes, commercial planes, and pilot training planes;

• bunker fuel — liner vessels, and trampers;

• diesel — trucking firms, cargo/shipping firms, urban public transport, and inter-urban public transport; and

• gasoline — fishing vessels, public transport, and private transport.

Domestic shipping owners and operators yesterday met to map out their own plans in congruence with the Department's plans.

Among the measures proposed were the establishment of a depot exclusively for shipping companies, which, however, was rejected.

At present, the shipping companies rely on scheduled deliveries from the three oil firms, either through trucks or tankers.

The high cost of setting up a depot, particularly the need for heaters and blenders, was cited as the principal reason for the rejection of the depot proposal.

A related problem is the non-standard fuel requirements of each vessel. While the industry average usage is 6% diesel (used for starting of engines), and the rest special fuel oil No. 400 and 1100, some have a high diesel utilization by as much as 40%.

Another proposal was to tie up at least 50% of their fleet.

It will be recalled that in the mid '80s the same was resorted to by shipowners due to the very low demand for shipping services and high operating expenses.

The third proposal was to set up checkpoint at the Manila Bay to check on tankers delivering fuel. This is to prevent the occurence of alleged hoarding by tanker owners.

Business World
January 3, 1991
Thursday

Gas rationing plan detailed

By ESTELA B. DE LA PAZ, *Reporter*

Reacting to questions being raised on the fuel allocation system or gas rationing measures the Government will implement in case of a shooting war in the Middle East, Office of Energy Affairs executive director Wenceslao R. de la Paz yesterday explained before the Rotary Club of Makati-Legazpi the mechanics of the energy contin-gency measure.

INDUSTRIES

Mr. de la Paz said the allocation will be 65% for industries and 35% for the rest who will get their fuel supply from the service stations.

The 65% for industries and other businesses will be prioritized. The priority list, now being drawn up by the Govern-ment, will categorize between the basic industries and non-essential ones.

"There will be no need for coupons for the industries as allocation will be based on the listing to be drawn by Government," he said.

Mr. de la Paz added that instructions will be given to the oil

TO PAGE 6

Gas rationing...

companies to allow those listed as "top priority industries" to draw a 100% fuel allocation. The rest of the businesses will depend on what category in the priority list they would be classified.

He said even small industries are included in the listing. Allocation will also be based on the average monthly consumption of the firm.

To avoid any possible black-marketing of fuel, Mr. de la Paz said the Department of Trade and Industry will monitor the production and fuel consumption of the various firms given priority under the listing.

COUPONS

The 35% will get their fuel needs through gasoline stations with the use of coupons to be distributed by barangays. Registration with the barangays should be made to avail of the coupons.

The coupons will allow only 90 liters per month. This was based on the computed average consumption of six liters per day travelling 50 kilometers and then cut by 50%. The expected oil supply cut in case of a war is 50%.

For every vehicle registered, one set of coupons will be given. The coupons will have two portions, the bigger stub will be surrendered to the service stations when filling up. These stubs will, in turn, be used by the gas dealers to buy from the oil companies in Pandacan.

The smaller stub will be

surrendered to the barangay after one month for a replenishment. The owner's certificate of registration will be stamped upon availment of the coupons.

In order to assure that there will be no fake coupons, several features are printed on the coupons which will be hard to duplicate, Mr. de la Paz said.

He added that these measures are based on the assumption that war will not last for more than a month. Should it exceed beyond this, "one car per family" fuel allocation will be implemented instead of a per vehicle registration.

Oil inventory as of December 14 was 67 days. Mr. de la Paz said there have been a lot of loadings in the second quarter of December, 1990 and with the expected lower consumption due to the price increase, the inventory may even be higher.

Business Star
January 9, 1991
Wednesday

0108

NEWS LOG

* * *
Here and Abroad

Business Star, January 9, 1991
Wednesday

PRESIDENT AQUINO HAS signed Administrative Order 205 imposing six austerity measures for government offices to save up to P8 billion, including the sale of service vehicles of Cabinet members, elimination of all honoraria and similar allowances, and suspension of all foreign travel.

* * *

The government is set to implement, most likely starting Friday, an "odd-even" scheme of gassing up at the stations, but there are as yet no plans to start rationing fuel, said Wenceslao de la Paz, presidential adviser on energy affairs.

* * *

Sen. Jose Lina Jr. proposed that the President immediately call a separate special session for the two chambers of Congress to resolve the issue of granting her emergency powers.

* * *

Sen. Ernesto Herrera, chairman of the Senate committee on labor, said he would block any proposal to impose a strike ban should war break out in the Gulf.

* * *

Agriculture Secretary Senen Bacani said guidelines related to the revival of "rolling stores" had been prepared but that the plan would be implemented only when necessary.

* * *

United States special envoy Richard Armitage arrived yesterday for the resumption of talks with the Philippine panel on the future of American military facilities in the country.

* * *

The President said the controversial "borloloy" building near the Palace would be utilized "as soon as it is ready." Citing security reasons, she rejected a proposal that it be sold.

* * *

ON THE EVE OF TALKS with the United States, Iraqi Foreign Minister Tariq Aziz said the US must approach the long-awaited meeting in a spirit of peace to avert what he said would be "a bloody, long, terrible war" with heavy casualties on both sides.

* * *

In France, Germany and Italy, on the second day of an eight-day Gulf unity campaign, US Secretary of State James Baker appealed for a solid front against Iraqi President Saddam Hussein.

* * *

High-ranking French official Michel Vauzelle who returned from Baghdad where he had long talks with Iraq's Saddam hinted that France might step in if talks between the US' Baker and Iraqi's Aziz failed.

* * *

Six Iraqi helicopter pilots defected with their aircraft to Saudi Arabia. About 300 soldiers earlier defected to Saudi Arabia and hundreds more to Turkey, according to military sources in Dhahran.

* * *

Japanese Prime Minister Toshiki Kaifu will visit five countries of the Association of Southeast Asian Nations, Malaysia, Singapore, Brunei, the Philippines and Thailand, on an eight-day trip beginning Sunday. A highlight of the trip is a speech Kaifu is to give in Bangkok on Jan. 19 which the Japanese government is billing as a "major policy statement."

* * *

In a written message to about 70 members at the United Nations conference on nuclear testing, Soviet President Mikhail Gorbachev said he was ready to impose a comprehensive ban on nuclear testing if the United States did the same.

* * *

0103

Bacani presents crisis food security strategy

Contingency plans in case of war

A multi-scenario food security strategy addressed to specific crisis situations was presented by Agriculture Secretary Senen C. Bacani during an economic crisis executive planning session held last week at the Asian Institute of Management in Makati.

Stressing that food security must be on top of the national agenda, Bacani presented a set of contingency plans to cushion possible impacts of potential crisis situations on food production, supply, and agricultural developments.

In assessing the current food situation, Bacani said, "The near-term food outlook is optimistic under current conditions."

According to DA statistics, there is more than enough inventory of rice to meet the country's requirements for the next 94 days. Year-end inventory is estimated at 1.7 million metric tons (MT) or 15 percent higher than the 1989 level. Meanwhile, 1990 corn production is about 4.8 million MT which is 7.2 percent more than 1989 production.

Hog production for 1990 is estimated to reach 1.1 million MT liveweight, a record which is 10 percent higher than 1989 figure. Poultry meat production for 1990 stood at about 549,000 MT, also 10 percent more than 1989 level.

During the session, Bacani presented contingency plans to ensure stable food supply in the country.

In the event of a standoff in the Gulf, fuel and fertilizer prices are expected to soar, resulting in higher food production and distribution costs.

In this light, Bacani proposed the following measures:

● Congress must increase DA's budget by P2.8 billion from the current P4.3 billion to support food production programs;

● Deferred tax payment scheme on fertilizer imports should be continued and the Central Bank should make available a special facility for foreign exchange requirements of fertilizer importers. The DA will encourage farmers to use more organic fertilizers;

● Banks should channel more credit at reduced interest rates to the agriculture sector;

● Shipping and port management reforms must be immediately implemented to ensure speedy and efficient transport of food from the production areas to the areas in need of supply;

● Raise the NFA credit line to P5 billion to support intensified grain procurement and distribution activities. The Bigasan ng Bayan outlets will be expanded to include other basic food items, "rolling stores" will be increased, and the Tindahan ng Bayan will be used as additional food distribution points in depressed areas.

● Implement an expanded Livelihood Enhancement for Agricultural Development (LEAD) program to generate more livelihood opportunities for those unemployed and underemployed; and

● Trade negotiations be intensified to expand and diversify markets for key agricultural exports such as coconut products, pineapples, prawns, tuna, seaweeds, bananas, mangoes, sugar, coffee and abaca.

Manila Bulletin
January 8, 1991
Tuesday

Teams to go after hoarders

Price ceilings on 7 items out today

By FRED M. LOBO

President Aquino created yesterday inter-agency quick reaction teams to go after profiteers and hoarders of oil, food products, and other basic commodities as she vowed to use all her powers to meet the emergency caused by the Gulf crisis.

The President made the move as the Department of Trade and Industry (DTI) is set to announce today new price ceilings for seven basic commodities to check overpricing in the coming days, especially if the Gulf war erupts.

Mrs. Aquino, together with Executive Secretary Oscar Orbos and other government officials, also warned the people against panic-buying, saying there are enough oil and food supplies to meet the needs of the country.

They said bulk buying or stockpiling of oil and food products will only create artificial shortages and worsen the situation, primarily for the poor.

The creation of the quick reaction teams was announced by Orbos after an inter-agency meeting yesterday at Malacañang.

Orbos said the teams will be composed of representatives of mayors, the police, DTI, and the Energy Regulatory Board (ERB).

The move came amid reports of hoarding of oil, food products, and other basic commodities in view of fears of war breaking out in the Gulf.

Chief Superintendent Marino Filart of the Metropolitan Police Force said hoarders will be rounded up by the quick reaction teams.

(Turn to page 5, col. 1)

Manila Bulletin
January 8, 1991
Tuesday

0111

TEAMS
(Cont'd from page 1)

He said the teams in Metro Manila will be led by police officers of various police districts who will coordinate with the mayors, DTI, and ERB representatives.

"We are taking steps to check hoarding, profiteering, and panic buying. And we are going to be very drastic on measures," Filart said.

He warned that among the measures to be taken are the round-up of violators, seizure of hoarded goods, closure of establishments, and filing of charges in court.

Trade Undersecretary Ernesto Ordoñez said now price ceilings are being finalized last night in consultation with new Trade Secretary Peter Garrucho will cover seven items — rice, sugar, pork, chicken, cooking oil, milk, and flour.

But Ordoñez said the price control list may be expanded later if overpricing for other commodities becomes rampant.

Urbos said the President directed Justice Secretary Franklin Drilon to form task forces to attend to criminal cases filed against hoarders.

He added that the President will also resort to the Supreme Court to designate special courts to hear cases against hoarders and issue warrants.

Urbos said that during the emergency, the special courts will be required to open on a 24-hour, seven-days-a-week basis.

Drilon

Justice Secretary Franklin M. Drilon said yesterday the executive branch will ask Congress to amend the laws to make it easier for law enforcement agents to arrest and prosecute profiteers and hoarders of prime commodities.

Drilon said the law on "monopolies and combinations in restraint of trade" must be amended because "it is already antiquated."

bassy in Riyadh described the visit as "an expression of solidarity with Saudi Arabia over the Gulf crisis."

Iraqis watched

Immigration Commissioner Andrea D. Domingo placed yesterday under close watch all Iraqi nationals in the country, following reports that some of them were recruiting mercenaries.

Quoting intelligence reports, Domingo said some Iraqis are recruiting Filipinos, particularly Muslim rebel returnees and ex-military officers, to participate in the Iraqi defense against United Nations forces now stationed in Saudi Arabia in case war breaks out.

Domingo said potential recruits are promised a monthly salary of $10,000.

Domingo would not disclose the number of Iraqis in the country, but said most of them are enrolled in colleges and universities in Metro Manila.

Fears allayed

CAMP MAQUINAYA, Olongapo City — Defense Secretary Fidel V. Ramos allayed yesterday fear of the use of martial law by the government in case of war in the Persian Gulf.

Ramos met with local leaders and police officials on peace and order situation here before delivering his keynote address at the opening ceremonies of the "Second Improving Cyclone Warning Response and Mitigation Workshop (ICWRM-2)" attended by delegates from Asia-Pacific countries.

On fears rightist military rebels and communist terrorists might attack, Ramos said government troops are ready to stop them.

Olongapo City Mayor Richard J. Gordon and Lt. Col. MacArthur.Torres, Metrodiscom commander, told Ramos of the relative peace and order condition obtaining in Olongapo and

Zambales province.

Caucus

Sen. Jose Lina asked the Senate leadership yesterday to convene immediately an emergency caucus to determine the sentiment of the senators on the question of whether to grant emergency powers to the President.

Lina said such a caucus is necessary due to conflicting statements from members of the Senate and the House on how the government can best respond to the Gulf crisis.

He said he is ready again to sponsor a new bill granting emergency powers to the President "so that our country can weather the difficulties that may arise from a shooting war."

Drilon said the Department of Justice (DOJ) has adopted several measures to cope with critical situations that might arise if war erupts.

He said he will create teams of inquest fiscals to handle exclusively cases against hoarders and profiteers.

To compliment the work of the prosecutors, Drilon said the DOJ would ask the Supreme Court to designate trial courts that would handle exclusively hoarding and profiteering cases.

Informed of Drilon's plans, Chief Justice Marcelo B. Fernan said if the secretary's proposal is submitted, he will refer it to the Supreme Court en banc. Fernan said that normally the High Court grants requests of this nature.

Strike ban

Lt. Gen. Rodolfo Biazon, incoming chief of staff of the Armed Forces of the Philippines (AFP), said yesterday he favors a ban on strikes and price control on basic commodities in the event the Middle East crisis worsens.

Biazon said the move will prevent rightist and leftist forces from taking advantage of the tight situation the country will face if war erupts in the Gulf.

He said these two proposals are part of the major contingency plan drawn up by the government and the military to cope with the social and economic crises.

At the same time, the general said he favors granting emergency power to President Aquino so that the government can act immediately on pressing needs and problems of the nation.

Torres

RIYADH, Saudi Arabia (AP) — Philippine Labor Secretary Ruben Torres was in Saudi Arabia Monday to discuss arrangements for Filipino workers who might be displaced if war breaks out in the Gulf.

Torres arrived in Riyadh late Sunday at the head of a Cabinet-level delegation. He will spend 10 days in the Gulf region including visits to Oman and Qatar.

The Philippines Em-

Maceda

Sen. Ernesto M. Maceda, chairman of the Senate national defense committee, said yesterday he fully supports President Aquino's use of emergency powers in case war breaks out in the Middle East.

Maceda, however, urged 150 big corporations that comprised the private sector in last Saturday's multi-sectoral meeting with President Aquino to forge a covenant among themselves to pay 25 to 30 percent more than their previous tax payments to help the government which is asking Congress to pass new tax measures.

He said the Senate will not initiate the filing of a measure granting emergency powers to the President but will wait for the passage by the House of a similar bill, Maceda said.

Exploration

Executive Director Wenceslao de la Paz of the Office of Energy Affairs said yesterday the Middle East crisis has prompted the intensification of oil exploration, capped by the drilling last Sunday of a second well to determine the volume of oil and natural gas confirmed in "abundant quantities" in Octon, Palawan.

De la Paz said agreements have been completed with Brunei, Indonesia, and China for the rapid delivery to fill up a slack of up to 50 percent of oil supply if war erupts in the Middle East.

Alfredo Ramos, president of Philodrill Corp. said oil was struck "like a gift of God" last Christmas Day in only 280 feet below water in Octon and that the second drill was made Sunday, the Feast of the Three Kings.

0112

Evacuation plan set for workers

In case Gulf war erupts after Jan. 15

By FRED M. LOBO

The government said yesterday that some 593,000 Filipino overseas workers will be evacuated to safer areas of Saudi Arabia as well as to Iran and Turkey in case last-minute peace negotiations fail and a shooting war erupts in the Persian Gulf.

The overall evacuation plan for the Filipino workers was outlined yesterday to President Aquino in Malacañang by Foreign Affairs Secretary Raul Manglapus and Labor Secretary Ruben Torres.

Manglapus said that the more than half-a-million Filipinos in the Gulf area will be evacuated to areas away from the war zone as the need arises.

Manglapus said that the Filipinos will first be evacuated to nearby safe areas as it would be difficult to immediately repatriate them back to the country.

Torres said that to ensure the smooth implementation of the evacuation plan, he directed all labor attaches and welfare officers in the Middle East "to stay in their posts until the last Filipino is out."

He said that the evacuation plan will cover 591,000 Filipino workers in Saudi Arabia, 2,000 in Kuwait, and 100 in Iraq.

Torres pointed out that the Filipino workers in Saudi Arabia will be moved to safer places in the kingdom.

He said that the evacuation plan was prepared earlier jointly by the Philippine government and Saudi authorities.

Torres said that Filipinos still in Kuwait and Iraq will be initially evacuated to Iran and Turkey.

The Philippine government will rely initially on the Overseas Workers Welfare Administration (OWWA) funds in evacuating the Filipinos, he said.

However, he said that the government will continue discussions on possible assistance from the International Organization for Migration (IOM) which is building its funds for any eventuality.

The President assured the country the other day that contingency plans have been updated and readied to enable the country to cope with impending Gulf war and its adverse effects on Fil-

(Turn to page 22, col. 7)

Manila Bulletin
January 2, 1991
Wednesday

0113

EVACUATION
(Cont'd from page 1)

...ipino overseas workers and on the country's oil supply.

She said that the country must stand strong and united for the worst scenario in the Gulf as the Jan. 15 deadline for Iraq to withdraw from Kuwait nears without any sign of positive solution.

But Mrs. Aquino expressed hope for a peaceful resolution of the conflict and for peace to finally prevail.

IOM deadline

The evacuation of Filipinos by the International Organization for Migration (IOM) from the Gulf area to Manila will cease after Dec. 30, it was announced yesterday by the Department of Foreign Affairs.

The IOM, which has taken over the task of transporting Filipino evacuees from beleaguered Kuwait-Iraq, has set the deadline for its remaining flights, according to the DFA.

The announcement was made following receipt of a situationer from the RP embassy in Baghdad as it renewed its appeal to all Filipinos in the war-threatened area to take advantage of the last available flights to Manila.

By Dec. 30, "all evacuation efforts of the government through the IOM will cease operation," according to the embassy.

The embassy informed the DFA that there are many Filipino workers who do not want to be evacu-

ated for various reasons, ranging from having found good jobs with incentives to disbelief in the serious possibility of war.

More than 3,500 Filipino workers are still in the Gulf area, according to the Overseas Workers and Wage Administration (OWWA).

Some Filipino workers, from other places have actually moved into Iraq and Kuwait after the start of the hostilities, the OWWA said.

Ambassador to Jordan Pacifico Castro had earlier reported that the IOM had airlifted to Manila 16,329 Filipino contract workers from Kuwait as of Dec. 22. The Department of Labor and Employment (DOLE) repatriated 8,900 workers, he added. (Romy V. Mapile)

...the Hague (Nether-

0114

Business Star
January 9, 1991
Wednesday

Cuisia Says Banks May Be Asked To Limit Work Hours

(Continued from First Page)

essing of import and export documents. Another banker said though that this would not reduce substantially the volume of the country's imports and exports.

"It really depends on how bad the crisis (resulting from the Middle East war) will be. Personally, I think we should begin implementing this measure (the reduction in the banking hours) immediately rather than waiting for the crisis to develop in order to instill a sense of urgency in the business community," Peronilla said.

If banking hours are reduced by one day, the bankers said another option for banks would be to minimize the working hours during those four days.

Although most banks have not yet drafted specific guidelines for coping with the shortened banking week, individual bank officials and branch managers have begun conducting studies for its possible implementation.

This is not the first time that banking hours might be shortened as an energy-saving measure. During the summer of 1989, they were cut from seven hours (Mondays through Fridays and 9 a.m. to 12 noon on Saturdays) to the current six hours weekly (Monday to Friday only).

Contingency Plan

Cuisia Says Banks May Be Asked To Limit Work Hours

4-Day Banking Week Will Help Save On Energy Costs

More Transactions

Banks may be required to shorten their banking hours by one day as an energy-saving measure in case war breaks out in the Middle East.

This was admitted yesterday by Central Bank (CB) Governor Jose Cuisia Jr. who said that although the banks are considering maintaining normal banking hours even if war becomes inevitable, the shortened hours might be necessary to make the banking industry cut down on energy costs. Cuisia is a member of a multisectoral committee drafting war contingency measures.

Automated teller machines (ATMs) will not be affected under the plan.

Banks currently serve depositors and clients for six hours daily, from 9 a.m. to 3 p.m., Mondays through Fridays except on holidays. Also based on CB regulations, some bank branches are allowed to open on Saturdays provided that the total number of service hours for a particular branch still add up to six hours daily for five days.

"This means that people will have to keep more money with them (in their person) because of the longer weekend without banking service," according to Renato Peronilla, executive vice president of Philippine Commercial International Bank (PCIB).

Peronilla said a three-day weekend without banking service would bring about heavier transactions during the reduced banking hours. But he said he believes banks could handle increased transactions. Currently, banks are closed only on Saturdays and Sundays.

A four-day banking week, a banker said, would delay by one day the proc-

Please Turn to Page 3

0115

Business Star, January 9, 1991, Wednesday

Additional 9% Levy May Take Effect Until June 1992

According to EO

The recently approved additional 9% levy on all imports is expected to remain effective until June 30, 1992, official documents show.

President Aquino signed last Jan. 3 Executive Order 443 imposing the ad valorem duty which will take effect 10 days after its publication in at least two national dailies. So far the order has not been published in any newspaper.

Proposed by the Department of Finance, the 9% duty on all imported articles is intended to provide financing for the country's oil importations and the government's budgetary requirements. Officials expect to raise at least P20 billion in additional revenues to help reduce the huge consolidated public sector deficit (CPSD).

Finance Secretary Jesus Estanislao has said the import levy would be lowered by 1% each time Congress passed into law revenue measures that raised P2.6 billion for the Treasury.

He explained that as an economist, he was not in favor of imposing the 9% import levy. But he pointed out that because of the government's great need for fresh funds, the surcharge had to be imposed.

The government is hard-pressed to raise enough income to reduce its CPSD by P55 billion because the deficit is affecting domestic interest rates and is fueling inflation. Because of the high public sector deficit, the government is forced to borrow from the domestic market at high costs.

In addition, the International Monetary Fund (IMF) has required the government to come up with necessary measures to substantially cut its budget deficit before any new loan program or disbursement from other loan programs can be made.

0116

0117

Gov't mulls fund to aid privatization program

By REUBEN V. LIM, Reporter

Government is mulling a proposal from the finance department for the creation of a fund to facilitate privatization of selected large government-owned and-controlled corporations.

If set up, the fund would handle privatization of GOCCs hindered by excessive foreign debt, or that need funding for financial or physical restructuring but are unable to source these from the capital markets, said a position paper delivered last month to the Committee on Privatization.

The Department of Finance proposal said the establishment of a Philippine Privatization Fund would accelerate sales of government assets and, thus, speed up acquisition of cash resources. The PPF would also promote a wider distribution of ownership of the GOCCs as well as assist in the buy out of the GOCCs' debts.

The proposal acknowledged that Government's privatization program these past five years had grown only at a modest pace. As of last Nov. 30, 64 GOCCs had been offered for sale, or a little more than half of the 123 GOCCs for privatization.

The report pinpointed some GOCCs significant foreign debts as a deterrent to their divestment. On the other hand, newly-privatized GOCCs are seen to suffer a lack of adequate financing for restructuring programs or for working capital.

Under the proposed plan, the PPF would act mainly as a temporary holding facility or dealer in securities; it would not be a mutual fund or unit trust, nor issue its own securities. The PPF would be in the hands of a private international financial institution acting as fund manager, whose primary function would be to ensure the GOCCs' sale by buying their foreign debt at a discount.

The PFF would then warehouse the shares in the GOCCs, with the guarantee that these shares be sold in a maximum of five years. Mechanisms revolving around Government's payments for the GOCCs' debts or restructuring program would then be adopted to protect the country's claim to any proceeds from the GOCCs' sale.

In turn, Government could tap funding from official creditors, foreign and domestic institutional investors, or other entities to raise funds for the PFF. Investments needed in this area would be significant, considering that the foreign debts of six GOCCs already exceed $1 billion, conceded the proposal.

On the other hand, removing the GOCCs' debt burden would make them more viable and attractive to potential buyers.

Without Government's interference, the FM would sell the shares in its portfolio when market conditions permit. The sale of shares should be done in a manner not causing wide swings in share prices, nor concentrating large blocks of a GOCC's stock in the hands of just one investor or group.

Thus, sale of shares in certain large GOCCs could be done in stages of 20% to 30%, to an investor seen to provide leadership in the GOCC's restructuring, with the remaining shares sold in successive blocks.

Proceeds from the sale of shares would accrue to Government, with a commission also to be paid the FM. On the other hand, the PPF, in its proposed five-year lifespan, may also set aside part of sales proceeds to fund a mechanism for debt buy-outs of retained GOCCs, with benefits of the debt reduction to be shared by both Government and the GOCC.

eral agency that insures bank deposits

Cuisia gives assurance

Dollar reserves ample

By MARCIA RODRIGUEZ

Central Bank Governor Jose L. Cuisia Jr. gave assurance yesterday of adequate dollar reserves in the banking system to meet the country's needs for the importation of oil and basic commodities in the event of a war in the Persian Gulf.

Cuisia said the Central Bank has $2.1 billion in gross dollar reserves while the banking system has $3.7 billion which could last for six to eight months. This amount is "more than enough to cover our basic requirements in terms of oil, fertilizer and all the vital commodities particularly food," he said in an interview after a meeting yesterday with President Aquino and leaders of the banking and business sectors in Malacañang.

The country's dollar reserves can last for six to eight months assuming that no further foreign exchange inflows will come in, he said.

But he noted that more foreign exchange was expected to come in from the International Monetary Fund (IMF) and other multilateral institutions once a letter of intent is finalized with the IMF.

An IMF mission, which arrived in the country yesterday, began reviewing details of the government program to cut its P60-billion consolidated public sector deficit through a combination revenue-raising and expenditure-cutting measures prior to the approval of a $790 million loan package.

Approval of the IMF loan is expected to trigger foreign exchange inflows from other multilateral and bilateral institutions. "We expect more to come in especially when the IMF program is in place. We would expect much more substantial amounts to come in," Cuisia said. The National Economic and Development Authority placed the amount of pending multilateral and bilateral assistance at $5.0 billion.

In the last few days of 1990, the government received $353.7 million from the Overseas Economic Cooperation Fund of Japan, Asian Development Bank, US Agency for International Development, and the World Bank for earthquake rehabilitation, transportation, local development assistance, and child survival programs. The country's economic program is expected to be approved by the IMF by mid-February and funds are expected to come in by March.

Should the IMF fail to approve the program, the inflow of other funds tied to it may be jeopardized including that of the World Bank and the Philippine Assistance Program (PAP) pledging session on February 24 may not push through.

He noted, however, that the country will not be empty handed. "It does not mean though that we won't get anything at all — zero. We expect to be able to get something, but not as much if we have an IMF program in place," he said.

Manila Bulletin
January 8, 1991
Tuesday

0118

Debt condonation move eyed if ME crisis worsens

The Philippine government may negotiate a condonation of debt payments should the situation in the Middle East worsens.

Central Bank Gov. Jose Cuisia, one of the country's debt negotiators, raised this possibility, saying, "Anything and everything can be negotiated. We would probably have to explain to our creditors, 'Look, you know,' the situation is such that we cannot continue (paying)."

Cuisia expressed willingness to negoti- ate a debt payment condonation but opted instead for a debt buyback which, he said, is tantamount to condonation.

The reduction of the country's debt service was one of the salient recommendations of the recent multisectoral assembly for national survival. The country's foreign debt amounts to $28 billion while the domestic debt is estimated to reach P280 billion. Cuisia ruled out a unilateral action of the government on debt payment which will adversely affect the country's relationship with multilateral financing institutions and commercial bank creditors. He said "I am stressing that this has to be negotiated because we don't feel that a unilateral action will be helpful to our own interest."

Budget Secretary Guillermo Carague had earlier proposed a condonation of interest payment to commercial banks amounting to P15 to P18 billion but likewise stressed that it must be "negotiated, not (done) unilaterally." He also proposed an extension of period of repayment of these loans.

Government records showed that P75.3 billion was previously appropriated for interest payment for interest payments to domestic and foreign debt amounting to P59 billion and P16.3 billion respectively.

Cuisia said that the country can achieve condonation when it goes into a debt buyback scheme as it had done in early 1990.

Manila Bulletin
January 8, 1991
Tuesday

0113

Monetary policy to remain tight

By ERNESTO TOLENTINO

The tight credit policy implemented by monetary authorities will remain for the rest of the year to effectively dampen the inflationary impact of the increased pump prices of petroleum products, a top monetary official said.

He did not rule out, however, a possible slight easing of the Central Bank's tight hold on money supply within the year "but that this would depend on the movement of domestic prices."

The growth this year of monetary aggregates will be limited to less than 20 percent "or significantly lower than last year's average of nearly 30 percent which exerted pressure on prices and imports, and which prompted the Monetary Board (MB) to employ a three-step hike in the banks' reserve-to-deposit ratio from 21 percent to 25 percent," the source admitted even as he disputed speculations on a further significant surge in prevailing interest rates.

Following the required reserve adjustments, which took away from the system some P12 billion in loanable funds, interest rates posted steep increases. The prime lending rates of banks have touched the 38-40 percent range, while the gov-

cost (as reflected by the average interest rate yields of Treasury bills) recently slid up to 40 percent.

The credit tightening measure, as well as the Persian Gulf jitters triggered by the nearing January 15 deadline set by the United Nations for the Iraqi withdrawal from Kuwait, fanned speculations of a steeper rise in cost of money.

However, the official source insisted said there was no way for interest rates "rising much further from present levels in spite of the tight money supply because of current efforts to substantially reduce the fiscal deficit from 5.3 percent of the gross national product (GNP) in 1990 to 3.5 percent this year."

The reduction to P30 billion of the consolidated public sector deficit will mean "lesser competition between the public and private sectors to peso credits and, thus, lesser pressure on the cost of credits," the source explained.

Moreover, other measures designed to offset the adverse impact of the tight monetary regime on interest rates, coupled with a "carrot" in the form of liberalized rules on bank licensing and branching, will "hopefully be put in place within the year," the source

Manila Bulletin
January 8, 19
Tuesday

0120

Stabilization program crucial

RP economy faces 'stagflation' outlook

The economy, already faced with prospects of stagflation (stagnation with inflation), might suffer a breakdown if the government fails to effectively implement its stabilization program.

A top administration official expressed this warning yesterday in reaction to the perceived reluctance of congressional leaders to extend support to the Aquino administration's proposed revenue measures aimed at boosting this year's revenue collections to P232 billion or 33 percent more than 1990's total take.

The government has scaled down this year's projected growth rate to 2.1 percent, or lower than last year's estimated real 3.1 percent growth rate of the gross national product (GNP), on account of the recent oil shocks triggered by the Persian Gulf conflict.

Inflation rate was also projected to remain unchanged at the two-digit level of 14-15 percent.

The generation of some P30 billion in additional revenues, together with the committed P25 billion cutback in government expenditures, was designed to hold down to P30 billion this year's fiscal deficit, one of the major problems being addressed by the stabilization program.

Recent pronouncements from congressional leaders however indicated their unwillingness to pass upon several revenue bills needed by the government to bolster revenue collections between now and 1992.

Failure by government to buoy revenues to desired level would prevent it from substantially reducing the fiscal deficit, which was the main reason for the cancellation last year of the country's extended fund program agreement with the the International Monetary Fund (IMF). (ET)

0121

Agri Sector Mulled As Buffer to Absorb Displaced Workers

Gov't Heeds Call For Creation Of Dep't of Energy

OEA Empowered

By ODILON M. DE GUZMAN

The government is eyeing the agricultural sector as a buffer to cushion any adverse effect of the Gulf crisis on the country's employment situation.

At the same time, the government is also bent on creating a Department of Energy to coordinate the country's energy program as proposed by the private sector during the multi-sectoral consultative session last week.

In the interim, however, the government said it is willing to give Wenceslao dela Paz, executive director of the Office of Energy Affairs (OEA), the necessary powers to enable him to function as energy czar even without a Cabinet-level post.

Executive Secretary Oscar M. Orbos said yesterday a safety net has been threshed out with Agriculture Secretary Senen Bacani that in an event of a worst case scenario in the country as a result of a war in the Gulf, the agricultural sector would cushion any adverse effects on employment.

Orbos told a special joint meeting of the Makati Business Club, Buy Philippine Made Movement, Management Association of the Philippines, Financial Executives Institute of the Philippines, and Bishops-Businessmen's Conference for Human Development that in case of harsher conditions hitting the country, some industries and businesses may have to close down.

However, Orbos told the businessmen that the agricultural sector could absorb workers which would be laid off by the industrial sector if the Gulf crisis

Please Turn to Page 3

Agri Sector Mulled As Buffer To Absorb Displaced Workers

(Continued from First Page)

worsens and adversely affects the country. "Let us hope this would not occur," he added.

Orbos pointed out "we have to focus on the agricultural sector since it would have to absorb workers that might be displaced."

According to Orbos, "a one per cent increase in agricultural production will mean a seven multiplier effect in terms of employment absorption."

The private think-tank Center for Research and Communications (CRC) has projected a 4.4% growth for the agriculture sector this year.

In response to private-sector clamor to create a Department of Energy, the executive secretary said: "We intend to have a Department of Energy as soon as Congress gives its nod."

However, since the creation of a department requires time, Orbos said the executive branch was ready to "empower dela Paz with all of his requirements so that he can effectively discharge his functions even without a Department of Energy."

Orbos disclosed that "this is already a decision and we will just have to implement it."

As executive secretary, Orbos is also the ex-officio chairman of the Energy Coordinating Council (ECC) and the Energy Operations Board (EOB).

But Orbos is considering to relinquish his ex-officio posts to dela Paz who has been named presidential spokesman for energy affairs.

Orbos' predecessor, Catalino Macaraig Jr., used to head the ECC and EOB, and at the same time chaired the state-owned Philippine National Oil Co. (PNOC).

Macaraig vacated his post at the ECC and EOB when Orbos took over as executive secretary, but remained as chairman of PNOC.

In yesterday's forum, businessmen observed that if Macaraig would continue to head PNOC, coordination between PNOC, Orbos and dela Paz's office could get hampered.

Philippine Inquirer
January 4, 1991
Friday

EAK PROSPECTS

3.4 million will be jobless this year

By JUAN V. SARMIENTO JR.
(Third of a series)

The Year Ahead

F INDING employment will be extremely difficult this year as tens of thousands of Filipinos who are expected to be laid off scramble for whatever jobs they can get.

The search for employment will be very competitive because about 700,000 persons join the labor force every year.

In addition, more than 60,000 overseas Filipino workers have been displaced by the Iraqi annexation of Kuwait.

Most of them have returned to the Philippines and are unemployed.

The Department of Labor and Employment itself admits the

SPECIAL REPORT

bleak prospects of finding a means of livelihood this year.

Because of a sputtering economy, Labor Secretary Ruben Torres expects about 1.4 million persons to join the ranks of the unemployed in 1991.

In the first quarter alone, Torres See 3.4 MILLION, P.7

CHANGES IN UNEMPLOYMENT RATE
(in millions)

1986	1987	1988	1989	1990	1991
11.78%	11.18%	9.55%	11%	9.5%	13.1% (Projected)

Source of basic data: DOLE

Half:

3.4 million . . . (From page 1)

rs says about 58,000 workers will be laid off.

As a result, the unemployment rate in 1991 will shoot up to 13.1 percent, equivalent to 3.4 million, from 9.5 percent or some 2 million in 1990, he said.

Underemployment

At the same time, underemployment will jump from 7 million to 7.7 million, Torres said.

Both the unemployed and the underemployed will account for a staggering 43 percent of the country's labor force of 26 million.

Economists said the jobless will find themselves competing not only with fellow unemployed for livelihood this year. They will also face stiffer competition from those who are already holding jobs but who want to augment their falling real income.

With the steep rise in the cost of living, many fixed-wage earners, including most government employes, are now looking for alternative means of raising their income.

Fixed-income earners need more pesos this year than the last to buy the same quantity of goods as inflation is projected to further soar.

Inflation is expected to leap from the 12.6 percent average in 1990 to 17 percent in 1991, according to the National Economic and Development Authority (NEDA).

"Increases in salaries could not simply catch up with the double-digit inflation," said Noel Valencia, 38, an employe of a private company.

Galloping inflation

Another fixed-income earner said, "Before, you could run faster (work harder) just to maintain your standard of living. Today, running faster would not keep your standard of living from sliding because of galloping inflation."

For a growing number of Filipinos, just surviving has already become a feat.

A father of three and clerk at the Supreme Court (who asked not to be identified) says his family is just get-

ting by.

"Our income is not enough because everything is expensive. (His wife is also a government employe.) We get by but that's the best we can do. Sometimes we're even short."

"Paano pa kaya ang iba (What about the others)?" he asked.

The standard of living of many Filipinos has declined so fast, prompting an employe of an American drug company to wonder if there was still a Filipino middle class.

Poverty has certainly worsened, especially in the urban areas, said Eduardo Morato, associate dean of the Development Management Program at the Asian Institute of Management.

Morato said the urban centers are hit hard in times of economic crisis since industries concentrated in these areas lay off workers.

Self-employed

People in the rural areas are less affected because most of them are self-employed.

In these times of a much diminished capacity of the economy to provide jobs, are there other means by which people could support themselves?

Yes, according to economists,

self-employed workers and development managers interviewed by the INQUIRER.

But landing a job in the government would be out of the question for most unemployed Filipinos.

The reason: the government has stopped the hiring of new personnel and is merging some offices to reduce its budget deficit.

As part of its commitment to the International Monetary Fund (IMF) in exchange for fresh loans, the government has also cut capital or public works expenditures and reduced the budget for the maintenance of offices to the barest minimum.

Neither is the employment picture in the private sector promising.

Faced with weak demand, manufacturers of durable goods like refrigerators and airconditioners will cut their production capacity by half to stay afloat, industrialist Raul Concepcion said.

Laying off people

Even Japanese car assemblers like Nissan and Toyota as well as the Manila offices of American banks such as Bank of America and Citibank are laying off employes.

Those who are not cutting their work force won't be hiring this year.

Colgate Palmolive (Phils.) and the Taiwanese-owned Marina Properties Corp., for instance, are freezing their plantilla at their current levels due to the poor business climate.

What about agriculture?

The prospects of finding work in the countryside are also bleak.

Low productivity, a raging insurgency and slow implementation of land reform have driven people from the countryside to the cities.

While the population of the country went up 1.7 percent, that of the urban centers expanded at a much faster rate at 3.4 percent, indicating a tremendous migration from the rural areas.

This leaves us the service sector.

Economists say that workers from the agricultural and industrial sectors transfer to the service sector in times of economic difficulties.

The explanation is simple.

"This is the easiest sector to break into because of its large potential to create jobs," said NEDA Assistant Director Cielito Habito.

"Unlike in the manufacturing sector, little capital is needed to create jobs in the service sector," he added.

Habito said a barber, for instance, could start working by just having a pair of scissors.

(Tomorrow: The name of the game is self-employment)

Alternative Energy Dev't to Begin in '93

By CESAR P. BANZON
Researcher

The country is expected to begin weaning itself away from oil as an energy source in 1993 when government efforts to tap alternative power generating capacities are scheduled to start.

This means that until that year, the country will remain heavily reliant on the largely imported energy source, for which it will have to pay more and more particularly if the current foreign exchange crisis continues.

According to the National Power Corporation (Napocor), oil will remain the country's primary source of energy until 1992. This short-term period, the Napocor said, constitutes the first phase of its 1990-2005 power development program. During this phase, oil-based plants will provide 15,017 million kilowatt-hours (KWh) or 15,017 gigawatt-hours (GWh) of power. The amount is 47% to 50% of the total 30,780 GWh of energy production projected for 1992.

Oil-based plants include gas turbine, hydropower and diesel-fired plants. The amount to be produced by 1992 will involve the Napocor's installation of an additional 835 megawatts (MW) of gas turbine; 85 MW of hydropower; and 58 MW of diesel capacity. These will bring the nation's aggregate generating capacity to 7,107 MW, with oil-based plants providing 3,447 MW.

But the additional oil-based plant installation will cause the share of imported oil to the aggregate energy mix to 49% from the previous 42%. This, in turn, will further increase the nation's oil import bill and cause the country to hemorrhage even more foreign exchange.

Because of such a possibility, the government has seen the need to diversify the country's energy base by tapping more indigenous sources. These include geothermal and coal-based ones which the Napocor intends to replace the current oil-based generating capacity with in the second phase of its power development program.

The government appears biased in favor of coal as an alternative energy source in the medium to long-term phase of its power development program. This is indicated by the fact that under the program, the share of coal to the total energy mix is projected to 50% between 1993 and 2005. Geothermals, for their part, will have increased to 22% while that of hydropower, to 17%. Oil will have a much smaller share of 11% by 2005.

By that year also, total installed generating capacity will have already risen to 16,706 MW from the present 6,630 MW. Specific generating capacities by source will be 6,325 MW for coal; 4,167 MW for hydrothermals; 2,728 MW for geothermals; and, 3,486 MW for oil-based plants. These will involve additional capacity installations of 5,920 MW for coal; 2,035 for hydrothermals; 1,840 MW for geothermals; 835 MW for gas turbines; and, 69 MW for diesel.

The additional generating capacities will mainly come from the 13,873 MW of indigenous geothermal, coal and hydrothermal reserves which the Napocor has programmed to tap within the decade.

The Napocor established in a recent study that the country has a total 16,885 MW indigenous generating capacity lying awaiting development. Of this, only 3,012 MW are currently in use.

But developing the standing reserves will be very expensive, the Napocor said. Around P20 billion a year is required for the 15-year power development program and as things stand at present, the financially strapped national government could ill-afford the necessary amount. Alternative efforts are being resorted to such as the Build-Operate-Transfer (BOT) scheme which is aimed at encouraging the private sector to invest in energy development.

The Napocor's power development program is aimed at meeting power demand which is forecast to grow by about 10% per annum in the next 15 years.

National Power Development Program By Energy Source, 1990-2005
(In MW)

Year	Hydro	Geo	Coal	Diesel	Gas Turbine	Total
1990	45	-	-	3	535	583
1991	40	-	-	55	200	295
1992	-	150	-	-	100	250
1993	-	190	520	-	-	710
1994	22	160	600	-	-	782
1995	314	600	-	6	-	920
1996	-	240	-	-	-	240
1997	-	260	-	-	-	260
1998	493	-	-	-	-	493
1999	320	120	600	5	-	1045
2000	-	120	600	-	-	600
2001	390	-	300	-	-	810
2002	251	-	600	-	-	851
2003	160	-	700	-	-	860
2004	-	-	1000	-	-	1000
2005	-	-	1000	-	-	1000
TOTAL	2035	1840	5920	69	835	10699

Source: Power Development Program 1990-2005, Napocor.

Monday, January 7, 1991 BusinessWorld

Ninez-Cacho-Olivares

My Cup of Tea

Sanctions on media

Strange that part of the government's so-called contingency measures includes a plan to impose "sanctions on media abuses."

War, after all, will not break out in the Philippines but in the Middle East. Besides, the country has thus far adopted a neutral stand vis-a-vis the Gulf conflict.

There are, therefore, no such things as top secret "war plans" for an "abusive" media to publicize. What abuses can the Philippine media possibly commit if a war did erupt in the Middle East?

From all indications, it appears that Corazon Aquino and her officials want to clamp down on our freedoms not for "national security" reasons but to stop the media and other sectors of society from criticizing her and her administration.

Neither does she want anyone to rally against her and her government, which explains the proposal for the imposition of a "no permit, no rally policy."

If truth be told, it is not the threat of a war in the Middle East that bothers Aquino. It is the mounting opposition to her regime that does.

Wouldn't it be handy for Aquino if she could shut up the media through sanctions? And wouldn't it be equally handy for her to withhold from protesting groups permits to rally?

These "extraordinary powers" she seeks would also really come in handy when Aquino and her advisers raise the price of petroleum products again, even if world prices for crude oil drops.

Even handier would be the fact that media criticism focusing on her inability and incompetence in running government would be kept to a minimum if not gagged altogether.

For with a muzzled media, Aquino and her administrators can go about their incompetent and graft-ridden way without fear of public exposure.

Also, with a media that shall have been stilled, demands for her resignation would simply have to peter out.

In the next few months, with or without the Gulf conflict exploding, the country faces more deterioration in the political, social and economic scene. With or without a war, prices of fuel will be raised again, which in turn will cause another economic and political upheaval.

With or without war, food supply in the country and its distribution will be a major problem for the administration. The dry spell is of no help either. Neither is the high cost of food production.

With or without war, labor will press for a wage increase to keep up with rising prices. Wouldn't it be simpler for Aquino to stop labor from staging rallies and demonstrations by withholding permits, on the grounds of "national security?"

And won't hell break loose when no dollars from the World Bank pours in?

And won't more promises to the IMF loosen more hell for the country?

But wouldn't it be heaven for Aquino and her administrators to have those "wholesale emergency powers" to curtail our freedom and to hock our future?

Wouldn't it be heaven for Aquino to see an obedient and cowed media spare her and her incompetent advisers legitimate criticism during these "trying times?"

That criticism bothers her more than the threat of war is fairly evident.

She accused some senators of being critical of her during a multisectoral assembly that discussed the Middle East situation and its impact on the country.

And like the shrew that she is, Aquino reminded them that she had been instrumental in getting them elected to office and let out a veiled threat that those who continue to criticize her cannot expect an endorsement from her come election time.

Big deal! At this point, an endorsement from her would be a kiss of death, if the surveys are anything to go by. But that is beside the point.

Why should she accuse senators she had endorsed in 1987 of being uncooperative and critical? Was that endorsement a quid pro quo? Was congressional subservience an exchange for her endorsement?

She seems to think so since she brought up the matter before a multisectoral meeting.

If truth be told, Corazon Aquino has lost the support of her allies and the public at large. She knows this and wants to get that support back, even to the extent of suppressing individual liberties.

Things are going to be more difficult for Aquino and her administration to control in the next few months. And for her to survive, she must perforce castrate the media and any group opposing her.

For with her, it was never a question of national security or country interests but a question of her personal survival.

0126

"에너지는 나라의 힘 아껴쓰고 비축하자"

동 력 자 원 부

원 유 29210-/&3   503-9627   1991. 1.11.

수 신 외무부 장관

참 조 국제경제국장

제 목 페만사태 관련 각국의 대응책 자료협조

        1. 금번 페만사태와 관련, 우리부의 장기안정적 원유확보를 위한 제반
노력에 적극 호응하여 주신 귀부의 적극적인 협조에 감사를 드립니다.

        2. 우리부는 페만사태의 향방이 불투명해짐에 따른 전쟁발발 가능성등
최악의 사태에 대비, 전쟁발발에 대비한 주요 산유국 및 소비국들의 대응책을
파악하여 우리나라의 석유수급 안정을 위한 보다 효율적인 대책에 참고코자
하오니 아국의 현지 대사관등 외교경로를 통해 다음사항에 관한 동 자료가 확보
될 수 있도록 적극적인 협조를 바랍니다.

                    " 다   음 "

                                        0127

원 유 29210-   1991. 1.11.

ㅇ 대상국가

  - 산유국 : 사우디, 이란, 오만, UAE, 카타르, 인니, 말레지아,
           브루나이, 호주, 멕시코, 에콰돌, 리비아

  - 소비국 : 미국, 일본, 대만, 영국, 프랑스 ,독일, 이태리, 카나다

ㅇ 전쟁발발에 대비한 대응책

  - 산유국 : 원유공급 정책의 변경가능성

  - 소비국 ┌ 원유확보 대책
          ├ 석유수급 조정계획(석유 정제시설 가동율 조정등)
          ├ 비축유 방출계획
          ├ 석유 소비절약 시책
          └ 기타 석유제품 가격조정에 관한 자료등. 끝.

              동 력 자 원 부   장

              자원정책실장 전결

                                        0128

발 신 전 보

	분류번호	보존기간

번 호 : WSB-0052 외 별지참조   종별 : 지급

수 신 : 주   수신처참조   대사. 총영사

발 신 : 장 관   (기협)

제 목 : 페만사태

　　페만에서 전쟁발발 가능성에 대비 아국의 석유수급안정을 위한 대책마련에 참고코자 하니 기보고한 사항에 계속하여 아래사항등에 대한 변동사항 또는 특이사항을 수시 지급보고 바람.

　　o 산유국 : 원유생산 및 공급정책의 변경 가능성

　　o 소비국

　　　- 원유확보대책

　　　- 석유수급조정 조정계획(석유정제시설 가동율.조정등)

　　　- 비축유 방출계획

　　　- 석유소비절약 시책

　　　- 기타 석유제품 가격조정에 관한 자료등.　　　끝.

　　　　　　　　　　　　　　(국제경제국장 이 종문)

수신처 : 주사우디, 이란, 오만, UAE, 카타르, 인니, 말련, 브루나이,
　　　　호주, 멕시코, 에콰돌／리비아, 미국, 일본, 대만, 영국, 프랑스,
　　　　독일, 이태리, 카나다대사.

	보 안 통 제	

앙고재	91년1월11일	기수협과	기안자 성명 홍영라	과 장	국 장	차 관	장 관		외신과통제

0129

```
WSB-0052    910112 1039   DA

WIR -0020   WOM -0006   WAE -0013   WQT -0007   WDJ -0055
WMA -0051   WBU -0014   WAU -0018   WMX -0015   WEQ -0004
WLY -0015   WUS -0108   WJA -0142   WCH -0031   WUK -0074
WFR -0052   WGE -0051   WIT -0065   WCM -0038
```

한국경제신문

91. 1. 12.

物價·국제수지 타격 전면손질불가피

經濟政調計劃

10일이내에 끝나도 58억弗안팎 惡化

輸出入전망

종합상사들, 대체輸出先 확보에 주력

業界 움직임

受注 20~30% 감소…收益性 악화전망

海外건설

한달이내 끝나면 需給 문제없어

페灣戰 초읽기…石油대책

原油수입 중단돼도 93일버텨

長期化되면 국내油價 선별적 引上방침

0131

戰爭기간따라 2단계 消費억제

한국일보

91. 1. 12.

開戰때 수출입차질액
15~56억弗 전망

페르시아灣에서 전쟁이 일어날경우 우리의 수출입차질 액은 최소 15억4천만달러, 최대 56억달러에 이를것으로 전망했다.

商工部가 11일 발표한 페르시아灣전쟁발발시의 영향 분석에 따르면 전면전이 개된 경우 西中東지역의 수출이 거의 중단, 28억달러가 감소하고 수입은 油價추가부담 19억달러 (6개월간 배럴당 평균33달러), 기타추가부담 9억달러등 28억달러가 늘어 전체수입은 56억달러가 차질을 빚을것으로 전망된다.

그러나 국지전으로 양상이 변화할경우 수출감소는 7억달러에 그치고 수입은 유가추가부담 5억7천만달러, 유

品및 석유화제품추가부담 2억7천만달러등 8억4천만달러가 늘어 전체수출입차 전액은 15억4천만달러에 머물것으로 보인다.

0132

최악의 사태감안 高單位대책

정부 페灣戰대비 石油수급책

```
┌──────────────────────────┐
│      <1 단계>            │
│ 자가용·버스 10부제 운행   │
│ 가정용 보일러 경유 대체   │
│ TV 방영은 2시간 단축      │
├──────────────────────────┤
│      <2 단계>            │
│ 자가용 연료 쿠폰제 실시   │
│ 취사용 등유 전량 배급제   │
│ 가정燈 하루 2시간 단전    │
└──────────────────────────┘
```

1단계선 정상수요 百80일 버텨
다각적 억제로 10% 線 감축될듯

0133

◇페灣사태 소비억제 시책

구분	1단계 (전쟁발발시)	2단계 (전쟁장기화시)
주요 시책	○수송수단의 감축운행 －자가용 10부제 －버스 (관용·민간용) ○가정용대신 경유대체 (유조차에의한 등유배달금지) ○非전쟁추진 전력시설 최대가동 ○TV 방영 2시간 단축 －대형네온사인 격등 －전적인 가로등 격등 ○필요시 석유가격 조정	○운행 강화 －자가용 연료쿠폰제 －민간버스 50% 감축 －화물차 10% 감축 ○유류배급제 실시 －취사용 전량 배급 －난방용 배급 ○제한송전 제한대상 1 순위:가정·업무용 2 순위:산업용 ○하루2시간 단전
기대효과	○정상 소비량의 10% 소비억제 절감량 하루 13만배럴 절감액 하루 28억원	○정유량 15% 소비절감 절감량 하루 19만배럴 절감액 하루 46억원

외 무 부

종 별 :

번 호 : QTW-0010

일 시 : 91 0113 1700

수 신 : 장관(기협)

발 신 : 주카타르대사

제 목 : 페만 사태

대:WQT-0007

1.주재국의 원유생산 OPEC쿼터는 37.1만B/D이나 쿠웨이트 사태이후 일시 최고
40만B/D까지 증산하였음.

2.현재는 연례 유전시설 정비기간으로 30만B/D를 약간 상회하나 원래의 쿼터
조차 달성치 못함.

3.유전시설 정비가 끝나는 1월말 부터는 생산증가가 예상되나 주재국의 원유
매장량이 워낙 적은 데다가 채굴등 생산장비 노후로 일산평균 40만 B/D를 초과
생산할 능력이 없어 원유생산 정책변동이나 특이사항 없을 것으로봄.

끝

(대사 유내형-국장)

경제국   2차보   중아국 ②) 안기부   동인부

91.01.14   00:14 BX

외신 1과   통제관

0134

먼데이 포럼

페灣戰 가능성과 韓國경제

1개월이상 長期戰땐 打擊 심화

貿易·인플레등 악화 成長勢위축

<그림:安伯龍>

短期戰맨 되레 활력…最惡사태 대비책 講究필요

0135

페만 전쟁발발시 미칠 영향과 대책

1990. 1.14.

국 제 경 제 국

0136

I. 국제 원유수급 및 유가

1. 원유 수급

o 기본적으로 전쟁기간 및 ~~전쟁~~규모, 유전시설 파괴 정도, 복구시간등에 좌우

o 대부분 전문가들 원유수급에는 문제가 없을 것으로 전망

  - 전쟁발발경우, 페만지역 유전에 대한 타격 가능성 미미

    · 유전파괴는 Mining 이 아닌 폭격이나 미사일 공격으로 효과 별무

    · 이라크의 유전공격 능력 회의적

    · 파괴 가능한 사우디 유전 10% 미만 분석

  - 이라크·쿠웨이트산 원유공급 부족분, 여타국 증산으로 기초과 충당

  - 90. 4/4분기 서방진영 총 석유 재고 약 33억 배럴(94일분)

2. 유가

o 전쟁발발직후 심리적 요인에 따라 유가급등 ($40-70/B 전망)

  - 이어 원유수급에 큰 변동 없을 경우 $30-40/B 전망

o 전쟁중결 및 파괴 유전시설 복구후 유가급락 ($20/B 이하)

  - 심리적 반작용, 수요감소, 공급과잉

  - OPEC 감산체제 돌입 경우, 91년 하반기 $20/B 선에서 안정 전망

II. 세계경제에 미칠 영향

1. 개 요

o 제 1, 2차 석유위기때보다 세계경제에 대한 직접적 영향은 감소 전망

  - 선진제국의 석유 의존도 감소

  - 석유 비축량 증대 및 에너지 효율성 제고

o '82-'88간 장기 호황 이후의 조정국면 장기화 전망

  - 당초 '91 하반기 이후 회복 예상에서 '92 이후로 회복 지연

0137

2. 부문별 영향

　가. 경제성장

　　o 유가상승으로 경기불황 심화

　　　- 유가 $10/B 인상경우, 선진국 경제성장 1% 감소, 물가 0.5-1%
　　　　상승 전망

　　　- 에너지 사용율이 높은 개도국의 경우, 영향이 선진국보다 심각

　나. 무역

　　o 유가인상에 따라 세계무역의 축소 불가피

　　o 특히 비산유개도국의 경우, 제조원가 상승으로 인한 국제
　　　경쟁력 상실과 선진국의 경기후퇴에 따른 수출 부진 심화 예상

　다. 금리 및 외채

　　o 인플레 압력에 대처, 추가적 금리인상 불가피

　　o 특히 개도국은 금리인상 및 원유수입액 증가로 외채상환 부담 가중

Ⅲ. 아국 경제에 미칠 영향

1. 아국 경제의 특성

　o 높은 중동 석유의존도

　　- 총 도입량의 72.1% 점유 ('89)

　o 산업구조적으로 에너지 절약의 한계성

　　- 철강, 석유화학, 시멘트등 에너지 다소비업종 중심

2. 아국경제에 미치는 영향

　가. 원유 수급

　　o 단기전의 경우, 아국원유 소요량 967천B/D (동절기)의 최대 약
　　　60% (547천B/D) 도입 중단 예상

　　　- 사우디, 카탈, CALTEX 로부터의 장기계약 도입량 288B/D 및
　　　　전세계 현물시장으로부터 구입량 259천B/D 중단 전망

0138

o 정부비축 및 정유사 재고 물량으로 단기적 수급 대처 가능

  - 90.12.31 현재 총1억 700만 배럴 확보 (정부비축 4,000만배럴,

    정유사재고 3,500만 배럴, 수송중물량 3,200만 배럴)

  - 도입중단 물량(547천B/D)을 6개월정도 대체 충당 가능

o 단, 전쟁의 장기화 및 확산, 파괴시설의 복구 장기화등 경우,

  수급차질 예상.

나. 국내 유가

o '90.12 1차 인상 (등유, 휘발유에 대해 평균28%)

o 원유도입가 인상에 따른 국내유가 추가 인상 불가피

다. 국내 경제성장

o 경제성장의 하락

  - 원유도입가 10% 상승시 GNP 성장율 0.24% point 감소 (자료:KDI)

라. 물가

o 원유도입가 1$ 상승시 소비자물가 0.06% point, 도매물가 0.4% point

  직접 인상 효과 (자료 : 경기원)

  ※ 기준유가 : $19.3/B

마. 국제수지('91)

o 전면단기전 전개경우, 수출입 차질 : 56억불

  - 수출감소 28억, 원유추가부담 19억(6개월간 배럴당 평균

    33달러), 기타 추가부담 9억 달러

o 국지전으로 장기전 전개경우, 수출입 차질 : 15억4천만 달러

  - 수출감소 7억, 원유추가부담 5억 7천만, 기타 추가부담 8억

    4천만달러

※ 기 피해액 (이락 및 쿠웨이트)

  o 수출감소분 3억불 및 수출대금 미수금 3.5억불

0139

바. 건설

o 전쟁발발시 사우디등 주변국 건설 공사에 차질 예상

- 사우디 　　시공중 급액 : 174억불, 시공잔액 : 12억불

- 아랍에미리트 시공중 급액 : 3.9억불, 시공잔액 : 400만불

※ 기 피해액 (이락 및 쿠웨이트)

- 공사대금 미수령 : 약 10억불

- 시공잔액 　　　 : 약 8억불

Ⅳ. 대 책

1. 원유수급

[단기 대책]

o 물량확보를 위한 외교적측면 지원

- 국제원유수급 및 유가동향, 각국의 대처방안등에 대한 정보수집
  및 분석

- 원유도입선 다변화

· 소련, 중국 및 비중동국가등으로 부족분 수입선 대체 노력

- 장기 공급 계약선 유지 및 확대

o 에너지 소비절약 강화

[장기 대책]

o 국내외 유전개발 촉진 및 대체 에너지 개발

o 석유비축증량

o 에너지 절약형 산업구조로 전환

2. 건 설

[단기 대책]

o 사태악화시 주재국 정부 및 발주처와 협력, 피해극소화, 공사
  계속 여부 결정

0140

[장기 대책]

    o 전쟁 종결후 활성화될 복구사업 적극 참여 추진

    o 건설시장 다변화(선진국, 동구등) 및 기술집약형 건설로 전환 추진

0141

원유도입 단가 및 도입액

	'88	'89	'90 (1-11월)
평균도입단가 (\$/B)	13.89	15.81	19.29
도입물량 (백만배럴)	261.0	296.4	287.5
도 입 액 (백만불)	3.625.9	4.685.5	5.546.1

자료 : 동자부

유가변동 추이

	7.31	8.31	9.28	10.9	11.26	12.4	1. 3	1.11
Dubai	17.20	25.92	37.04	35.41	29.45	25.30	20.82	21.38
Oman	17.65	26.52	37.64	36.01	30.00	25.85	21.37	21.88
Brent	19.49	28.62	41.12	41.68	35.45	31.30	24.95	25.60
WTI	20.75	27.42	39.47	40.76	33.27	29.50	25.39	27.38

0142

아국의 원유 도입현황

(단위 : 백만배럴)

구분	'88		'89		'90 (1-11월)	
	물량	%	물량	%	물량	%
오 만	51.3	19.6	66.5	22.4	58.2	20.3
이 란	35.8	13.7	38.6	13.0	32.8	11.4
U A E	40.6	15.57	48.2	16.3	47.0	16.3
북에멘	8.9	3.41	8.5	2.9		
사우디	7.8	3.02	15.0	5.1	34.0	11.8
쿠웨이트	9.5	3.65	15.1	5.1	17.1	5.9
이라크	12.5	4.87	5.8	1.9	10.5	3.7
카타르	1.3	0.55	3.5	1.2	6.6	2.3
중립지대			14.5	4.9	7.3	2.6
중동지역 계	167.1	64.1	215.8	72.8	213.6	74.3
기타지역	94.0	35.9	80.6	27.2	73.9	25.7
총계	261.1	100	296.4	100	287.5	100

도입형태별 분류 (90.1-11월) (단위 : 천배럴)

장기도입	152,831	(55%)
현물도입	123,547	(43%)
임 가 공	11,148	(2%)

0143

중동지역 수출입동향

국 가	'89		'90 (90.10월까지)	
	수 출	수 입	수 출	수 입
총 계	62.377	61.464	51.948	55.844
중동지역(비중)	2.029 (3.25%)	3.932 (6.40%)	2.050 (3.95%)	4.350 (7.79%)
쿠 웨 이 트	210	381	114	493
이 라 크	67	64	90	173
레 바 논	35	0.7		
사 우 디	1.041	226	633	943
요 르 단	57	-22	28	26
시 리 아	9	1	18	7
아랍에미리트-	462	858	396	836
남 예 멘	2	0.05	4	0
북 예 멘	38	2	16	3
카 타 르	13	101	8	148
오 만	23	1.158	18	959
바 레 인	15	54	13	56
이 란	215	616	405	530
이 집 트	115	113	131	89

0144

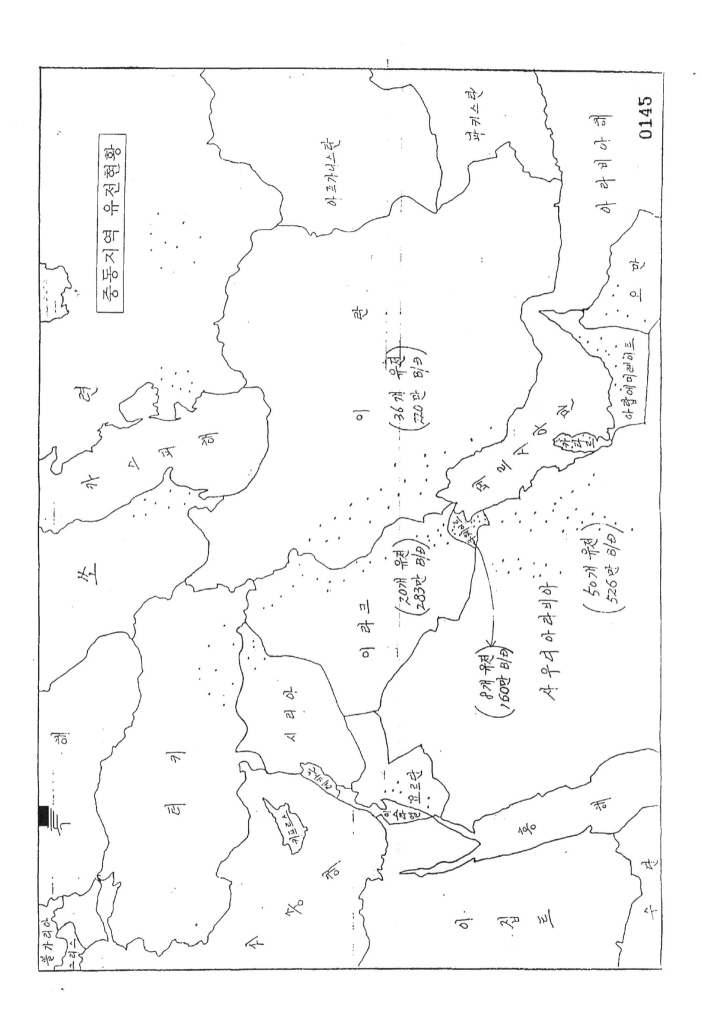

중동지역 유전현황

0145

이란

이라크

(36개 유전
270만 B/D)

(20개 유전
283만 B/D)

(8개 유전
160만 B/D)

사우디아라비아

(50개 유전
526만 B/D)

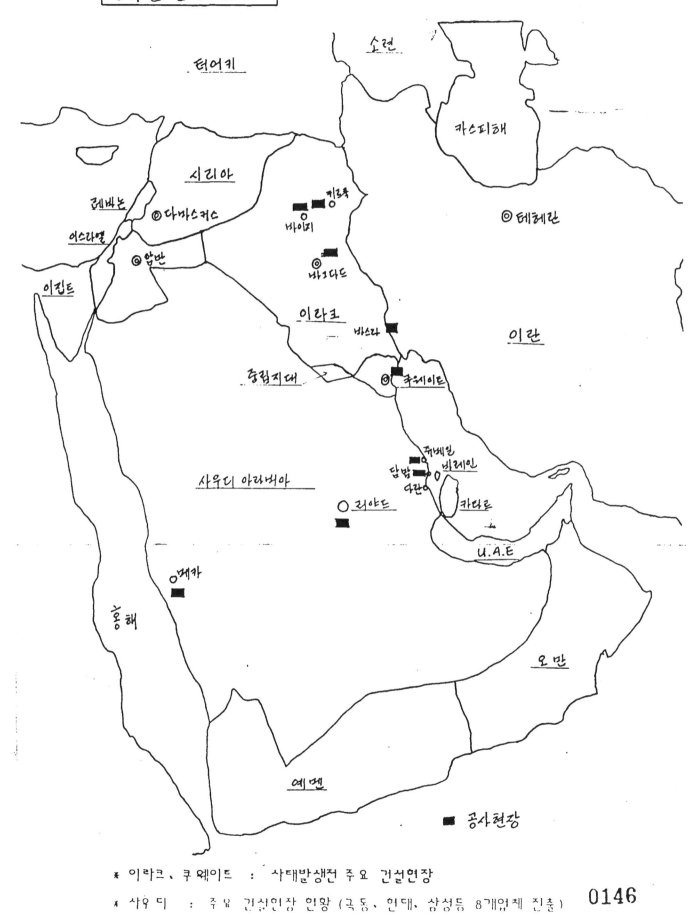

페만 건설현山도

터어키

소련

카스피해

시리아

레바논

⊚다마스커스

이스라엘

⊚암만

이집트

키르쿡

○
바이지

⊚바그다드

이라크

⊚테헤란

바스라

이란

중립지대

⊖쿠웨이트

사우디 아라비아

주베일
담맘 바레인
다란○

리야드

카타르

○메카

홍해

U.A.E

오만

예멘

■ 공사현장

* 이라크、쿠웨이트 : 사태발생전 주요 건설현장

* 사우디 : 주요 건설현장 현황 (극동、현대、삼성등 8개업체 진출)

0146

관리 번호	91-34

외 무 부

종 별 :

번 호 : DJW-0072

일 시 : 91 0114 1400

수 신 : 장관(기협)

발 신 : 주 인니 대사

제 목 : 페만 사태

대:WDJ-0055

연:DJW-0058

당관 여참사관이 1.14. 주재국 PERTAMINA 사 EAHARUDIN 총무국장과 접촉, 원유생산 및 공급정책의 변경 가능성에 대해 문의하였던바, 동인의 설명 내용은 하기와 같음.

1. 주재국은 원유생산 최대능력 1.6 백만 B/D 를 보유하고 있고, 페만사태 이후 현재 1.4 백만 B/D 를 생산하고 있으며, 필요시 증산이 가능함.

2. 기존 장기계약은 반드시 이행하며, ASEAN 의 비산유국에 한해 추가요청이 있을수 APSA 협약에 의거, 증산능력 범위내에서 지원할 것임.

주재국도 페만사태를 예의 주시하고 있으며 원유수급에 민감하게 대처해 나갈것임.끝.

(대사 김재춘-국장)

예고:91.6.30. 일반

공 람	국 제 경 제 국	년 월 일	담 당	과 장	국 장	차관보	차 관	장 관

경제국   차관   2차보   아주국   동자부

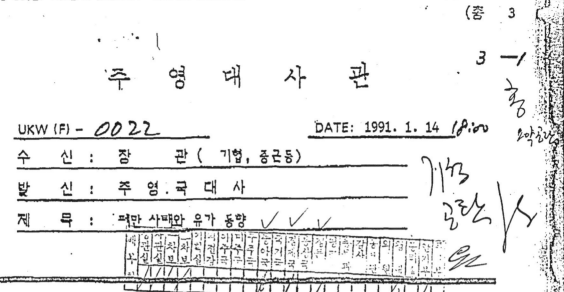

(총　3

3 -1

UKW (F) - 0022　　　　　　　DATE: 1991. 1. 14 18:00

수　신 : 장　　관 (기협, 중근동)

발　신 : 주 영 . 국 대 사

제　목 : 걸만 사태와 유가 동향 ✓ ✓ ✓

The oil market waits for the word of one man. David Thomas and Deborah Hargreaves on an unprecedented period of uncertainty

High anxiety about black gold

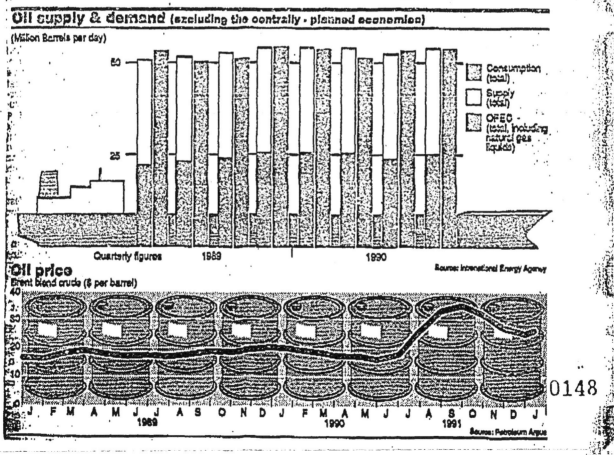

Oil supply & demand (excluding the centrally - planned economies)

(Million Barrels per day)

- Consumption (total)
- Supply (total)
- OPEC (total, including natural gas liquids)

Quarterly figures　1989　　　1990

Source: International Energy Agency

Oil price
Brent blend crude ($ per barrel)

Source: Petroleum Argus

0148

The queue of giant oil tankers standing off Europe and North America has been gradually lengthening as their owners wait nervously for the first shots in the Gulf. In discreet corners of the Caribbean, and off the coasts of Spain, north-west Europe and west Africa, numerous vessels are lurking, their vast holds filled with more than 60m barrels of oil which is being salted away by Saudi Arabia and Iran far from President Saddam Hussein's guns.

Right now, all this black gold is worth about $26 a barrel, but by the end of the week its value could have doubled — or it could have halved.

"The situation is unique in all my experience of the oil markets," says one senior oil trader. "Oil prices are usually affected by a whole array of factors. But now it comes down to the behaviour of one man. Will Saddam withdraw or won't he? It almost comes down to flipping a coin."

War is on one side of that coin. The first shot will cause an immediate spike in price, even though the world is awash with oil. The frayed and jittery nerves of oil traders will see to that. But oil prices are not likely to soar to $70 or $100 a barrel, as was predicted back in August. Traders believe they are more likely to rise to a level of $40-$50, falling back if the flow of oil from Saudi Arabia remains uninterrupted.

Most analysts are banking on a short, sharp war which will not inhibit output. What they fear most is a prolonged conflict that could inflict widespread damage on Saudi Arabia's oil installations. If that happened, all bets about price would be off.

At risk are Saudi Arabia's northernmost oilfields close to its border with Kuwait and offshore production rigs at the top of the Gulf. These are within reach of Iraqi artillery fire, although Iraq's performance during the Iran-Iraq war suggests they are as likely to be hit by accident as by design.

Oil production in the neutral zone, a strip of land shared by Kuwait and Saudi Arabia, will stop as soon as war is declared. That will remove 800,000 barrels a day (b/d) of output. In addition, Saudi Arabia's Safaniya, Zuluf and Marjan fields, where output is concentrated offshore, could also be wound down as employees are evacuated, closing off 1.5m-3.5m b/d.

Saudi Arabia could turn off 500,000 b/d of its oil flow and still meet its customer deliveries for up to three months, thanks to the huge quantities it has stored outside the war zone, according to estimates by Mr Geoff Pyne, analyst at UBS Phillips & Drew, the UK brokers.

Oil wells do not provide easy targets for Iraqi missiles, but what many in Saudi Arabia's oil industry fear is sabotage by Iraqi sympathisers. When the country's biggest refinery at Ras Tannurah was damaged by fire in mid-November, reports circulating at the time blamed it on an act of sabotage.

Ras Tannurah is also an important shipping terminal accounting for 4m b/d of Saudi exports. While war would probably mean a temporary hiatus as tanker owners assessed the position, the Saudis are hoping tanker traffic will resume quickly, as it did in the Iran-Iraq war. The defences at Ras Tannurah are among the most sophisticated in the war zone, since damage to the terminal could severly disrupt oil supplies.

The other outlet for Saudi oil is via pipeline across the country to the Red Sea port of Yanbu. Although the pipeline could be hit in an attack, damage to it would be easier to repair than at Ras Tannurah.

The International Energy Agency, which co-ordinates the energy policy of the leading industrialised countries, anticipated a supply shortfall of 2.5m b/d in its decision last week to release that much to world markets should war break out. But for the moment, analysts are discounting nightmare scenarios, such as the complete closure of the Gulf or disruption to the Suez canal in the event of Israel being drawn into the war.

Nevertheless, war could still put particular strains on specific regional and product markets. Japan and other Far Eastern countries appear especially vulnerable, since they buy much of their oil from Gulf producers.

Moreover, the allied forces in Saudi Arabia have an insatiable appetite for certain premium products, notably jet fuel. The US army's M1 tanks are unusual in that they run on jet fuel, not gasoline or diesel. They are guzzlers of the first order, with their battlefield consumption estimated at more than 6 gallons to the mile.

Samarec, the state-owned Saudi marketing company, has been buying large quantities of jet fuel and gas oil from other countries for the allied forces, reportedly chartering more than 20 ships to carry the supplies. A war of any length would probably cause big price increases for such premium fuels, particularly if hostilities forced the closure of Saudi refineries, such as those at Jubail and Ras Tannurah on the Gulf coast.

In the face of these worries, one might expect oil companies to be building stocks to a massive extent. However, their strategists are still being inhibited by the possibility of a peaceful settlement emerging at the 11th hour. A complete solution to the crisis through a peaceful withdrawal of Iraq from Kuwait would send oil prices into free fall, possibly to below $18 a barrel in the short term, oil executives believe. A much-needed fillip to the tottering world economy, it would nevertheless pose a series of knotty problems for oil producers and suppliers.

The biggest dilemmas would face the Organization of Petroleum Exporting Countries. The economic consequences of Iraq's invasion of Kuwait would have been much more severe if Opec had not agreed to suspend its output quotas, allowing the shortfall from Iraq and Kuwait to be made good, principally by Saudi Arabia.

Oil wells do not provide easy targets for Iraqi missiles, but what many people in Saudi Arabia's oil industry fear is sabotage of installations by Iraqi sympathisers

Venezuela and the United Arab Emirates. "The speed and extent of the response from Opec producers since August has surpassed all earlier expectations," the IEA says.

But Opec strategists are already pondering how to respond once the crisis is over. "I am very, very afraid about the future," said Mr Gholamreza Aghazadeh, the Iranian oil minister after a special Opec meeting in Vienna last month. He was voicing the fears of several Opec members about how the organisation will restore production discipline after the

0149

crisis.

Opec members are formally committed to returning to their agreed output quota of 22.5m b/d and the organisation has scheduled a special meeting for March to decide how this will be done. But Opec members produced 23m b/d of crude in December — without the normal contribution from Iraq and Kuwait of about 4m b/d. Many observers question whether those countries which plugged the supply gap will be ready to wind down their production equally quickly.

Some observers even question whether Opec can survive in its present form, although these doubts are brushed aside by Mr Sadek Boussena, the Algerian oil minister who is Opec's president. "This organisation will be a necessity for all of us," Mr Boussena asserts confidently.

The focus will inevitably fall on Saudi Arabia, since its increase in output from 5.4m b/d before the crisis to 8.2m b/d now has been fundamental to calming the oil markets. Immediately after the August invasion, fear of imminent supply shortages had sent prices soaring. The market had little idea of how much extra output could be squeezed from producing countries. The full blast of winter and the peak consumption period lay ahead.

Now, the situation is much different. The IEA puts government and company stocks at their highest level for nine years, representing 96 days of total consumption by the main industrialised countries. The next few months are a time when oil companies traditionally offload stocks in preparation for a fall in demand in the warmer weather. At the same time, recession and the mild winter has pushed demand lower than expected: the 21 member countries of the IEA registered a 3 per cent drop in consumption in the final quarter of 1990 to 38.1m b/d.

Supply and demand are currently roughly in equilibrium. The IEA estimates that in order to keep its member countries' consumption at the forecast level of 38.4m b/d for the first quarter, Opec needs to produce 23.6m b/d, just 100,000 b/d above its December level.

Regional imbalances were also smoothed out in the months following the invasion of Kuwait. Japan, which formerly bought much of its crude from Iraq and Kuwait, moved rapidly to fill the gap, notably through increased purchases from Iran. "The Japanese signed up with the Iranians for as much oil as they could give them," says one trader.

Comfortable stocks, falling consumption and high output have left the oil market strongly in balance. The price for North Sea Brent crude is holding around $25-$26 a barrel, although diplomatic developments can cause sharp day-to-day volatility: prices fluctuated wildly by about $7 a barrel in the aftermath of the failed US-Iraqi talks last Wednesday in Geneva.

"The market is obsessed by headline news right now," says Mr James Fiedler, an oil trader at ED&F Man in New York. "It can be unpredictable as to which news it grasps hold of, but when it does, it gives no thought to fundamentals."

The IEA hopes its plan to release 2.5m b/d of oil when it detects imminent oil shortfall will calm markets and discourage hoarding. The extra oil will come from release of 2m b/d of government and corporate stock, with the rest achieved by measures to curb demand such as speed restrictions.

The plan marks a departure for the IEA, which has insisted till now it would respond only to an actual shortage and not a perceived one. The change of mind has been largely at the instigation of the US which will provide the bulk of the stocks to be released. These are held in salt caverns deep in the Louisiana countryside and could take about 15 days to reach the market.

Industry analysts say the big oil companies were slow to build stocks in the third quarter of last year, adding only 400,000 b/d to their inventories against an average of [...] over the last 10 years. This was followed by a fourth quarter when they held more stock than they would normally do over the period. Companies are therefore in a comfortable position to choose whether or not to sell stock this quarter or hold it for a bit longer. Their decisions will be dictated by events in the Gulf.

Until the crisis comes to a head, either in peace or in war, the oil industry remains in suspended animation. Speculators are no doubt betting on the outcome. But many of the biggest oil companies have been following a strategy of trying to keep their supplies in balance: taking a punt on war by building up huge stocks, or conversely backing peace by running down stocks, is too much of a gamble for most of the important players, given the extent to which everything depends on the unpredictable behaviour of Saddam Hussein.

"I would be very surprised if anyone in the mainstream oil industry believes they had a decent chance of securing a competitive advantage by taking a punt on it," says one of the largest companies.

The big questions facing the oil industry — the trend of prices, the future of Opec, the consequences of what happens for investment — will have to wait. Like everyone else in the world today, it is watching Baghdad.

0150

주 미 대 사 관

US Prepared for Oil Supply Cuts

By JOHN J. EASTON Jr.

The Department of Energy has been building an emergency response capability for crude oil and petroleum products for more than 10 years.

Since Aug. 2, the invasion and occupation of Kuwait has tested that capability as never before. Through extensive training and testing and by exercising our contingency plans, I believe we have a better understanding of the energy impacts of this conflict, should it occur, than for any previous energy-related emergency.

I believe we are prepared to respond rapidly to disruptions in the energy markets while respecting the effectiveness of the free market's proven ability to allocate supplies. This policy has restored world oil production to the levels prevailing before the Iraqi aggression last August and has avoided the physical shortages and distortions experienced in previous disruptions.

We have concluded that world oil production has increased to replace lost Kuwaiti and Iraqi supplies. There is no current oil supply problem. Moreover, if hostilities develop and the world does sustain a supply loss, we have effective response mechanisms to deal with the situation. There is no reason for U.S. consumers to panic, which would create artificial problems.

Since August, the department has conducted five major exercises to test our existing emergency response plans. Our goals were to validate our plans for a range of scenarios, insure that we have identified the critical issues and improve the speed and quality of our interagency coordination.

For example, on Nov. 15, a current-case scenario was tested, including economic and environmental risk assessments for damage to regional oil facilities and the impact of military fuel requirements on the energy markets.

As part of the extension of the Energy Policy and Conservation Act, signed into law last September, Congress gave the president the authority to conduct test sales from the Strategic Petroleum Reserve for up to 5 million barrels of oil.

The department immediately exercised this new authority and issued a notice of sale on Sept. 24. The test sale was conducted virtually flawlessly and on schedule. All successful bidders have indicated their understanding of how a reserve drawdown would work.

One major problem, identified by 15 companies, was the difficulty in locating qualified ships to move the oil and the unfavorable transportation economics posed by the U.S.-flag vessel shipping requirements of the Jones Act. The act restricts the movement of commodities between U.S. ports to ships built and registered in the United States.

Provision of a one-time blanket waiver from these Jones Act requirements when the notice of sale is issued was the most common recommendation made by bidders to improve the effectiveness of the Strategic Petroleum Reserve system.

The reserve now contains 586 million barrels of oil. The storage sites are capable of drawing down and distributing crude oil at a rate of 3.5 million barrels a day. We have applied lessons learned during the test sale, and the reserve system remains in a high state of alert, ready to implement a drawdown typon issuance of a presidential directive.

With respect to the use of the strategic petroleum reserve, Energy Secretary James Watkins has stated that should hostilities break out in the Middle East, he will recommend to the president that we make available for sale a substantial amount of oil from the reserve. A shortage need not actually occur before a drawdown decision is made, just a finding that a shortage is likely.

Meanwhile, the International Energy Agency, part of the 24-nation Organization for Economic Cooperation and Development, is prepared to implement an internationally coordinated response action if approved by IEA members. The agency has gathered all supply data from oil companies and national oil supply information from member countries.

Has all this exercising and testing contributed to supporting the president and protecting the American people?

Our data collection and analysis programs have confirmed that surge production worldwide has, since November, completely offset the less of 4.3 million b/d of lost production, and is projected to continue to offset those losses through the first quarter of 1991.

Increased Saudi production alone accounts for about 60% of the total. Worldwide, commercial stocks in market economies are about 150 million barrels above the average level for the last four years at the end of the third quarter of 1990.

Here at home, demand has dropped 3% below levels reached a year earlier. The administration's near-and-medium-term response measures have pushed daily crude oil production up by about 50,000 b'd to 100,000 b/d over previous estimates.

But while supply fundamentals in the oil market have rebounded strongly since August, worldwide crude production and refining capacity are near maximum operating levels, with limited flexibility to respond to additional disruptions.

In the event of conflict, panic buying or hoarding to build safety stocks could cause prices to spike sharply.

In addition, our exercises have shown that proposals to limit oil futures trading, would be counterproductive, as futures markets provide an accurate reflection of the current price of oil. The New York Mercantile Exchange has introduced measures to limit extreme volatility and will delay or suspend trading if they find it necessary.

We believe that most major players in the energy markets understand that supply fundamentals will remain positive even in the event of hostilities.

John J. Easton Jr. is assistant secretary for international affairs and energy emergencies at the Department of Energy. These remarks are excerpted from recent testimony before the House Committee on Energy and Commerce.

주 미 대 사 관

발 신 : USb(T) - 0149
소 신 : 상 관 (경안 기획)
발 신 : 주미대사
제 목 : 대이란경제정책의 미국경제에의 대한 영향 (4부)

Few Upbeat Scenarios for War Economy

The collapse of the Baker-Aziz talks in Geneva moves the United States and its shaky alliance closer to war with Iraq, but it leaves so many questions unanswered that the Bush administration can't see clearly what effect actual hostilities will have on the U.S. economy.

For the moment, officials are betting that if war happens, it will turn out to be a short, decisive one. House Armed Services Committee Chairman Les Aspin (D-Wis.), after consultations with the Pentagon, published a detailed analysis of a "limited objective agenda," meant primarily to drive Iraqi forces out of Kuwait with air power.

BENJAMIN FRIEDMAN
... critical of Fed moves

A survey of economists here and in New York produces a nearly unanimous view that a short war, as sketched by Aspin, would perhaps confuse and frighten consumers and financial markets briefly, with a modest negative effect on the overall economy.

While the end of such a war could generate a burst of euphoria and optimism, partially restoring consumer confidence, it would still leave the nation facing a myriad of enormous problems, notably a financial system studded with failing banks and thrift institutions.

The traditional fiscal stimulus associated with earlier wars such as World War II or Vietnam is not likely to happen this time, unless the war with Iraq lasts more than six months, resulting in a fuller mobilization of the economy - including a military draft.

Bush administration officials face so many unknowns in how a gulf war will actually turn out that they conclude that contingency economic plans are useless. Their attitude is wait and see, and steady as we go. Their biggest economic policy concern is that the Federal Reserve Board might react either to oil-induced inflation or to the prospect of boosted defense expenditures by reversing the easier monetary policy it belatedly has set in motion to counter recession.

"To the extent that wartime means a fiscal-based expansionary impulse, the Fed will be less interested in holding rates down, and that would be adverse" for the economy, Massachusetts Institute of Technology professor Robert Solow said in an interview.

Brookings Institution economist George Perry believes that "if there is a long, drawn-out war, say, if fought for a year or more, it could have substantial fiscal effects on the private sector. If it lasted a couple of years, as it did in Korea, you could have preemptive consumer buying. But I think that's unlikely, and that you are likely to have the opposite—that is, consumer uncertainty."

Economists note that consumers indulged in a huge volume of durable goods purchases prior to the onset of recession last summer, much of it financed by credit. They will have little incentive to renew a buying binge when faced with wartime anxieties—including the uncertainty of further reserve call-ups or a later manpower draft.

WP
1/12/91

전결	처리과	담당자	기안실	아주국	구아국	아중동국	국제기구	통상국	경제국	영사국	총무과	감사관	의전실	여권과	문화국	안기부	국무부
처	/	/	/	/						⊙	/	/		/	/		

		담 당	과 장	국 장	차관보	차 관	장 관
공 람	국제경제국	인/의/신					

0152

Few Upbeat Scenarios for War Economy

ROWEN, From H1

Most analysts expect that oil prices will shoot up as war breaks out, accelerating inflation. Until now, the impact of the allied nations' embargo on Iraq has not unduly disturbed oil markets or supplies.

Harvard University professor Benjamin M. Friedman noted that at worst, oil prices have averaged only about $10 a barrel higher than pre-Kuwait invasion prices, meaning an annual added cost of about $20 billion. That was not pleasant, but was manageable in a $5 trillion economy.

But if oil prices should zoom to $45 a barrel—or to $60, as some fear—it would have a much more serious impact, even for a temporary period, boosting costs throughout the economy. At those levels, higher-priced oil could reduce gross national product by up to 2 percent.

Bush administration officials have consistently pressured the Fed over the past year to loosen up its monetary policy. They feel the Fed was slow off the mark last fall to counter clear signs of weakness. Another criticism—heard here and among financial outsiders—is that Fed Chairman Alan Greenspan has followed market trends, instead of showing leadership.

Administration officials believe that the Fed should have aggressively lowered interest rates, dropping the so-called federal funds rate, in effect forcing banks to lower their prime lending rates.

Friedman, who plans to offer bold testimony this week before the Senate Banking Committee forecasting that the nation faces—war or no war—a "disruption of the orderly functioning of the financial system," is highly critical of the Fed under Greenspan.

"I don't understand the Fed these days," said Friedman, a monetary specialist. "They have fallen behind the momentum of the downturn, and seem to me to be playing with the fragility of the financial system. We're skating dangerously close to the danger of a real rupture of the financial system."

Friedman charges that Greenspan and weak Fed governors have allowed themselves to be dominated by stronger regional bank presidents—members of the policy-making Federal Open Market Committee—who "are hawks on inflation."

Friedman also suggests that the Fed is unpredictable. It could even decide, he said, to use war—if it comes—as a reason to play "catch-up," dramatically easing monetary policy.

One horrific scenario—although he says it doesn't have a high probability—is offered by C. Fred Bergsten, director of the Institute for International Economics: "If the war turns out to be more prolonged than expected, and especially if doubts are raised about fulfilling the budget package, the dollar could fall sharply."

To stem the decline, the Group of Seven industrial nations could offer some support in exchange markets. But given Japanese and German concerns about inflation, a G-7 effort probably would fall short. In that situation, market interest rates would probably soar. Bergsten suggests that the Fed might have to push interest rates up further, thereby putting additional pressure on already weak financial institutions.

Administration officials, who in the past have urged an easier monetary policy on the Fed, are not now making any public assumptions about the probable course of Fed action in wartime. They insist that despite internal controversy, Greenspan's job—his term as chairman expires this August—is not at stake.

But an icy debate between Bush administration officials and the Fed looms as a good possibility if the Fed should reverse the present course of monetary policy. Even assuming a successful, short, Aspin-style war with Iraq, the nation at the end of it will still face an unsettled domestic agenda, including the problems of its weak financial institutions.

0149 — 2

FT 0154

Philip Coggan reports on how world markets could react to a Gulf conflict

What price war — or peace?

WAR MAY be declared in the Gulf this Tuesday. While the main concern for most people is that casualties should be as limited as possible, what will be the effect of the crisis on the world economy, and on stock markets, interest rates and currencies? Could we see a repeat of 1974, when the UK faced dire economic trouble and the stock market reached undreamt-of depths?

The problem for investors is that analysing the diplomatic and military moves of the US and Iraq is even more difficult than assessing the normal economic criteria that affect the stock market.

But a sign of the nervousness of the stock market was shown on Wednesday. The Dow Jones Index climbed over 40 points as the sheer length of the Baker-Aziz discussions created hopes for a peaceful solution. But when Baker said that the talks had failed, the market plunged to a 40-point decline on the day.

There are probably four main potential scenarios that may follow the January 15 deadline for the Iraqi withdrawal from Kuwait.

A quick war with a Western victory This may be the best solution from the market's point of view. "The market consensus is now probably for a short term war, limited in both duration and scope," says Bill Smith of Barclays de Zoete Wedd.

There would probably be an immediate fall in the stock market on the outbreak of hostilities, most observers believe, accompanied by a

sharp rise in the oil price. Michael Hart, of Foreign & Colonial Investment Trust, says: "The old adage is to buy at the sound of guns and sell at the sound of trumpets. Quite a few investors would be cautious buyers at the outbreak of war." The market's initial fall might be limited as investors wait to see how the fighting progresses.

A prompt victory would probably cause the markets to surge in sheer relief. Another positive factor, according to Rob Semple, of County

'A prompt victory by the Western allies would probably cause the stock markets to surge in sheer relief'

Nat West, is that "there would be a quick fall in the oil price." Saudi oil production would be safe and there would be the prospect of Iraqi oil production coming back on stream eventually.

But the rebound in share prices would be limited; the markets have a world recession to face, after all. "There's probably no more than 10 per cent on the upside if the crisis was solved quickly," believes Mark Brown, of Phillips & Drew.

A limited, or total, withdrawal by Iraq This would certainly be the best news for the troops of both sides and would probably receive an ini-

tially warm welcome from the markets — and a fall in the oil price. However, the welcome would be limited if the peace was not seen to be credible, and the world economy's fragile nature limits the upside.

"A peaceful solution that left Saddam with part of Kuwait would undermine the credibility of the new world order," believes BZW's Smith. "Aggression will have been rewarded." In addition, analysts fear that, with Saddam still in

power, the prospect for conflict in the Middle East would remain.

The deadline passes — and nothing happens on either side This scenario has attracted little comment, but is worth considering in the light of US military remarks about the Allies' unpreparedness for conflict. Such a period of tension would probably cause markets to drift lower. "Institutional investors will not be prepared to take decisions on something they can't forecast," says Simon Briscoe, of Greenwell Montagu. With little business in the market, traders will mark prices lower in an attempt to drum up volume.

A lengthy conflict This would undoubtedly be the worst outcome for everyone, markets included. "The market has not fully discounted the effects of a long drawn out war," believes Phillips & Drew's Brown. "A war that lasted six months with a $50 to $60 oil price could knock a percentage point or so off world growth and add a point on inflation. The markets could easily lose 15 to 20 per cent."

If the war lasts much longer than a week or so, the markets could soon start to be nervous. "Without a quick victory," says County Nat West's Semple, "America will have been seen to have failed and disillusionment will set in."

Short of the use of nuclear weapons, or damage to the Saudi Arabian oilfields, experts are not expecting an economic or financial crisis on the scale of 1973-4. A lot may depend on how governments react to the crisis, according to BZW's Smith. "Governments could well use their strategic stockpiles to control the oil price and ease monetary conditions,by lowering interest rates in order to bolster consumer confidence," he says.

Analysts are thus relatively sanguine about the prospects for the stock markets. "I'd be very surprised if it was as nasty as the 1987 crash," says Foreign & Colonial's Michael Hart. "But one might easily see a 100 point fall in a day." "The downside may be no more than 10

0149 — 3

per cent," says Semple.

One currency to suffer would probably be the US dollar. In the initial stages of conflict, the dollar would benefit from its traditional "safe haven" status for worried investors. But US interest rates are not currently attractive enough to entice investors for long; a prolonged war would involve great costs for the US, exacerbating the country's balance of payments and budget deficits.

The effect on bond markets is a subject of greater debate. Many in the City believe that this could be the year for bonds, since they feel both interest rates and inflation are likely to fall throughout 1991. But at times of crisis, investors tend to flock to short term instruments such as Treasury bills — as shown by the fall in bond prices that followed the failure of the Baker-Aziz talks. And a prolonged Gulf War would, by keeping oil prices high,

force up inflation — bad news for bonds.

Although the markets may seem obsessed with the Gulf crisis, the preceding analysis indicates that the scale of their reaction is likely to be fairly limited whatever the outcome. The risks to the economy and stock markets are probably greater on the downside than the upside; private investors can probably afford to sit on the sidelines while the crisis resolves itself.

2/2

FT

0149 —4. End

0155

니5W(F)- 이50
속신: 장관(기협)
발신: 주미대사
제목: IEA, 데만전쟁발생시 석유방출계획수립
(1매)

Emergency plan for release of oil aims to calm world markets

By Deborah Hargreaves in Paris

THE International Energy Agency yesterday adopted an emergency plan to make 2.5m barrels of oil a day available to world markets in the event of a Gulf war.

The move is aimed at calming the oil market, containing price rises and discouraging consumers from hoarding oil and petrol if hostilities break out in the Gulf.

The IEA's action would be achieved by releasing the barrels from oil stocks held by member governments and companies in conjunction with measures to restrain oil demand such as lowering speed limits. "We came to this conclusion to calm the market and indicate our state of preparedness to ensure that, in the event of a break-out of hostilities, we could assure a security of supply," said Mr Geoffrey Chipperfield, chairman of the IEA's governing board.

The 2.5m b/d figure roughly corresponds to the amount of oil production in Saudi Arabia that could be vulnerable to Iraqi attack. While it is unlikely that oil installations will sustain direct hits in a war, those closest to the fighting could be shut down to evacuate employees.

The IEA has said it would put its plan into effect as soon as it perceived any possible shortfall in oil supplies after the outbreak of war. The stocks to be released would then take about 15 days to get to market.

The agency's decision to respond to an anticipated shortage of oil marks a departure from its stand throughout the Gulf crisis when it has stood by its emergency measures calling for a release of stock only if physical supply dropped by 7 per cent.

The US is understood to have been active in cajoling other members of the body to loosen their resistance to market intervention.

Government stocks are held by eight of the 21 countries that make up the IEA, with the largest share located in the US, Japan and Germany.

Industry analysts believe that the IEA's 1.005m barrels of government oil, supplemented by company stocks, could last for more than a year if it were released at a rate of 2m b/d.

Countries that do not have stocks under government control will either require or encourage large oil companies to release their own stocks. The IEA has given no indication of individual countries' contribution to any stock release.

FT
1/12/91

공람	국제경제국	9/년 /월 /5일	담당	과장	국장	차관보	차관	장관

0156

주 미 대 사 관

종재 [한]

보___호 : USW(F) - 이51
소___신 : 사 ...본 (기행)
발___신 : 주미대사
제___목 : 석유수급 전망 (2124)

ᵗᵒᵈ472

Despite Disruptions, Supply Of Oil Appears Plentiful

Knight-Ridder

The world oil market is primed for unprecedented panic if a war breaks out in the Persian Gulf, but experts and officials nevertheless remain confident that supplies remain plentiful.

Early in a shooting conflict, forecasters expect prices to be very volatile, with some suggesting that they could soar temporarily to more than $100 per barrel until the condition of oil facilities in the gulf becomes clear.

Despite the various news developments that have moved the oil futures markets in recent weeks, however, what remains unchanged is the high level of world oil stocks, and the brake on demand caused by high prices and slower world economic growth.

The Paris-based International Energy Agency (IEA) said in its January oil-market report that oil stocks held by companies and governments in industrialized countries were equal to 96 days of consumption at Jan. 1, or more than 3 billion barrels. This is close to the peak levels reached in 1981.

In the fourth quarter of 1990, the IEA estimated that oil demand in the industrialized world fell 1.2 million barrels per day, to 38.1 million barrels, from the fourth quarter of 1989.

The IEA yesterday outlined the emergency measures it would take in the event of a shortage caused by war. The body, which is authorized to manage the energy policies of major industrial nations in times of crisis, said it would apply measures that could account for 2.5 million barrels of oil per day.

Those include the release of strategic stocks, demand restraint and other measures, the IEA said.

Since the gulf crisis began, OPEC production has surged to more than

See OIL C2, Col. 3

WP
1/12/91

공람	국제경제국	91년1월15일	담 당	과 장	국 장	차관보	차 관	장 관

0157

0158

Oil Supplies Said to Be Ample

OIL, From C1

22.5 million barrels per day—more than enough to make up for the loss of embargoed Kuwaiti and Iraqi oil.

In addition to these factors, there is a growing belief that Iraq's ability to damage the active oil installations of the Middle East may be limited. Saudi Arabia and Iran have built large floating stockpiles of crude near consuming markets to enable some continuation of supply in the event of a disruption to the flow from the gulf.

Charles DiBona, president of the American Petroleum Institute, the oil industry trade association, said yesterday that he doubted that any damage to Saudi Arabian oil facilities would be severe enough to sharply curtail crude production.

"Saudi facilities are quite hard," DiBona said of the ability of Saudi facilities to withstand an attack. He also noted that production and refining, operations have "a lot of redundancy," which would allow Saudi Arabia to switch to alternative pipelines, production sites and other facilities to keep oil flowing.

Saudi Arabia possesses a vast array of spare parts and equipment that also would allow it to repair any war damage rapidly, DiBona said.

DiBona noted that while the Energy Department has tried to analyze the impact of a U.S. supply disruption of up to 2.5 million barrels per day due to a gulf war, the Strategic Petroleum Reserve, now standing at 600 million barrels, is capable of supplying up to 3.5 million barrels per day for many weeks.

Japan and Germany also have sizable oil stocks and probably would coordinate a release of their strategic reserves with the United States if a cutoff of Middle East oil occurred.

A sudden surge in demand for oil products in the outbreak of a war likely would be confined to jet and diesel fuel, DiBona said, with the surge in demand for jet fuel about doubling that for diesel.

But DiBona said he doubted that the demand surge would disrupt supplies in the United States. He noted that worldwide supplies of jet fuel are far in excess of any projections for war needs, and that most of the jet fuel being used for gulf operations is being refined in Saudi Arabia, which proba-

bly means that little U.S.-refined product will be needed.

One of the reasons for ample supplies is that demand for petroleum products has been weak. The API said yesterday in its monthly statistical report that demand in the United States fell in 1990 for the first time in seven years and domestic crude oil production reached its lowest level since 1981.

The API blamed the fall-off in product deliveries on higher crude and

product prices following the Iraqi invasion of Kuwait on Aug. 2, the slowing economy and mild weather in both the first and fourth quarters of 1990. For the year, deliveries of petroleum products declined 2.1 percent, the API report said.

The fall in U.S. crude oil output in 1990 was steep at 5.1 percent, or 389,000 barrels per day. The crude output rate of 7.2 million barrels per day would have been lower had Alaskan output not increased in October.

U.S. OIL DEMAND
DAILY AVERAGES, IN MILLIONS OF BARRELS

SOURCE: American Petroleum Institute

THE WASHINGTON POST

외 무 부

종 별 :

번 호 : MAW-0059 일 시 : 91 0114 1700

수 신 : 장관(기협,아동,기정,사본:동자부장관)

발 신 : 주 말련 대사

제 목 : 페만사태:말련 원유 생산및 수출(자료응신 1호)

대:WMA-0051

연:MAW-1701

1. 주재국은 걸프사태 발생시 일산 595,000 배럴하던 원유 생산량을 계속 늘려 현재 650,000배럴을 생산하고 있으며, 조만간 30,000-50,000배럴의 추가 증산을 계획하고 있음.

2. 사태후 90.12말까지 주재국은 6개국에 대하여 총410만 배럴의 원유 추가공급을 약속하였으며, 아국및 세이셀과 추가 공급에 대한 협의를 진행하고 있음. 개별 국별 추가공급 현황은 아래와 같음.

0 방그르데쉬:900,000배럴(90.11월및 12월 2차에걸쳐 선적 예정이었으나 방측 국내 사정으로 지연)

0 파키스탄:1,350,000배럴(90.10월,11월,12월 3차에걸쳐 선적예정이었으나 파측사정으로 현재 1차분 450,000배럴만 완료)

0 태국: 500,000배럴(90.12 선적 완료)

0 인도: 450,000배럴(90.12 공급 합의, 상금 미선적)

0 스리랑카: 450,000배럴(90.12 공급 합의, 상금 미선적)

0 필리핀: 450,000 배럴(90.9 1차에 선적 완료, 상금추가 공급 요청없음).끝
(대사 홍순영-국장)

| 경제국 | 2차보 | 아주국 | 안기부 | 동자부 | | |

외 무 부

종 별 :

번 호 : CHW-0084　　　　　　　　　　일 시 : 91 0114 1730

수 신 : 장관(기협,아이)

발 신 : 주중대사

제 목 : 페만사태

　　연:CHW-1395

　　대:WCH-0031

　　1.대호관련 주재국 경제부 에너지위원회는 1.12.대만전력,중국석유등 관계기관과의 긴급회의를 통해 향후 3단계 에너지 절약시책을 결정하였음.

　　가. 제1단계(전쟁발발및 유전봉쇄 또는 파괴시)

　　0 유류및 전기의 10 퍼센트 소비절약 유도

　　-주요소의 영업시간 단축, 네온싸인 광고용 전기및 가로등에 대한 절전

　　나. 제2단계(전쟁 1개월이상 지속및 장기화 징후시)

　　0 에너지의 10 퍼센트 소비절약 강제실시및 TV 방송시간단축, 자동차,모터싸이클에 대한 격일제 주유실시

　　다. 제3단계(전쟁장기화로 석유공급량이 20-40퍼센트 감소시)

　　0 석유제품에 대한 배급제 실시및 공업용 전기의 제한

　　2.주재국 중국석유공사는 현재 국내 민생용 석유제품 141일분의 재고량을 확보하고 있어 전쟁이 발발하더라도 약 5개월은 부족사태가 일어나지 않을것이라고 밝히고있음.끝

　　(대사 한철수-국장)

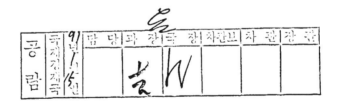

경제국　　2차보　　아주국

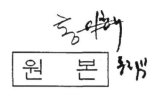

외 무 부

종 별 :

번 호 : OMW-0009   일 시 : 90 0114 1420

수 신 : 장 관(기협,중근동)

발 신 : 주오만대사

제 목 : 오만석유 생산동향(자원제91-1)

1. 주재국 AL SHANFARI 석유광물부장관은 금1,14.주재국의 90년도 석유생산량이 89년도 대비 5만 BPD 증량된 70만 BPD 에 도달하였으며,동수준은 향후 20년간 지속될수있을 것이라고 전망함.

2. 한편, 현재까지는 육지에서만 탐사,개발이 이루어져왔으나, 향후 해저 유전도 개발할 계획으로 호주계 BHP 사가 유일하게 탐사를 진행중이라고밝힘.

3. 또한 90년도에 남부 WADI HAKA 지역등 10여개지역에서 새로운 유전층이 발견되었으며,가스매장량은 12조 입방피트로 추정된다고 밝힘.

4. 현주재국내 석유개발 참가업체 현황은 아래와같음.

0 기존생산회사:4개

- PETROLEUM DEVELOPMENT OMAN(정부지분 60 ,SHELL지분 40):65 BPD 생산

- OCCIDENTAL OMAN(미국계):3만 BPD

- ELF AQUITANCE(불란서계):1만 BPD

- JAPAX OMAN (일본계):1만 BPD

0 신규참여 탐사 진행중 회사

- AMOC OMAN(미국계)

- WINTERSHELL(독일계)

- CONQUEST(미국계)

- IPC-IPL(미국계)

- BHP(호주계). 끝

(대사 강종원-국장)

경제국   2차보   중아국

PAGE 1   91.01.14   23:10 DP

외신 1과 통제관

0161

외 무 부

종 별 :

번 호 : UKW-0086   일 시 : 91 0114 1800

수 신 : 장 관(기협,중근동)

발 신 : 주 영 대사

제 목 : 페만사태와 석유수급 동향

대: WUK-0074

당관이 금 1.14(월) 외무성 J.THORNTON 에너지 담당관과 접촉, 파악한 내용을 아래 보고함.

1. 페만에서 전쟁이 발발하는 경우에도 산유시설등에 큰 피해가 없을것으로 봄.

2. 영국은 산유국이지만 특별히 원유생산 및 공급정책에 커다른 변화는 없을것이나 작 1.11(금) 파리개최 국제에너지기구 (IEA) 결정에 따라 전쟁시 비상대책으로 취해진 IEA회원국 전체의 증산계획 (2.5백만 B/D증액)에 따라 공급량을 조정할 것임.

3. 또한 91.1.1.현재 OECD 소속국 전체의 석유보유가 469백만톤으로서 82년이래 가장 많으며 산유국이 현재 처분할 수 있는 석유량도 7-8백만톤이나 되어 당분간 심각한 문제는 없을것으로 봄.

4. 유가는 전쟁 발발직후 단기간 상당한 수준 (50불/B)으로 급등할 것이나 중.장기적으로는 현재수준 (25불/B) 으로 조정될 전망임.

첨부: 관련 언론기사(FAX).끝

(대사 오재희-국장)

경제국   2차보   중아국   동자부

                              91.01.15   09:15 WG

외신 1과 통제관

0162

외 무 부

종 별 :

번 호 : EQW-0016   일 시 : 91 0114 1730

수 신 : 장관(기협)

발 신 : 주 에쿠아돌 대사

제 목 : 페만사태

　　　대:WEQ-0004

　　　연:EQW-0327,0330,0369

　　　대호 페만사태 관련, 주재국의 원유생산 및 공급정책의 변경 가능성에 대해아래와 같이 보고함.

　　　-아래-

　　　1. 주재국의 원유 생산 현황(일당: 배럴)

　　　-산유능력:31 만

　　　-생산량:28 만 3 천

　　　-수출량:15 만 7 천

　　　-국내소비량:12 만 6 천

　　　2. 공급정책의 변경가능성

　　　주재국은 장기계약 1 년으로 아국의 호남정유에 91.1.1. 부터 일당 12,000 배럴 및 유공에 91.2.1. 부터 일당 24,000 배럴의 공급계약을 체결하였는바, 동 물량은 계약기간동안 변경없이 공급될 것임.

　　　3. 주재국 반응

　　　지난 1.8.(화) 주재국 R.BORJA 대통령은 페만에서 전쟁발발시 주재국의 원유수출 가격은 인상될 것이나, 이에 반하여 미국, 일본등 선진국으로 부터 수입되는 공산품 가격도 인상될 것이기 때문에 이는 주재국 경제에 악영향을 미치게 될 것이므로 원유가 인상은 바람직하지 못하다고 하였음.

　　　(대사 정해응-국장)

경제국　　2차보

정 리 보 존 문 서 목 록

기록물종류	일반공문서철	등록번호	2021010198	등록일자	2021-01-27
분류번호	763.5	국가코드	XF	보존기간	영구
명 칭	걸프사태 : 국제원유 수급 동향, 1990-91. 전6권				
생 산 과	기술협력과	생산년도	1990~1991	담당그룹	
권 차 명	V.5 1991.1.15-31				
내용목차	* 국제원유 수급 및 유가전망, 원유 안정확보를 위한 대산유국 외교활동 강화 등 * 1991.1.16 페만 사태와 석유 정세(공관보고 언론자료 요약) * 1991.1.17 페만 전쟁에 따른 특별 석유공급 대책(동력자원부) 　　"페"만 전쟁발발이 경제에 미치는 영향과 대응방법(경제기획원) 　　「페」만사태 특별대책위원회 운영방안(국무총리 행정조정실)				

0001

중앙일보
91. 1. 15.

油價 한때 폭등후 40弗線 될듯

페灣 開戰이후의 油價·海運

百萬배럴 부족…심리적 충격이 문제
유조선 運賃하락, 일반 화물은 상승

〈孫長煥기자〉

〈뉴욕=朴㦤塋특파원〉

蘇기술 對韓이전
軍部반대로 곤란

IPECK 전망

외 무 부

종 별 :

번 호 : AUW-0034   일 시 : 91 0115 1700

수 신 : 장 관(기협,상공부,동자부)

발 신 : 주 호주 대사

제 목 : 페만사태

대:WAU-0018

1. 주재국 1차산업성 및 자원성 MR.JOHND.TYSOE (PETROLEUM DIVISION 부국장)에 의하면, 주재국은 IEA (INTENATIONAL ENERGY AGENCY)의 국제 원유시장의 안정화를 위한 OECD회원국의 원유수입량 감축계획 (ACOORDINATED EMERGENCY RESPONES CONTIGENCY PLAN)에 동의하며 페만 전쟁 발발시 원유수입량을 7 (90년 수입물량기준) 감소키로 하였다고함.

2. 주재국의 경우 1일 평균 원유소비량이 640천바렐이며, 이중 580 천 바렐/일을 자체생산으로 (총소비의 90 자금) 공급하며 나머지는 수입에 의존 (수입:260천바렐/일, 수출 200천바렐/일)하고 있으나, 지난 8월말 페만사태후서 호주 해저유전의 생산확대로 일산 12천바렐이 증산되고 있으며, 3차에 걸친 국내 석유류가격인 상조치 (주재국의 경우 국내유가를 국제가격에 연동 관리, AUW-0742,0761참조)로 최근 4개월간의 월간 석유소비량이 전년동월에 비하여 5-10 감소되어 원유수입 물량이 90년6월에 비하여 5정도 줄어 들었으며, 특히 최근 원유생산및 정유업체의 비축물량이 평균소비량의 300일분에 달하고 있기때문에 페만 전쟁발발시 수입물량을 7정도 감축하더라도 국내석유 수급에는 지장을 주지않을 것으로 전망되어 페만사태와 관련 배급제등과 같은 특별대책을 수립하지 않고 국내가격의 탄력조정을 통한 소비억제와 국내생산촉진을 통하여 대처할 계획 이라함.끝.

(대사 이창수-국장)

경제국   2차보   중아국   상공부   동자부

주 미 대 사 관

번 호 : USW(F) - 0165
수 신 : 장 관 (기협)
발 신 : 주미대사
제 목 : 유가동향 (2매)

Oil Leaps By $3.49 on War Fears

Crude Ends at $30.78; Gold Up, Dow Off

By KEITH BRADSHER

The price of oil leaped yesterday to its highest level since early December as traders, oil companies and investors perceived that war was imminent in the Middle East and that crude production might be disrupted there.

Crude oil for February delivery rose $3.49 a barrel, to $30.78 on the New York Mercantile Exchange, a 12.8 percent increase, with the approach of the United Nations deadline today for Iraq to withdraw from Kuwait.

The sharp jump reflected traders' reaction to the failure of the weekend visit to Baghdad by the United Nations Secretary General, Javier Pérez de Cuéllar, said Nauman Barakat, a senior energy trader at Merrill Lynch.

'Not If But When'

The chances of a war increased with the inability of Mr. Pérez de Cuéllar to persuade President Saddam Hussein of Iraq to withdraw from Kuwait, he said.

"The consensus question in the market now is not if but when" war will break out, Mr. Barakat said.

The Iraqi Parliament's decision to oppose any withdrawal also made traders more pessimistic, said Peter I. Cardillo, the director of commodities research at Jesup, Josephthal & Company, a New York brokerage firm.

The higher energy prices and war fears, meanwhile, pushed gold prices up and stock prices down. Gold rose more than $8 to close above $400 a troy ounce for the first time in more than three months. [Page D16.] The Dow Jones industrial average fell 17.58 points, to 2,483.91, after having been down as much as 44 points in midafternoon. [Page D8.]

Fire Damages Refinery

The prices for February delivery of refined oil products rose even more than crude oil in percentage terms yesterday. Mr. Barakat attributed that extra gain largely to a fire on Saturday that badly damaged part of a Chevron Corporation refinery in Texas.

The February heating oil contract jumped 11.62 cents a gallon, or 15 percent, to 88.98 cents. The February gasoline contract rose 9.38 cents, or 12.8 percent, to 82.28 cents.

After the close of trading on the Mercantile Exchange, energy prices dipped briefly by 40 to 50 cents a barrel on the spot market, which consists of private deals among companies. The price dip followed early news summaries of a report by Cable News Network that Iraq might withdraw from Kuwait, said Andrew B. Shasha, an energy trader at Baspet Inc. in Houston. But prices then recovered to the same level as the Mercantile Exchange contracts, he said, after a network report re-emphasized that Iraq was unwilling to pull out when threat-

Continued on Page D6

NYT
15 Jan. 91

0004

Continued From First Business Page

ened by an international deadline.

"Without a doubt," Mr. Shasha said of oil trading yesterday, "you have more buyers than sellers."

Prices Are Benchmark

Although only a tiny fraction of the nation's annual oil consumption is traded on the Mercantile Exchange, the prices set there are the benchmark for actual deliveries. Private deals are typically for actual ship cargoes of oil or refined products.

Jet fuel, which in the United States is traded only in private deals, soared about 16 cents, or 19.3 percent, to 99 cents a gallon, Mr. Shasha said. Airlines have said repeatedly in recent months that rising jet fuel prices are eroding their profitability.

The cost of jet fuel has shown especially large fluctuations in response to war fears because of the widespread expectation that military jets would burn up a lot more fuel during a conflict.

Trading Is Slower

Nearly 145,000 crude oil contracts changed hands on the Mercantile Exchange yesterday, well below the record of 184,876 contracts, set on Aug. 7 of last year, just five days after Iraq invaded Kuwait. Traders are buying and selling fewer contracts as uncertainty over oil supply and demand grows, increasing volatility, said Michael Wilner, president of the Hilltop Trading Company, an independent energy trading and brokerage firm on the floor of the exchange.

"If they used to trade 10, they're trading 2, and if they used to trade 100, they're trading 20," he said.

Traders are having trouble assessing the potential profits and losses because there is no clear outcome to the gulf situation. A war could be short or long; an Iraqi withdrawal from Kuwait could be full or partial; each of these outcomes could have very different effects on the price of oil, Mr. Wilner said.

"Even more than war and peace," he said, the question among traders "is what kind of war or what kind of peace."

If a quick and peaceful solution is found in the gulf, though, oil prices would collapse, Mr. Cardillo of Jesup Josephthal said, noting that oil stocks in Western countries are large. If Saddam Hussein "does show good faith and begins to withdraw," Mr. Cardillo said, "the fundamentals would make the price of oil collapse to the low teens in a few days."

Tracking Crude Oil

The price for a barrel of crude oil for February [...] York Mercantile Exchange.

Aug. 2: Iraq invades Kuwait $23.48

Jan. 14: $30.78, up $3.49

Oct. Nov. Dec.

The New York Times

0165 —2. End

외 무 부

종 별 :

번 호 : FRW-0099   일 시 : 91 0114 1940

수 신 : 장관(기협,경일,중근동)

발 신 : 주 불 대사

제 목 : 쾌만사태(IEA 집행이사회 결과)

연:FRW-0067,68

대:WFR-0002

1.11. 개최된 IEA 집행이사회 관련, IEA 생산국담당 PAUL VLAANDEREN 과장 면담내용 아래 보고함.(조참사관 접촉)

1. 회의 주요결과

가. 전쟁발발시 석유공급 물량부족분에 대비하여 회원국 비축분, 소비 수요감축등을 통해 2.5 백만 B/D 방출(A COORDINATED ENERGY EMERGENCY RESPONSE CONTINGENCY PLAN)

나. 불란서, 핀랜드, 아이슬랜드등 IEA 비회원국의 동 비상계획 참여 환영

다. IEA 사무총장이 각 회원국과 신속한 협의를 거친후 회원국및 상기 3 개국에 비상계획 실시를 통보하면, 각 회원국등은 15 일내에 사이 "가"항 조치를 실행함.

라. 사무총장의 통보후 10 일이내에 집행이사회를 개최하여 상기 비상계획에 따른 석유시황을 평가하고 동 계획 수정여부를 결정함.

마. 국제 석유시장의 안정을 위하여 석유회사는 자체 비축분을 계속 방출하고, 각국 정부의 소비절약과 함께 석유회사와 소비자가 석유구입을 자제하여 줄것을 요망함.

2. 평가 및 전망

가. IEA 는 무력분쟁이 여타 유전지대로 확산될 가능성, 동 분쟁이 걸프만 OIL TRAFFIC 에 줄 영향, 여타 인접국 유전지대 근무 근로자 철수에 따른 감산 가능성등을 종합 검토하여 2.5 백만 B/D 방출을 결정하였으며(실제 방출물량은 2 백만 B/D, 회원국 절약 50 만 B/D) 시황을 보아 필요시 추가 방출 가능성도 배제하지 않음.

이하 나. 항이후 PART II 로 계속됨.

경제국 안기부	장관	차관	1차보	2차보	중아국	경제국	청와대	총리실

PAGE 공람	국제경제국	년 인 일	담당	과장	국장	차관보	차관	장관

91.01.15   21:13

외신 2과 통제관 FE

0006

외 무 부

종 별 :

번 호 : FRW-0102   일 시 : 91 0114 1940

수 신 : 장관(기협,경일,중근동)

발 신 : 주 불 대사

제 목 : FRW-0099 의 PART II

　　나. IEA 는 석유시장에 물리적 부족분(ACTUAL SHORTAGE)이 발생할 경우 비축분을 방출한다는 기존 방침을 수정코, 전쟁발발 직후 석유부족이 감지(PERCEIVE)되는대로 비축분을 방출키로 결정함. IEA 의 여사한 방침 수정은 IEA 가 새로운페만사태에 신속하고도 유연하게 대처함으로써, 불필요한 부기와 가격폭등 가능성을 사전에 억제하는 한편 그간 IEA 가 석유사태에 효과적으로 대응치 못하였다는 회원국의 비난을 일소시키고자 하는데 있음.

　　다. IEA 가 74 년 석유비축 이래 비축물량 방출을 결정한것은 최초의 사례로서, IEA 가 새로운 석유사태에 대비하여 그간 준비가 충분히 되어있을뿐 아니라 시장을 안정시킬 능력이 있다는 것을 과시하는 계기가 될것으로 보임.

　　라. 전쟁 직후 석유가 일시 폭등은 불가피 할것이나 IEA 비축분 방출방침이시장에 알려지는대로(실제 물량이 시장에 나오는 시기와는 관계없이) 즉각 하락세를 보일것으로 기대하나, 문제는 석유회사 및 소비자등이 IEA 의 결정에 어느정도 신뢰감을 갖고 합리적으로 행동하느냐에 달려있음.

　　마. 금번 IEA 비상조치는 전회원국간 만장일치로 결정되었으며, 불란서, 핀랜드, 아이슬랜드등 3 개 비회원국의 참여가 주목할만 함.

　　바. IEA 는 전쟁 발발에도 불구하고 금번조치로 인해 국제시장에서 석유물량부족사태는 없을 것이며, 가격안정에 대하여도 비교적 낙관적으로 전망하는 한편, 전후에 OPEC 체제의 유지 가능여부 및 가격폭락 가능성에 우려를 표함. 끝.

　　(대사 노영찬-제 2 차관보)

　　예고:91.12.31. 까지

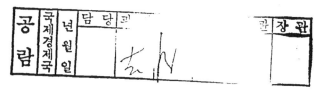

외 무 부

종   별 : 지 급

번   호 : MXW-0058

일   시 : 91 0115 1230

수   신 : 장 관 (기협,미중)

발   신 : 주 멕시코 대사

제   목 : 주재국 원유 공급 정책

대: WMX-0015

연: MXW-1460

1. ALBERTO ESCOFET ARTIGAS 주재국 동력 광업성차관은 페만전쟁 발발여부와 관계없이 주재국은 연호, 금년도 원유수출 목표액인 136만 B/D 이상 수출하지 않을 것이라고 작 1.14. 발표함.

2. 동 차관은 주재국 원유생산시설이 현재 완전 가동중에 있어 추가 생산능력이없음을 지적하고, 상기 금년도 수출 원유중 60퍼센트(약816천 B/D)은 미국에 수출되며 나머지는 유럽, 극동 및 중미지역으로 공급될 것이라고 부언함.

3. 한편 주재국 경제 분석가들은 페만사태로 인하여 미국은 중동산 원유에 대한의존도를 감소하고, 주재국등 여타 산유국의 원유수입에 더 치중할 것으로 전망하고있으며 원유의 안정적 공급확보를 위한 교섭차 JAMES WATKINS 동력장관을 곧 주재국및 베네수엘라에 파견할 예정이라함.

(대사 이복형-국장)

공람	국제경제국	년인일	담 당	과 장	국 장	차관보	차 관	장 관

경제국   미주국

91.01.16   06:33 FC

외신 1과 통제관

0008

관리
번호 91-43

홍

외 무 부

종 별 :

번 호 : FRW-0116   일 시 : 91 0115 1910

수 신 : 장관(경일,기협,중근동)

발 신 : 주 불 대사

제 목 : 페만사태(경제적 영향 전망)

대:WFR-0002

연:FRW-0067,68,99

페만사태 전쟁 발발을 가정한 주재국 유력 경제연구기관 및 경제 일간지등의 전망내용 아래 종합 보고함.

1. 유가

O 전쟁의 기간과 확산정도에 따라 상이하게 전망되나, 전쟁 발발후 50 불선으로(최고 80 불 까지 전망) 폭등하여 전시중 40 불선을 유지하다 전후 20 불 이하까지도 급격히 하락할 가능성이 있음.

O 다국적군이 단기간내 승리할 경우,91 년 하반기중 23 불선으로 하락하여 91 년 편균 35 불선으로 전망함.

O 전후 석유시장은 유전복구 및 재생산, 정치적 긴장등으로 불안정한 상태가 한동안 지속되는 가운데, 미국의 유가정책이 전후 석유가 결정에 큰 영향을 미칠것이나 여타 중동 산유국의 재정형편을 고려시 21 불 이상에서의 유가안정 노력이 예상됨.

O 연이나 이스라엘의 참전, 이집트 및 사우디등으로 분쟁이 확대되는 최악의 경우(유조선 페만통행 어려움, 스웨즈 운하 페쇄) 유가는 50-60 불을 초과한 상태로 상당기간 지속되어 세계경제 침체를 가속화할 것임.

2. 금융시장

O 전쟁 발발후 수일내 주식가의 15-20 프로 폭락 가능성이 있으나, 신속히 종전될 경우 5-10 프로 인하선에서 안정될 것으로 예견됨.

O 금, 달라, 재정증권의 가치 상승이 예상되나 전황에 따라 등락폭이 크게 달라질 것임.

경제국 안기부	장관 동자부	차관	1차보	2차보	중아국	경제국	정와대	총리실

PAGE 1

공람

	담 당	과 장	국 장	차관보	차 관	장 관
국세경제국 년 월 일						

91.01.16   08:59
외신 2과   통제관 BW
0009

3. 달러화

0 전쟁 발발로 1 불당 1.55-1.65 DM 까지 상승할 것이나(금은 온스당 440-450 불까지),90.8 전례와 같이 미국의 악화된 경제사정을 반영하여 단기간에 그칠 전망이 큼.

0 전쟁이 장기화될 경우 전비부담, 유가상승등이 미국 경제부담을 가중시켜달러화는 상당한 약세를 보일것임.

4. 불 경제에 미치는 영향

0 증시 침체및 유가인상은 부득이하나, 단기전으로 끝날경우 불 경제에 대한 파급효과는 극히 제한적일 것으로 예상되며, 오히려 전후 부자심리 회복, 저유가등을 배경으로 경제성장 회복도 기대 가능함.

0 다만 전쟁이 장기화될 경우, 여타 선진국과 같이 인플레 가중 및 산업활동 둔화로 불 경제성장은 1.5 프로선에 그칠것이며 실업율 및 대외무역 악화가 예상됨.

5. 세계경제에 미치는 영향

01/4 분기중 신속히 종전될 경우, 사우디의 감산(현 8.3 백만 배럴중 1.5 백만 배럴)에도 불구하고 6 개월내에 이락. 쿠웨이트 유전시설이 복구됨으로써 세계경제에는 준석유파동(MINI-SHOCK) 정도의 영향을 미칠것임.

091 년 평균 35 불선 유가 전망시 GNP 감소효과는 미국과 불란서가 0.5 프로, 이태리, 일본이 0.7 프로, 독일 0.8 프로 정도 예상되며(영국은 거의 영향없음), 이는 과거 석유파동 영향의 1/4 정도 수준임.

0 이러한 경제성장 둔화는 이미 침체국면에 들어선 미국, 카나다, 영국 경제의 어려움을 가중시킬 것이며, 전쟁이 장기화될 경우 일본도 경기침체를 면치 못할뿐 아니라 시장경제를 지향하는 동구국가들의 노력이 실패할 우려가 있음. 끝.

(대사 노영찬-제 2 차관보)

예고:91.12.31. 까지

정 보 관(1991. 6. 30.)

외 무 부

종 별 : 지 급

번 호 : UKW-0117   일 시 : 91 0115 2300

수 신 : 장 관(중근동,미북,구일,경협)

발 신 : 주 영 대사

제 목 : 걸프사태

1.15(화) UN 시한 당일, 당지 BBC-TV 방송요지를 아래 보고함.

1. 프랑스 제안실패

가. UN 시한을 8시간 앞둔 현재 걸프사태의 외교적 해결 가능성은 거의없음. 마지막 협상안으로 간주된 프랑스안은 미.영의 반대에 부딪혀 UN 안보리에서 채택되지 않았으며, 채택되었더라도 이락이 프랑스안의 출발점인 이락군 철수를 거부한다는 의사를 확인했으므로 결국 의미가 없는것임.

나. 프랑스인에 대해서는 그간의 12개 UN 결의를 희석시킨다는 견지에서 영국이 반대를 주도했으며, 여기에 걸프사태와 팔레스타인 문제의 연계를 반대해온 미국이 동조 함.

다. 이에따라 프랑스도 더이상 외교적 해결의 가망이 없다는데 의견을 같이하고 1.15(화) 저녁 주 이락대사대리를 철수했으며 전쟁시 적극 참여할것임을 명백히함.

2. 영 하원동향

가. 하원은 금 1.15 (연말연시 휴회를 마치고 1.14.개원) 걸프사태를 토의하고 투표를 실시, 정부정책을 절대다수로 지지함.(반대 57표)

나. 메이저 수상은 쿠웨이트내 이락군의 잔학성을 신랄히 비판하고 무력으로 이락군을 철수시킬것임을 분명히함. 또한 경제제재 조치가 실효를 거두기를 기다리는 것은 이락에게 전쟁준비할 여유를 더주는 것이며 그동안에 쿠웨이트는 처참하게말살될 것 이라고 말함.

다. 키녹 노동당수는 인명손실 최소화 견지에서 경제제재 조치에 좀더 시간을 주어야 한다고 강조했으나, 투표시에는 정부를 지지할 것을 소속의원들에게 권장함.

라. 정부정책 반대론을 주도한 TONG BENN 노동당의원은 협상을 강조하면서, 전쟁발발시 결국 이스라엘과 팔레스타인이 전쟁에 개입되어 연계론 반대의 의미가

중아국	1차보	2차보	미주국	구주국	중아국	경제국	안기부

없게될 것이라고 말함.

3. 이락태도

1.15.에도 이락의 입장에는 전혀 변화가 없음.이락 공보상은 전쟁준비가 되어있다고 강조하고, 미국의 공격시 이락은 이스라엘을 공격할 것이며, 미국은 크게 후회하게 될 것이라고 경고함.

4. 전망

가. BBC-TV 는 미.영 그리고 이락 정복에서도 전쟁이 불가피한 것으로 생각하고있다고 평가하고, 연합국의 공격시기를 1.17(목)밤 (바그다드 특파원)또는 내주 (사우디 특파운) 정도로 예측함.

나. IISS 의 한 중동전문가는 연합국들 사이에 이미 군작전관련 주요사항들이 협의 완료된 상태인 것으로 보고, 부쉬 대통령이 영, 불, 쏘, 이집트, 시리아, 사우디등 주요 연합국정상들에게 전화 메세지를 전하는 것으로 공격개시될 것이라고 전망함.끝

(대사 오재희-국장)

중앙경제신문
91. 1. 16.

開戰되면 3차 오일쇼크 닥친다

湾戰 假想…세계油價「衝擊」진단

〈分析＝朴 敏 記者〉

不安심리가 더욱 문제

戰爭장기화하면 최악사태

0013

국제유가 40달러이상이면 어떻게

D데이(15일)앞둔 국제유가 추이 (단위:달러/배럴)

외 무 부

종 별 : 지 급

번 호 : CHW-0089

일 시 : 91 0116 0900

수 신 : 장 관(기협,아이,기정)

발 신 : 주 중 대사

제 목 : 페만사태

연:CHW-0084

1.주재국 석유공사는 현재 국내 민생용 석유제품 141일분의 재고량을 확보하고있는바, 동공사가 밝힌 각 석유제품 재고량현황은 다음과 같음.

- 휘발유 85일분(150만 키로리터)

- 디젤유(경유) 151일분(34만 키로리터)

- 연료용유 118일분(발전용포함시 248일분)

- 원유 45일분(300만 키로리터)

2.아울러 주재국 정부는 상기 석유제품중 휘발유재고량이 3개월미만 (현재 1개월 약 50만 키로리터소모)임에 비추어 비상시 배급제를 실시할 경우에는 휘발유가 최우선 배급제 실시품목이 될것이라 함.끝

(대사 한철수-국장)

경제국   1차보   아주국   중아국   정문국   안기부

國際 原油 需給 速報

（公館 報告 綜合）

1991.1.16.
外務部 國際經濟局

1. IEA 會議 (1.11) 結果 및 評價

   o 戰爭勃發時, 會員國 備蓄 原油 250만 B/D 放出 非常計劃 決定

   - IEA 非會員國인 佛蘭西, 핀랜드, 아이슬랜드도 同 計劃 참여

   - IEA 事務總長의 非常計劃實施 通報시, 각 會員國 15일 이내 실행

   o 石油市場에 실제 不足 (actual shortage) 발생 경우에 備蓄分을 放出한다는
   IEA 旣存方針 修正

   - 石油不足이 감지(perceive)되는 대로 備蓄分 放出 決定

   - 불필요한 投機와 價格暴騰 可能性 사전 抑制 目的

   o 同 計劃 成敗는 消費者들의 IEA 決定에 대한 신뢰감 및 合理的 行動에 좌우

2. 産油國 原油供給政策

   o 멕시코, 戰爭勃發與否 關係없이 당초 輸出目標額 360 천 B/D 이상 수출 불능

   o 말련, 현재 650천 B/D 生産中이며 조만간 30-50천 B/D 追加 增産 計劃

   o 에쿠아돌, 현재 生産量 28.3천 B/D 이며, 最大生産能力은 310천 B/D

   o 인니, 현재 生産量 1,400천 B/D, 最大 生産能力은 1,600천 B/D로 필요시 增産 可能

   o 카탈, 埋藏量이 적고, 生産施設 및 裝備노후로 400천 B/D 이상 超過生産不能

3. 現物市場 油價 動向

(단위 : $/B)

	90.7.31	8.31	9.28	10.9	11.26	12.4	91.1.3	1.15	1.16
Dubai	17.20	25.92	37.04	35.41	29.45	25.30	20.82	24.20	25.33
Oman	17.65	26.52	37.64	36.01	30.00	25.85	21.37	24.75	25.88
Brent	19.49	28.62	41.12	41.68	35.45	31.30	24.95	28.70	30.23
WTI	20.75	27.42	39.49	40.76	33.27	29.50	25.39	30.05	32.32

1.17
Dubai 14.50
Oman 15.05
Brent 19.30
WTI 21.11

공란	기술협력	91년1월16일	담당	과장	국장	차관보	차관	장관

0015

（公館 報告 綜合）

1991.1.16.
外務部 國際經濟局

1. IEA 會議 (1.11) 結果 및 評價

   o 戰爭勃發時, 會員國 備蓄 原油 250만B/D 放出 非常計劃 決定

     - IEA 非會員國인 佛蘭西, 핀랜드, 아이슬랜드도 同 計劃 참여

     - IEA 事務總長의 非常計劃實施 通報시, 각 會員國 15일 이내 실행

   o 石油市場에 실제 不足 (actual shortage) 발생 경우에 備蓄分을 放出한다는
     IEA 旣存方針 修正

     - 石油不足이 감지(perceive) 되는 대로 備蓄分 放出 決定

     - 불필요한 投機와 價格暴騰 可能性 사전 抑制 目的

   o 同 計劃 成敗는 消費者들의 IEA 決定에 대한 신뢰감 및 合理的 行動에 좌우

2. 産油國 原油供給政策

   o 멕시코, 戰爭勃發與否 關係없이 당초輸出目標額 360 천B/D 이상 수출 불능

   o 말런, 현재 650천B/D 生産中이며 조만간 30-50천 B/D 追加 增産 計劃

   o 에쿠아돌, 현재 生産量 283천B/D 이며, 最大生産能力은 310천B/D

   o 인니, 현재 生産量 1,400천B/D, 最大 生産能力은 1,600천B/D로 필요시 增産可能

   o 카탈, 埋藏量이 적고, 生産施設 및 裝備노후로 400천B/D 이상 超過生産不能

3. 現物市場 油價 動向

(단위 : $/B)

	90.7.31	8.31	9.28	10.9	11.26	12.4	91.1.3	1.15	1.16
Dubai	17.20	25.92	37.04	35.41	29.45	25.30	20.82	24.20	25.33
Oman	17.65	26.52	37.64	36.01	30.00	25.85	21.37	24.75	25.88
Brent	19.49	28.62	41.12	41.68	35.45	31.30	24.95	28.70	30.23
WTI	20.75	27.42	39.49	40.76	33.27	29.50	25.39	30.05	32.32

0016

페만 사태와 석유 정세

(공관보고 언론자료 요약)

1991.1.16
기술협력과

【영】

o 현재 배럴당 26$ 수준이나 주말경에 2배로 뛰거나 반감 예상

o 유가는 통상 여러요인들에 의해 영향 받으나 지급은 후세인 한사람에 의존

o 전쟁발발시 유가가 배럴당 70$ 또는 100$로 급등 가능성은 없으며 거래 업자들은 40$-50$ 까지 올라갈 것으로 보고 있음
   (사우디로부터의 석유의 송출이 방해 받지 않는다면)

o 대부분의 분석가들은 사우디의 석유시설에 폭넓은 피해를 입힐 장기전을 우려함

o 전쟁 발발시 쿠웨이트 국경에 근접한 북부 대부분의 유전과 걸프만 상류에 있는 근해 생산시설들이 위험
   - 사우디와 쿠웨이트의 중립지대에서의 석유생산은 전쟁선포 즉시 중단 (30만 B/D 감소)
   - 사우디의 사파니아, 줄루프, 마르잔 유전은 고용원들이 소개됨에 따라 1.5백만-3.5백만 B/D 감산
   - 사우디는 생산 가능한 60만 B/D의 석유방출로 3개월동안 소비자 인도 충족 (전쟁지역밖에 저장된 량)

o 사우디 오일산업 관계자는 이라크의 미사일보다는 이라크 동조자들의 사보타지를 우려

o 국제에너지기구(IEA), 전쟁발발시 2.5m B/D 공급 부족 예상

o 전쟁은 특정지역과 생산시장에 부담 초래
   - 일본과 극동지역 국가들이 취약 (걸프국가들로부터 다량의 원유도입)

o 사우디 국영석유판매회사 (Samarec), 연합군을 위해 타국으로부터 대량의 제트연료와 가스오일을 구매중
   - 전쟁기간이 얼마든 premium fuel의 큰 가격상승 초래

0017

o 쿠웨이트로부터 이라크군의 평화적 철수를 통한 해결은 단기간내에 유가를 폭락시킬 것. (배럴당 18$ 이하 까지도)

o 이라크와 쿠웨이트 산출량 충당을 위해 인정된 현 산출쿼타를 중단하는 것에 OPEC 가 합의하지 않는다면 그 결과는 심각 (사우디, 베네주엘라, UAE등)

o OPEC 전략가들도 이미 위기가 끝날 경우 어떻게 대처할 것인가를 숙고중
  - 사태해결후 생산규율 회복에 대해 심히 우려

o OPEC 회원국들은 형식적으로 22.5m B/D 의 합의된 산출 쿼타로의 복귀를 약속하고 이를 논의키 위해 91.3월중 특별회의 개최 예정
  - 많은 observer 들은 공급부족을 충당해온 이들국가들이 신속히, 균등하게 생산을 감축할 것인가에 의문 제기
  - 문제는 사우디임. 사태전 5.4m B/D에서 지금 8.2m B/D 를 생산하고 있음.

o IEA는 정부와 업체 비축분이 5년내 최고수준에 있다고 발표 (주요산업국가의 경우 총 96일분의 소비량을 비축)
  - 앞으로의 몇달은 업체들이 온화한 기후에서의 수요감소에 대비, 비축분을 방출할 시기
  - 온화한 겨울날씨로 예상보다 수요가 감소
  - 21개 IEA 회원국들은 90년 4/4 분기에 38.1m B/D 소비로 8% 소비감소
  - IEA 는 1/4 분기중 38.4m B/D 수준에서 회원국 소비를 유지시키기 위해 OPEC 가 23.6m B/D 생산 (12월보다 10만 B/D 증가)이 필요하다고 평가

o 상당한 비축량, 감소되는 소비량, 높은 산출량은 오일시장을 이상하게도 균형상태로 유지

o 석유산업이 직면한 가장 큰 문제들은 유가동향, OPEC 의 미래, 투자에 대해 발생할 결과등임.

0018

〔미〕

o 전문가들, 전쟁발발하더라도 석유공급은 충분할 것이라고 확신

o 개전초기에는 일시적으로 배럴당 $100 이상으로 오를 수도 있을

o 여러 사태의 전개에도 불구하고 높은 수준의 세계 석유비축량, 높은가격에
  따른 수요 정체, 그리고 낮은 세계 경제성장은 불변

o IEA 의 1월 석유시장보고에 따르면 선진국의 업체 및 정부에는 1월 1일
  현재 96일분의 소비량을 비축 (30억 배럴 이상)
  - 81년도의 최고 수준에 도달

o IEA 는 90년 4/4 분기에 선진국의 석유수요가 89.4/4 분기 대비 1.2백만B/D
  감소한 38.1 백만배럴 평가

o IEA 는 전쟁으로 인해 부족사태 발생시 전략 비축량의 방출, 수요억제등의
  비상조치 강구

o 걸프사태후 OPEC 생산량은 1일 23.5백만B/D 까지 상승 (이라크·쿠웨이트
  석유 봉쇄분을 충분히 충당)

o 중동지역 석유설비를 파괴할 수 있는 이라크의 능력은 한계가 있을 것이
  라는 믿음이 점증하고 있음
  < American Petroleum Institute, Charles DiBona 회장의 발언 >
  - 사우디 석유시설에 대한 어떠한 손상이 원유생산을 심각히 감축시킬 수
    있을지 의문
  - 사우디의 시설은 매우 견고하며 생산 및 정제운영시설은 많은 여분이
    있으므로 사우디는 오일방출을 계속키 위해 대체 파이프라인, 생산장소
    그리고 기타 시설로 옮기는 것이 가능
  - 사우디는 전쟁손상을 신속히 수리할 수 있는 여분의 부품과 장비들을
    막대한량 보유
  - 미국의 전략 석유비축량은 600백만 배럴 유지, 수주동안 3.5백만B/D
    공급 가능

0019

- 일본, 독일 또한 상당량의 비축분을 보유하고 있어 전쟁발발시 비축분 방출에 관해 미국과 협조할 것임
- 전쟁발발시 석유제품에 대한 갑작스런 수요증가는 제트연료 또는 디젤 연료에 한정될 것이나 미국내에서 수요증가로 공급차질이 발생할지는 의문
- 걸프작전에 사용된 대부분의 제트연료는 사우디에서 정제되고 있으므로 미국에서 정제된 물품은 소량이 필요함

o 석유공급이 충분하다는 하나의 이유는 석유제품에 대한 수요가 약화되어 가고 있다는 것임

< API 보고서 >
- 미국에서의 수요가 7년만에 처음으로 1990년도에 떨어짐
- 국내 원유생산도 1961년이래 최저수준에 머무름
- 제품인도 감소는 쿠웨이트 침공에 따른 원유와 제품의 높은 가격과 부진한 경제 그리고 1990년 1/4분기와 4/4분기의 온화한 날씨에 기인
- 1990년도 제품인도는 2.1% 감소
- 미국의 원유생산은 90년도에 5.1%(389,000B/D) 정도 가파르게 감소 (알라스카 생산량이 10월에 증가하지 않았다면 7.2백만B/D 규모의 생산량은 더 낮아졌을 것임)

0020

외 무 부

종 별 :

번 호 : FRW-0128　　　　　　　　　일 시 : 91 0116 1730

수 신 : 장관(기협,경일,중근동)

발 신 : 주 불 대사

제 목 : 페만 사태(경제적 대응 방안)

　　　　대:WFR-52

　　　　연:FRW-48 (1), 99 (2)

　　　전쟁 발발에 대비 주재국 경제 부처가 검토하고 있는 대응방안 아래 보고함.

　　　1. 석유소비 감축(산업성 주관)

　　　0 연호(2)관련 IEA 가 비축 석유 긴급 방출계획의 실시를 결정할경우 우선 아래 2 단계 조치로 현 석유 소비 수준의 7%(125,000 P/D)감축

　　　-고속도로 운행속도 제한)시속 130 에서 120 키로로)

　　　-공공건물내 난방기온 19 도제한(민간 주택도 가능한 이에 동조토록 적극 권유)

　　　0 상기 조치가 불충분한 경우, 차량 통행 제한 배급제 실시등 연호(1)에따른 단계적 추가 대응 검토

　　　2. 재정 지출 동결(경제 재무 예산상 주관)

　　　0 페만 사태등으로 경제 성장율이 2% 수준으로 떨어질것으로 예상되는 경우(91 년 목표 2.7%) 200 억-300 억 프랑 규모 (약 40-50 억불)의 재정 지출 동결 추진

　　　- 상기 예산 조치는 페만 주둔군 경비를 보충하기 위한 것이라고 보다는 불가피한 경기 후퇴 및 세수 감수에 대처키위한것임.

　　　- 91 년 예산 1 조 3 천억 프랑에 비하면 동 재정 지출 동결은 약 1.5%- 2.3% 수준으로 대단한 규모는 아니나, 91 년 재정 적자 유지 목0 800 억 프랑에 비하면 25-38% 수준임.

　　　0 연이나 경제 성장율이 1% 이하로 떨어질 경우, 엄천난 수준의 재정 적자가 예상 되므로 이에 상응한 재정 지출 감축은 경기 침체를 가속화 할것으로 우려됨. 끝

　　　(대사 노영찬-국장)

경제국 안기부	장관	차관	1차보	2차보	중아국	경제국	청와대	총리실

PAGE 1

외 무 부

종 별 :

번 호 : UKW-0138

수 신 : 장 관 (기협)

발 신 : 주 영 대사

제 목 : 자원 시장 동향

일 시 : 91 0116 1800

대: WUK-0105

대호관련, 주요 자원시장 동향을 아래 보고함

O LME 시장에서 아연.동.알미늄등 주요금속시세는 주석을 제외하고 1.14 이후 계속 하락세를 보이고 있는 바, 특히 전쟁 징후가 농후해지고 있다고 보는 1.16 시장에서는 가격하락폭이 5-10 프로에 달하였으며, 더 하락할 것이라고 보는 세가 우세하여 거래가 많이 이루어지지 아니하였음. 다른 금속과 달리 주석 가격이 오른것은 시장 상황 보다 주석의 최대 생산국인 브라질이 생산을 감축 할 것이라는 우려 때문이라함

O 일반적으로는 전쟁 발발시 유가가 오르고 이에따라 주요 금속의 생산비가 오르게 되면 기본적 수요를 제외하고 소비수요가 감소하게 될 것이므로 생산비증가에도 불구하고 금속가격이 하락할 것으로 전망하고 있으나 유가인상이 생산비 인상과운송료 인상을 초래하여 오히려 주요 금소가격이 반등할 것이라는 견해도 있음

O 국제 연.아연 스터디 그룹은 1990년 생산이 522만톤 (1989년 517 만톤) 소비가 523 만톤 (1989년 521만톤)이였던 것으로 추정 발표하였음

O한편, 금 값은 런던시장에서 지난 1.15 밤 사이온스당 2 달러가 올라 400.25 달라를 기록하였음.끝

(대사 오재희-국장)

공람	국제경제국	년 원 일	담 당	과 장	국'장	차관보	차 관	장 관

경제국   2차보

91.01.17   09:31 WG

외신 1과 통제관

0022

원 본

외 무 부

종 별 :

번 호 : NYW-0069 일 시 : 91 0116 1730

수 신 : 장 관(기협)

발 신 : 주 뉴욕 총영사

제 목 : 주요자원시장 동향(1)

대:WNY-0078

당지 소재 NYMEX, COMEX, NCE (COTTONEXCHANGE), CSCE (COFFEE, SUGAR, COCOA EXCHANGE) 등 관계관 접촉, 상품거래소에서 거래되고있는 주요 자원의 90.1.16(수)최종가격, 수급동향에 대하여 아래와 같이 보고함.

1.원유(2월 인도분,배럴기준)

가.91.1.16(수)종가 WPI(WEST TEXAS INTERMEDIATE)32.00

전일종가 30.07와 비교 1.93 상승

나.이는 페르시아만 사태의 평화적 해결전망이 적어지고 있다는 일반 PERCEPTION 에 따라 전반적으로 매수세가 강세를 보인결과임.

다.수급전망

0 당지 석유전문가들은 현재 원유 재고가 최근 8년이래 최고수준에 달하여 있고, 기온도 전반적으로 온화할것으로 예상되어 장기적으로는 20불선전망.

0 페만 전쟁이 발발하더라도 일시적 상승이 있은후 짧은 기간내에 반락이 뒤따라서 대체로 배럴당 중기적으로 25-30불선에서 유지될것으로 전망.

(1) 사우디유전 20 프로 파과시: 60불선까지 폭등후 중기적으로 30불선으로 안정 전망

(2) 사우디유전 피해없을때: 50불수준 상승후중기적으로 25불선에서 안정 전망

0 페르시아만 사태가 평화적으로 해결되거나 단기전후 평화회복시에는 일시적으로 20불이하로 하락을 예상 점차적으로 20불선으로 회복전망.

2.COMEX 거래 품목

가.GOLD(/TROY OZ, 1월분)

- 1.16 종가:403.20(전일종가 398.80 에서 4.40불상승)

경제국 2차보

공람	국제경제국	년 월 일	담당	과장	심의관	국장	차관보	차관	장관

PAGE 1

91.01.17 09:42 WG

외신 1과 통제관

0023

- 90.10.15.이래 최고기록,페르시아만의 긴장고조, 소련내 발트만등 정정불안이 상승요인으로 작용되는 것으로 분석됨.

　나.은(CENTS/TROY OZ, 1월분)

- 1.16.종가:419.40. (전일종가 417.8에서 1.6 CENT상승)

　다.동(CENTS/POUND 1월분)

- 1.16종가: 108 (전일종가 107.40 에서 0.60CENT상승)

　라.알루미늄:1.16중 가격변동 없음.

　마.CTN 거래품목:원면(CENTS/POUND,3월분)

- 1.16종가 76.10 (전일종가 75.82 에서 0.28 CENT상승)

　4.CSCE 거래품목

- 설탕(CENT/POUND 3월분)

- 1.16종가:8.95 (전일 9.16에서 0.21센트 하락)

중동지역의 일시적인 설탕주문 감소로 인하여 가격이 하락된것으로 분석, 설탕은 페르시아만 전쟁발발시 일시적으로 약세를 보인후 현수준으로 다시 회복될 것으로 전망

　4.기타 품목등 파악되는대로 계속 보고 위계임.

　(총영사-국장)

주 멕 시 코 대 사 관

멕 경 700 - 23   1991. 1 . 16.

수 신 : 장   관

참 조 : 미주 국장, 국제 경제국장

제 목 : 중미정상회담

    연 : MXW - 0054

1. 연호, 1.10-11간 주재국 TUXTLA GUTIERREZ에서 개최된 중미정상회담에서 주재국은
   국제원유가의 급등으로 인한 중미제국의 원유수입대금상환 부담을 경감하여, 각국의
   경제개발을 지원하기위한 방안의 일환으로 IDB의 공동자금지원을 통한 원유구입 대금
   상환을 내용으로하는 SAN JOSE 협약 강화방안을 제시한 바, 동 구체적 내용은 아래와
   같습니다.

   가. 배럴당 유가가 27불을 상회할 경우

       - 원유 수입국은 수입원유 대금의 30%를 멕시코 또는 베네수엘라에 의한 차관
         형식으로 자국의 경제개발 자금으로 자국의 중앙은행에 예치 5년간 활용함.

       - 나머지 70%는 IDB의 차관 형식으로 원유 수출국에 지불

   나. 배럴당 유가가 27불-17불 일 경우

       - 구입대금의 20%를 자국의 중앙은행에 예치

       - 나머지 80%는 IDB차관으로 지불

   다. 배럴당 유가가 17불 이하일 경우

       - 상기 SAN JOSE 협약상의 호혜상실

   * 현행 SAN JOSE 협약은 중미제국의 원유구입 대금중 20%는 경제개발 차관으로
     활용하되 나머지 80%는 원유수입국에 의해 즉시 변제토록 되어있음

                                                            03796   0025

2. 상기 중미정상회담 관련 주요신문 기사를 별첨과 같이 송부하오니 참고하시기 바랍니다.

첨 부 : 동 신문기사.   끝.
       (미주국 만)

주 멕 시 코 대 사

0026

New Oil Plan To Bring Relief

United Press International

TUXTLA GUTIERREZ — Five Central American nations will benefit from a contingency plan to compensate for oil price fluctuations and help finance their development projects.

Pedro Aspe, Mexico's finance secretary, said the government proposed a plan to give complete financing to Central American countries for oil purchases from Mexico and Venezuela.

The proposal would revise the 11-year-old San Jose Pact, under which Mexico and Venezuela sell oil to the countries at preferred credit terms, provided the savings are used for development projects.

The new plan proposes that if oil prices rise above 27 dollars a barrel, the five countries could deposit in their own central banks 30 percent of their oil payments. The remaining 70 percent would be financed by the Inter-American Development Bank, known as the IDB.

Currently, 20 percent of the payment is set aside in central banks as credit for development projects and the remaining sum is paid immediately to Mexico and Venezuela.

Money provided under the IDB and Mexico-Venezuela credits would also have to be invested in development projects. The countries would be required to repay Mexico, Venezuela and the IDB within five years.

If oil prices fluctuate between 17 dollars and 27 dollars a barrel, the IDB would finance 80 percent of the payment and the rest would be deposited in central banks, Aspe said.

Acuerdan México y Centroamérica crear una zona de libre comercio

- Negociación bilateral de las deudas • Llaman a la solución pacífica de los conflictos armados de El Salvador y Guatemala • Escala móvil de créditos para la compra de crudo

Enrique RAMIREZ CISNEROS, enviado

TUXTLA GUTIERREZ, Chiapas, 11 de enero.— Nuevos esquemas de financiamiento al desarrollo del área en el marco del Pacto energético de San José y la creación de una zona de libre comercio en el Istmo, "a más tardar en 1996", anunciaron los presidentes de México y Centroamérica al concluir su Reunión Cumbre con la "Declaración de Tuxtla Gutiérrez". Allí

acordaron la negociación bilateral de las deudas centroamericanas con México —en términos que permitan el crecimiento interno— y llamaron a una solución pacífica de los conflictos armados de El Salvador y Guatemala.

Las facilidades pactadas con México y Venezuela para la compra de petróleo incluyen la participación del Banco Interamericano de Desarrollo en el financiamiento de las adquisiciones centroamericanas, y establecen

una escalada móvil de créditos para la compra del crudo ante modificaciones agudas del mercado internacional.

En cuanto a la zona de libre comercio entre México y América Central —que podría extenderse a mediano plazo a Colombia y Venezuela—, se explicó su conformación de manera "recíproca y asimétrica", con lo que México efectuará una mayor apertura de su frontera dada la desigualdad de economías.

En la "Declaración de Tuxtla Gutiérrez" —texto de 14 cuartillas con 28 puntos específicos—, los mandatarios de México, Costa Rica, Guatemala, Honduras, Nicaragua y El Salvador, exhortaron a la integración latinoamericana y fijaron las bases del Acuerdo Económico Complementario, para equilibrar la balanza comercial del Istmo.

En el documento, los estadistas llamaron a los organismos financieros internacionales a colaborar con un plan de emergencia para la reconstrucción económica y social nicaragüense, y reiteraron su apego a los lineamientos internacionales determinados para el respeto a la dignidad humana de los inmigrantes.

Asimismo, las naciones participantes demandaron a los Estados Unidos elementos más específicos para definir contenido y alcances de la "Iniciativa para las Américas".

Al hacer un balance de la Cumbre, el presidente Carlos Salinas de Gortari apuntó que "con hechos estamos construyendo la Integración de México y Centroamérica; no con discursos ni con retórica, sino con acciones eficaces, dialogadas y que de inmediato se ponen en marcha". (**Más información en página 6, 7 y 8**)

0028

Violeta Chamorro, Jorge Serrano, Vinicio Cerezo, Rafael Calderón, Carlos Salinas, Alfredo Cristiani y Rafael Callejas firmaron ayer en Chiapas, el Tratado de Cooperación de Tuxtla, en el cual se pronunciaron por un sistema comercial internacional justo y equitativo. Foto de AFP.

Salinas To Ask For Central American Trade Agreement

The News Staff

The presidential press office announced Monday that all preparations have been completed for the summit meeting to be held Thursday and Friday in Tuxtla Gutierrez, Chiapas, with the attendance of the Central American presidents and Mexican President Carlos Salinas de Gortari.

In a press release, the office said the meeting is a reiteration of the Mexican government's goodwill to respond to the Central American nations' call for the consolidation of peace and better living standards in their countries.

President Salinas de Gortari is expected to ask his Central American counterparts to join a free-trade agreement based on technological support and the elimination of trade barriers.

The office also said that the Mexican-Central American summit is the opening of a new era of relations between those nations and Mexico at both bilateral and multilateral levels with a view toward strengthening regional integration.

Presidents Jose Angel Calderon Fournier of Costa Rica, Alfredo Cristiani of El Salvador, Vinicio Cerezo Arevalo of Guatemala and Violeta Barrios de Chamorro of Nicaragua have confirmed their attendance so far.

Unofficially, it was learned that the Central American presidents will ask for easier payment terms for the oil they get from Mexico and Venezuela under the San Jose Pact, also that they will ask for more supplies of oil.

0029

Modernizarán los Sistemas de Distribución y Comercialización de los Productos Pesqueros

Mientras que los habitantes del Distrito Federal consumen un promedio per cápita de 25 gramos de pescados y mariscos al día, la Secretaría de Pesca señala que con los nuevos sistemas de modernización comercial, de almacenamiento y de distribución de los productos del mar, se logrará en tres años los mexicanos logren un consumo per cápita de 20 kilogramos anuales en vez de los 15 que se registran.

De acuerdo con el presidente de la Sociedad Nacional de Introductores y Distribuidores de Pescados y Mariscos, Roberto Gutiérrez Ambriz, los residentes del Distrito Federal consumen 250 toneladas diarias, pero acepta que una importante cantidad se distribuye para toda la zona metropolitana, lo que reduciría notablemente el consumo per cápita.

De la misma manera, afirmó que el pueblo ha reducido notablemente su poder de compra por los salarios tan bajos y expresó que solamente en cuaresma la gente hace un sacrificio para consumir estos productos.

Durante el acto para iniciar la construcción del mercado al mayoreo de pescados y mariscos en la Central de Abasto, la secretaria de Pesca, María de los Angeles Moreno, sustentó que el programa de comercio interior de productos pesqueros pretende mejorar la dieta del mexicano con el aprovechamiento de las 150 especies marinas susceptibles de explotar en lugar de las 20 que se comercializan y que su agotamiento encarece el producto, así como mejorar la productividad y participación de quienes colaboran en la actividad pesquera nacional.

Se informó que la conclusión, en 15 meses, de la nueva central, la cual se levanta en una superficie de 9 hectáreas, donde quedarán ubicadas 258 bodegas, se convertirá en el centro distribuidor y comercializador de pescados y mariscos del país, en tanto que el actual mercado de La Viga desaparecerá.

La titular de Pesca añadió que el moderno mercado de mayoreo y la distribución

- *Transparencia de precios y mayor consumo, el objetivo*
- *En la Central de Abasto, el nuevo mercado al mayoreo*

física de las bodegas, obedece a la necesidad de garantizar la transparencia de precios; que el nuevo mercado se integrará de inmediato, al servicio nacional de información de mercados que opera la Secofi, y que al interior de las instalaciones, funcionará un sistema permanente de información de precios para los compradores.

Mediante una inversión privada de 42 mil millones de pesos, con apoyo financiero del 70 por ciento de Banpeco se levantará la primera nueva central en condominio, la que contará con frigoríficos, andenes de circulación peatonal, 55 bodegas de medio mayoreo en dos plantas, fábrica de hielo, depósito de basura de desechos y reciclables, cuatro comedores para empleados con capacidad de 50 personas cada uno, seis núcleos sanitarios públicos, edificio de oficinas, plaza con dos bancos y cuatro restaurantes.

0030

El Pacto de San José, sin Cambios, Advierte Fernando Solana

Propondrá México a CA Firmar un Acuerdo de Libre Comercio

- *Cinco presidentes de la región se reunián por 2 días en Tuxtla Gutiérrez, Chiapas*
- *En ningún caso será una cooperación condicionada "menos aún de carácter político"*
- *El acuerdo no fortalecerá ni debilitará el que iniciará el país con Estados Unidos*
- *Productos agrícolas, principal oferta de CA; podrían incluirse en una primera etapa*

Rebeca Lizárraga R.

México ha cooperado y lo seguirá haciendo con Centroamérica, pero en ningún caso será una cooperación condicionada a cuestiones de otro tipo y menos aún de carácter político, aseguró ayer el secretario de Relaciones Exteriores, Fernando Solana, en vísperas de la reunión de presidentes centroamericanos y de México, que tendrá lugar en Tuxtla Gutiérrez a partir de mañana jueves. Manifestó también que en esta reunión se firmará un acuerdo de libre comercio con Centroamérica, pero aclaró que este tratado no altera, ni fortalece ni debilita el otro, que se empezará a negociar con Estados Unidos.

Cooperamos con Centroamérica, dijo el canciller, porque sentimos que es un compromiso de un país mayor; cooperamos porque nos conviene, nos interesa, pero en modo alguno habrá una condicionalidad en la cooperación, y México está dispuesto a contemplar y a participar en otros esquemas de cooperación, manifestó. "De hecho, compartimos con Venezuela y Colombia también el programa de la Comunidad Europea, pero siempre que estos esquemas de cooperación no impliquen condicionalidad y menos aún de carácter político"

Asimismo, en esta reunión se firmará un Acuerdo General Marco de Cooperación entre los seis países. Ambos documentos van a estimular la economía de Centroamérica y del sudeste mexicano de modo significativo. Solana Morales dijo que con esta reunión se inicia una nueva etapa de las relaciones con Centroamérica.

Acerca del conflicto en el golfo Pérsico y su impacto en la zona, el canciller manifestó que en lo relacionado con el Pacto de San José, no habrá cambios de ninguna naturaleza en el suministro de hidrocarburos a los centroamericanos.

Cualquier acuerdo comercial a que llegue México con Centroamérica implicará una preferencia significativa para esos países. Habrá -dijo- una gradualidad: México abrirá mucho más rápidamente de lo que pediríamos que se abriera Centroamérica. "Sí queremos que Centroamérica avance también en un esfuerzo de aumentar su productividad y su eficiencia, pero México está dispuesto a abrir su mercado mucho más rápida y contundentemente para los productos centroamericanos de todo tipo".

La oferta principal de Centroamérica es la de productos agrícolas, y especialmente en algunos de los granos que México está importando, pensamos que ahí estaría el mayor volumen en una primera etapa. Pero eso no quiere decir -continuó- que sea un mercado más amplio; Centroamérica tiene 26 o 27 millones de habitantes en total; un mercado que sumado al de México nos permita desarrollar nuevas industrias, de diferente tamaño en Centroamérica, cosa que México verá con un enorme interés.

En otra parte de la conferencia de prensa, el canciller aseguró que la deuda externa de los países centroamericanos con México es de mil 400 millones de dólares. La deuda nicaragüense es la más importante, tanto para ese país como para México, aseguró.

Luego aseguró que el interés de México está en una Centroamérica mucho más estable, una Centroamérica en desarrollo, con una paz sólidamente establecida y en pleno ejercicio de su vida democrática, aseveró.

En otro orden de ideas, Solana Morales se refirió al proyecto de complementariedad energética que existe entre México, Colombia y Venezuela y que eventualmente abarcaría a Centroamérica. El Grupo de los Tres, dijo, se ha propuesto tener para este año estudios terminados tanto para el petróleo como para la energía eléctrica de origen hidráulico y el carbón. Hasta ahora, para este proyecto se han conseguido fondos del Banco Interamericano de Desarrollo para realizar estudios que ya están en marcha en este momento en los diferentes energéticos de la zona, no solamente para el petróleo, la energía eléctrica hidráulica, sino en el carbón.

Por otra parte, y a pregunta expresa, Solana Morales se refirió a la violencia en Centroamérica y dijo que este problema no es distinto, de alguna manera, de los problemas de desarrollo. Una economía en desarrollo ayuda a dar soluciones a los problemas de la violencia, que muchas veces vienen por situaciones sociales de injusticia, por situaciones políticas difíciles. Entonces, continuó, pensamos que cualquier situación que estimule la economía centroamericana, como estamos seguros va a ocurrir con el convenio de comercio que tenemos con ella, ayudará a resolver los problemas, también, de carácter político.

Con respecto a las actividades de la reunión de presidentes, Solana informó que se dividirá en tres partes: la primera se dedicará a las cuestiones de carácter político y general, como la paz en la zona, los avances democráticos, la cuestión del narcotráfico. En la segunda reunión, (el viernes en la mañana) se hablará de la cooperación en general: en materia educativa, cultural, tecnológica, agropecuaria, de salud y seguridad social. La tercera sesión se dedicará a cuestiones propiamente financieras y económicas; aquí hay tres grandes temas: los financieros, los comerciales y los de cooperación energética.

La Integración, Necesaria: Baena Soares; el BID, Dispuesto a Ayudar: Iglesias

Los Energéticos, la Mayor Preocupación de Centroamérica

México, que durante muchos años ha figurado como hermano mayor de los países de América Central, espera ahora enderezar la mala fortuna económica ofreciéndoles la posibilidad de un acuerdo de libre comercio en la región.

Costa Rica, El Salvador, Guatemala, Honduras y Nicaragua, a iniciativa de Carlos Salinas de Gortari, presidente de México, se reunirán este jueves y viernes en Tuxtla Gutiérrez, Chiapas.

"Hay una alta posibilidad de que se pueda llegar a la firma de un acuerdo que establezca tiempos y bases para caminar hacia un espacio de comercio francamente libre entre los cinco países y México", dijo Fernando Solana, canciller mexicano.

Baena Soares, secretario general de la Organización de Estados Americanos, que asistirá a la reunión invitado por el presidente de México, dijo que un acuerdo de libre comercio entre México y Centroamérica beneficiará a las partes y propulsará el movimiento integracionista latinoamericano.

Sin atreverse a asegurar que la "cumbre" resultará en la firma de acuerdos específicos opinó que la reunión "traerá ideas nuevas e importantes".

"Pienso, agregó el diplomático, que es un buen camino para la integración, ya que el mayor problema de centroamérica es el económico, porque todos sabemos que la democracia y la estabilidad necesitan de una paz económica y social".

El funcionario del Banco Mexicano de Comercio Exterior (Bancomext), manifestó que la cumbre centroamericana demostrará que el sureste mexicano puede ser el principal abastecedor de productos alimenticios en esa área de latinoamérica.

Dijo que la ampliación de clientes en Centroamérica reduciría los riesgos del desplome de las exportaciones mexicanas a consecuencia de una recesión económica en Estados Unidos, principal cliente del país.

Empero, ante la incertidumbre por una posible guerra en el golfo Pérsico, los presidentes centroamericanos pondrán mayor énfasis en un problema que ya comienza a hacer estragos en sus economías: el petróleo.

Las economías de la región, atadas a las importaciones de crudo, resintieron las fuertes alzas a los precios del petróleo desde la invasión de Irak a Kuwait el 2 de agosto.

Autoridades de Costa Rica, Honduras, El Salvador, Guatemala y Nicaragua han tenido que decretar aumentos impopulares a los precios de los combustibles lo que ha frustrado sus proyectos de contener la inflación.

El embajador salvadoreño en México, Rafael Meza Delgado, explicó la semana pasada que pedirá a México que incremente a 30 por ciento la cooperación a los países beneficiarios del Pacto de San José, en lugar del 20 por ciento actual destinado a proyectos de desarrollo.

Por su parte, el canciller de Costa Rica, Bernad Niehaus, dijo que se buscará el mantenimiento y ampliación del Pacto.

Por otro lado en Buenos Aires, Argentina, el presidente del Banco Interamericano de Desarrollo, Enrique Iglesias, consideró fundamental promover el desarrollo económico para consolidar la democracia en la región.

Agregó que el BID "está a las órdenes de esa iniciativa para colaborar en todos los aspectos en que pueda ser útil porque nos mueven los mismos propósitos".

"El BID ha sido el gran financiador de Centroamérica en toda su historia y sentimos la responsabilidad justamente de apoyar esta etapa en la que a la consolidación democrática hay que incorporarle el desarrollo económico para apuntalarla", señaló. (Notimex, Reuter, UPI)

0031

페灣 開戰 油價 얼마나 오를까

中東산유국별 하루석유생산량
(단위: 배럴)

이라크 40만 (사태전280만)
이스라엘
요르단
이란 330만
쿠웨이트 40만 (사태전160만)
中立지대 9만
사우디아라비아 850만
카타르 40만
UAE 235만
오만 70만

페灣전쟁의 開戰과 함께 국제原油價가 치솟기 시작했다. 原油價는 얼마나 오를까. 세계油價는 유엔의 결의를…

국제유가의 움직임은 전쟁의 開戰일인 16일을 넘기면서 배럴당 3~4달러 폭우될수밖에 없을 것 같다. 현재로선 단기戰이나 장…

한철수시한 16일을 넘기면서 양상에 따라 크게 좌우될수밖에 없을 것 같다. 현재로선 단기戰이나 장…

産油시설 被害크면 60달러線 예상

長期戰땐「제3의石油위기」닥칠듯

0032

〈李寅吉기자〉

오래끌면 경기침체 심각

페灣전쟁 따른 韓國·美國 경제 전망

油價폭등 경우 물가 15% 상승 韓國

戰費부담 막대… 短期戰땐 유리 美國

0033

정부는 페르시아灣에서의 전쟁이 1개월이상 끌 경우 올해 경제운용의 최대역점을 경제안정기반확보에 두어 성장을 다소 낮추더라도 인플레방지에 총력을 기울일 방침이다.

정부는 페灣에서의 전쟁이 이성장·물가·국제수지 등 모든 부문에 영향을 줄 것으로 보고 경제운용계획을 수정키로 했다.

정부는 특히 페灣에서의 전쟁이 1개월이상 끌 경우 국제유가가 배럴당 40~50달러이상으로 폭등할 때마다 3억7천만~3억8천만달러정도의 외화부담이 추가로 생기는

것은 물론 부문에 영향을 줄 것으로 보고 경제운용계획을 수정키로 했다.

파급효과도 커 소비자물가가 15%내외(당초8~9%목표)로 오를것으로 보고 있다.

또, 전반적인 세계경기 침체 및 수출부진으로 인해 당초 7%로 잡았던 실질경제성장률은 5%내외로 예상하고 있다.

정부는 당초 국내원유도입단가를·평균25달러로 잡고 연간 경상수지적자를 30억달러수준에서 억제할 계획이었다.

그러나 이경우 국제유가가 배럴당 1달러 상승할 때마다 서의 전쟁이 1~2주정도의 짧은 기간에 美國의 일방적인 승리로 끝날 경우 유는

방침인 승리로 끝날 경기 美國은 페灣전쟁이 단기전으로 끝나면 경제에 좋은 자극으로 보나 장기전으로 간다면 경기회복을 결정적으로 보고있다.

요원인인 위축된 소비심리를 부추김으로써 경기회복을 진작시킬수있을 것으로 보고있다.

전쟁은 대체로 전쟁特需를 일으켜 경기를 자극한다고 여겨져왔으나 6개월 이상 전쟁이 일어난다면 이같은 효과가 相殺될것으로 보고있다.

〈梁在燦기자〉

| 國際原油需給 및 價格動向 速報 |

（公館 報告 綜合）

1991.1.17.
外務部 國際經濟局

1. 油價

   o 戰爭期間과 規模에 따라 좌우되나, 戰爭勃發後 $50/B 선으로 暴騰하여
     戰爭中 $40/B 선을 유지하다 전후 $20/B 이하로 급락 가능

     - 多國敵軍이 단기간내 勝利할 경우, 91년 下半期中 $23/B 선으로 下落
       91년 平均 $35/B 선 전망

   o 그러나 이스라엘 參戰, 이집트 및 사우디등으로 紛爭 擴大 경우(油槽船
     페灣 通行곤란, 스에즈운하 폐쇄) 油價는 $50-$60불 超過狀態로 상당기간
     持續展望

   o 現物市場 油價動向

（단위 : $/B）

	90.7.31	8.31	9.28	10.9	12.4	91.1.3	1.15	1.16
Dubai	17.20	25.92	37.04	35.41	25.30	20.82	24.20	25.33
Oman	17.65	26.52	37.64	36.01	25.85	21.37	24.75	25.88
Brent	19.49	28.62	41.12	41.68	31.30	24.95	28.70	30.23
WTI	20.75	27.42	39.49	40.76	29.50	25.39	30.05	32.32

2. 各國의 對策

   o 불란서, 石油消費減縮 및 財政支出 동결

     - IEA 의 備蓄石油緊急放出 計劃實施 決定 경우 現 石油消費水準의 7%
      (125천B/D) 減縮

      · 同 措置 不充分時, 車輛通行制限, 配給制 實施등 追加對應檢討

     - 經濟成長率이 2% 수준으로 下落 예상되는 경우 ('91 목표 2.7%),
      약 40-50억불의 財政支出 凍結 추진

0034

o 臺灣, 현재 國內 民生用 石油製品 141일분의 在庫量 確保

  - 石油製品中 휘발유 在庫量이 3개월 미만, 非常配給制 實施시 휘발유가
    최우선 品目

o 濠洲, 配給制등과 같은 特別對策보다 國內價格의 彈力調整을 통한 消費抑制
  와 國內生産 促進으로 對處 計劃

3. 其他

o 91년 平均 油價 $35/B 선 전망시, 각국의 GNP 減少效果

  - 美國·佛蘭西 0.5%, 伊太利·日本 0.7%, 獨逸 0.8% 정도 減少 예상
    (과거 石油波動의 1/4 수준)

  - 이러한 經濟成長鈍化는 旣 沈滯局面에 들어선 美國, 카나다, 英國
    經濟의 어려움 加重

0035

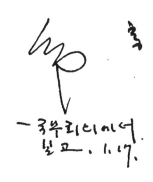

「폐」灣事態 特別對策委員會 運營方案

사본: 관계국
기획관리실
미주국
영사교민국
국제경제국
국제기구국
통상국

기획

1991. 1. 17

國務總理 行政調整室

0036

1. 페灣事態 特別對策 委員會

  가. 構　成

   ○ 委員長 : 國務總理
   ○ 委員(20) : 경제기획원, 통일원, 외무, 내무, 재무, 국방,
             법무, 상공, 동자, 건설, 보사, 노동, 교통,
             환경처, 공보처 장관, 안기부장, 비상기획위원장,
             경제수석비서관, 서울특별시장, 행정조정실장(간사)

  나. 機　能

   ○ 汎政府次元의 「페」灣事態 特別對策 樹立
   ○ 部處別 重要對策 推進狀況 点檢.調整

  다. 運　營

   ○ 戰爭 展開狀況에 따라 수시개최

2. 페灣事態 特別對策 實務委員會

  가. 構　成

   ○ 委員長 : 國務總理 行政調整室長
   ○ 委　員(20) : 경제기획원, 통일원, 외무, 내무, 재무, 국방,
             법무, 상공, 동자, 건설, 보사, 노동, 교통,
             환경처, 공보처 차관, 안기부제2차장, 비상기획
             위원회 부위원장, 청와대 경제비서관,
             서울특별시 부시장, 국무총리실 제2조정관(간사)

  나. 機　能

   ○ 部處別 特別對策 推進狀況 点檢
   ○ 特別對策 推進過程上 問題点 實務協議 調整
   ○ 外交.安保, 經濟, 社會紀綱, 弘報 등 4個分野別 對策班
    構成.運營

0037

다. 分野別 對策班의 主要業務

〈 外交.安保分野 〉

　ㅇ 外交網 非常體制 稼動 및 僑民 保護.撤收 措置
　ㅇ 早期警報 및 戰場監視活動 增加
　ㅇ 指揮統制體制 定期的 点檢
　ㅇ 긴밀한 韓·美 情報交流體制 維持

〈 經濟 分野 〉

　ㅇ 1段階 에너지 消費節約 對策 實施
　ㅇ 2段階 에너지 消費節約 細部推進對策의 段階的 實施
　ㅇ 주요 生必品 買占賣惜 단속반 稼動 및 政府備蓄物資 放出
　ㅇ 주요 生必品 및 工産品 最高價格制 實施 檢討
　ㅇ 輸出貨物 船積 圓滑化 및 主要 原資材 確保對策 實施

〈 社會紀綱 確立 分野 〉

　ㅇ 社會雰圍氣 鎭靜을 위한 社會 주체별 行動指針 發表 및
　　國民協調 당부
　ㅇ 不動産 投機, 料金 不當引上, 買占·賣惜등 經濟事犯 集中團束
　ㅇ 公職紀綱 確立 및 公明選擧 對策 推進

〈 弘報 對策 分野 〉

　ㅇ TV·新聞등 매스콤, 班常會를 통한 國民弘報 實施
　ㅇ 페灣事態의 敎訓, 정부의 對應策의 主要 內容, 國民각자가
　　·할 일 等
　√ㅇ 國務總理의 각계 指導層 人士와의 懇談會 開催
　　- 國民運動 團體長, 言論界, 宗敎界, 經濟界 등
　ㅇ 國務總理의 前方部隊 視察·激勵 및 弘報
　ㅇ 狀況展開 및 政府의 對備 態勢에 대한 記者 會見
　　- 安保狀況 및 對應姿勢 弘報

0038

※ 非常對應 機構 構成方案

페灣事態 特別對策 委員會

o 委員長 : 國務總理

o 위 원(19) : 경제기획원, 통일원, 외무, 내무, 재무, 국방, 법무, 상공, 동자,

  건설, 보사, 노동, 교통, 공보처 장관, 안기부장, 비상기획위원장, 경제수석

  비서관, 서울특별시장, 행정조정실장(간사)

페灣事態 特別對策 實務委員會

o 委員長 : 國務總理 行政調整室長

o 위 원(19) : 경제기획원, 통일원, 외무, 내무, 재무, 국방, 법무, 상공, 동자,

  건설, 보사, 노동, 교통, 공보처 차관, 안기부제2차장, 비상기획위원회 부위원장,

  청와대 경제비서관, 서울특별시 부시장, 국무총리실 제2조정관(간사)

※ 종합상황실 및 4개 분과대책반(외교·안보, 경제, 사회기강, 홍보) 구성·운영

페灣事態 綜合狀況室

o 構成(19)

- 실 장 : 국무총리실 제2행정조정관 (부실장 : 2행조실 담당 심의관)

- 반원(17) : 총리실 과장 5명(분과반장), 사무관 5명,

  관계부처 파견 공무원 7명(사무관급 5, 여직원 2)

o 運營

- 산하에 5個 분과반 構成하여 分野別 推進狀況 點檢

  ·종합, 외교안보, 경제, 사회기강, 홍보

- 戰爭勃發 前에는 總理室 職員만으로 運營(分科班別 每日 1回 會議開催)

- 戰爭勃發 後에는 綜合狀況室 別途確保·派遣勤務

- 「페」灣 動向 및 關係部處 推進狀況 日日 點檢·報告

- 3 -

0039

<　參考　> 「페」灣 事態 非常對應 體制圖

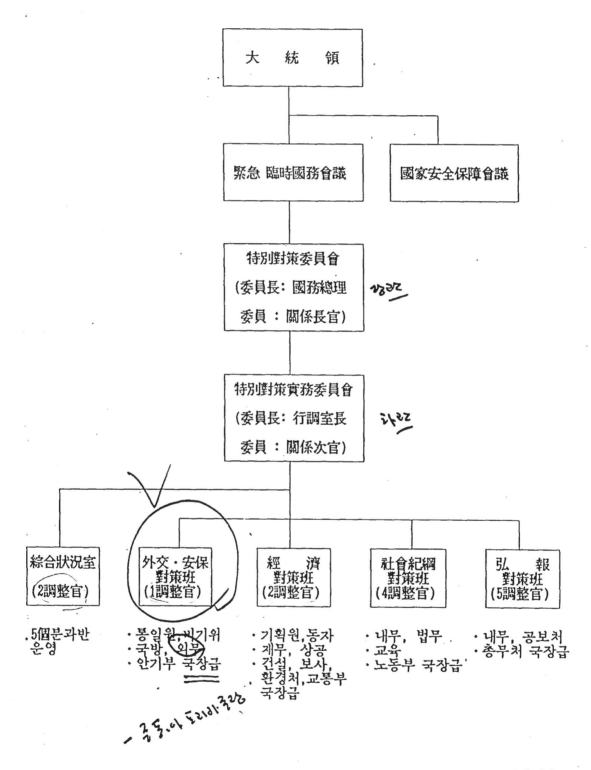

"페"灣戰爭勃發이
經濟에 미치는 影響과 對應方案

사법·경제1급
미주국

1991. 1. 17

기획

經 濟 企 劃 院

目 次

-1-

0042

〈報告의 要旨〉

― 이번의 "페"灣 戰爭이 世界經濟에 주는 衝擊과 우리經濟에
　 미치는 影響은 狀況展開의 推移에 따라 달라질 것이나

　　○ 短期間內에 戰爭이 끝날 경우에는 世界經濟에 미치는 影響이
　　　 最少化될 수 있기 때문에 우리로서도 短期對應策으로 그
　　　 衝擊을 吸收할 수 있으나

　　○ 만약 戰爭이 擴散되고 長期化될 경우 世界經濟는 萎縮되고
　　　 高油價가 相當期間 持續될 것이기 때문에 우리經濟도 심각한
　　　 影響을 받게 될 것임

― 따라서 狀況의 展開推移를 면밀히 주시하면서 각각의 狀況에
　 따라 적절히 對應할 수 있는 만반의 준비태세를 갖추어

　　○ 石油需給, 物價安定, 海外建設 등 즉각적으로 對應해야 할
　　　 問題에 대하여는 이미 각 部處가 樹立한 對策을 蹉跌없이
　　　 推進하면서

　　○ 事態가 長期化될 경우에 대한 對備策을 마련해서 國民들의
　　　 經濟的 不安이 最少化되도록 하겠음

―2―

0043

1. 豫想되는 狀況과 油價展望

- 向後 豫想되는 狀況과 그에 따른 國際油價展望은 大略
  다음 세가지로 생각할 수 있음

- 狀況 I : 10日以內에 사우디油田등의 큰 被害없이 多國籍軍의
  승리로 끝나는 狀況
  - O 戰爭期間중 油價는 배럴당 $40－$50 水準으로
    急騰하다가 戰爭이 끝나면 곧 $20을 약간 상회하는
    水準으로 安定

- 狀況 II : 戰爭이 1個月以內에 끝나는 狀況
  - O 사우디 등 隣接地域의 油田施設등이 破壞되어
    油田施設復舊에 2~3個月이 걸리고 輸送施設復舊까지는 約
    5個月이 所要
  - O 戰爭期間중 油價는 $40~$50, 油田施設復舊期間중에는
    $30~$35, 復舊가 完了되면 $20을 약간 상회하는
    水準을 維持

- 狀況 III : 戰爭이 3個月以上 長期化될 경우
  - O 中東全域으로 戰爭이 擴大되어 戰後 復舊에 約 5個月이
    所要
  - O 戰爭期間중 油價는 $60~$70, 戰後復舊期間중에는
    $40~$50, 復舊가 完了되면 $20을 약간 상회하는
    水準을 維持
  - O 이 狀況은 이스라엘이 參戰하는 경우로서 可能性이 크지
    않을 것으로 豫想됨

-3-

0044

2. 戰爭勃發 즉시 對應할 經濟關聯措置

狀況展開에 따라 措置해야 할 經濟關聯對策으로는 石油需給安定對策, 物價安定對策, 海外建設對策, 輸出 및 國際收支防禦對策, 景氣 및 國民生活安定對策 등 여러가지 있지만, 우선 戰爭勃發과 同時에 다음과 같은 對策은 각 部處가 旣樹立한 計劃에 따라 즉각 施行해 나감

가. 石油需給 安定對策

- 사우디·카타르·중립지대로부터 매일 國內需要量의 57%에 해당하는 547千배럴의 原油導入이 中斷될 것이나,
  - 政府備蓄原油 38百萬배럴과 精油社在庫 14百萬 배럴등으로 導入蹉跌分을 充當할 수 있으므로 우선 需給에는 問題가 없음

- 戰爭이 얼마동안 持續될지 豫測하기 어려우므로 다음과 같은 1段階 石油消費節約對策을 施行함
  - 自家用乘用車 및 專貰·觀光·自家用버스의 10부제運行을 實施하고
  - TV放映時間을 하루 두 시간씩 短縮하며
  - 大型네온싸인 使用을 全面 禁止하고
  - 大型 보일러에는 등유대신 경유를 供給하며
  - 非石油發電設備를 最大限 稼動할 것임

-4-

나. 物價安定對策

- 石油類 價格은 需給安定과 消費節約을 촉진하기 위하여
  可及的 迅速히 調整토록 하고,

- 國民不安心理 때문에 야기되는 一部 生必品에 대한
  사재기라든가 서비스料金의 동요등을 막기 위해 철저한
  對備策을 講究
  ○ 現在 政府가 推進하고 있는 物價安定施策을 蹉跌없이
    推進하고 특히 편승引上行爲는 모든 政府關聯機關이
    責任지고 對應해 나감

- 1/4分期중에는 地方議會選擧등을 勘案하여 通貨를
  物價安定에 도움이 되도록 安定的으로 供給해 나갈 것임

다. 海外建設對策

- 사우디 東部地域등 戰爭危險地域의 建設勤勞者는
  安全地域으로 대피시키되 戰爭終了時 즉각적인 工事再開가
  可能하도록 施設·裝備·資材등의 管理對策을 講究토록
  指示하였음

라. 船舶運航安全對策

- 戰爭保險에 加入하지 않은 船舶은 "페"灣地域內 運航을
  停止하고 있으며 可及的 이 地域 運航을 자제토록 하고
  있음

마. 對中東輸出 對策

- 對中東輸出中斷에 따른 被害業體에 대하여 貿易金融對應輸出
  不履行에 대한 制裁免除, 貿易金融 및 貿易어음의
  償還期間延長등의 支援을 實施함

-5-

3. 狀況別로 經濟에 미치는 影響과 對應方案

가. 10日 정도의 超短期戰으로 끝날 경우(狀況Ⅰ)

- 世界經濟는 昨年 8月 "페"灣事態發生以後 潛在되어 온 石油需給 및 油價 不安要因이 해소되고

  ○ 國際油價도 $20을 약간 상회하는 水準에서 安定될 것이기 때문에 先進國의 經濟回復을 앞당길 수 있을 것이며,

- 이에따라 國內經濟도 原油導入單價가 當初展望($25)보다 낮아지게 될 것이므로

  ○ 戰爭後의 安定的인 國際油價水準에 맞추어 國內油價 및 에너지 價格體系를 調整할 수 있을 것임

-6-

나. 1個月 정도의 短期戰으로 끝날 경우(狀況 Ⅱ)

1) 世界經濟에 미치는 影響

— 이미 下降局面에 처해 있는 先進國의 景氣가 더욱
鈍化될 展望이며

— 油價上昇에 따라 各國의 物價上昇이 커지고

— 戰爭費用 및 戰後復舊 資金所要 등으로 國際的인
高金利現象이 持續되고 各國의 증시도 沈滯될 것임

— 또한 環境面에서는 유전폭발로 大規模 火災가 發生할
경우 微細粉塵의 태양광선 차단으로 인한 氣溫下降現象
發生이 憂慮됨

2) 國內經濟에 미치는 影響

— 年中 平均油價가 經濟運用計劃樹立時 前提로 한
$25水準을 크게 상회하지 않을 것이기 때문에
  ○ 經濟成長은 輸出鈍化에도 不拘하고 當初展望한 7%
  水準達成이 可能할 것이며
  ○ 國際收支面에서는 對中東 輸出蹉跌과 世界景氣鈍化에 따른
  輸出蹉跌을 勘案하면 當初 展望했던 30億弗 赤字보다
  約 5億弗의 經常收支 赤字가 추가될 것으로 豫想
  ○ 物價는 心理的不安과 油價調整으로 管理上의 어려움이
  加重될 展望이나 賃金安定·消費節約등 國內的인 努力을
  철저히 한다면 한 자리수 物價達成도 可能할 것임

— 環境面에서는 高硫黃油 使用擴大가 不可避함에 따라
大氣汚染이 加重될 것으로 豫想

-7-

3) 經濟關聯 後續措置

가) 石油需給 對策
  - 戰爭期間 한달동안의 導入蹉跌物量(1日 547千배럴)은 現在
    國內로 輸送中인 29.6百萬배럴로 充當하고

  - 戰後復舊期間 5個月은 사우디등으로부터 50%의
    物量導入이 可能하다고 가정하면, 하루 274千배럴의
    導入蹉跌이 發生할 것이므로
    ○ 처음 2個月間은 정유사 재고 및 政府備蓄 物量의
      30%정도를 使用하여 導入蹉跌分을 補充하고
    ○ 그후 3個月의 導入蹉跌物量은 餘他地域 導入物量
      追加確保등 別途의 對策을 講究함

  - 自家用 홀짝수제 運行등 石油消費節約對策을 强化

나) 物價安定對策
  - 油價 및 에너지 價格上昇이 他物價에 주는 影響을
    最少化하면서 所得報償的 價格 引上心理를 철저히 봉쇄해
    나가기 위하여,
    ○ 편승 및 談合引上 品目에 대하여는 稅務調査의 實施와
      公正去來法에 의한 단속을 하고
    ○ 食料品 및 主要工産品價格의 需給 點檢體制를
      强化하면서 流通段階에 대한 철저한 감시로 사재기 및
      매점매석 行爲등을 强力히 단속하고,
    ○ 建築資材 需給등을 勘案하여 財政事業의 執行을 調節해
      나가며
    ○ 中央 및 地方政府의 行政力을 동원한 서비스料金
      단속을 强化해 나가겠음

-8-

0049

다) 輸出 및 國際收支 防禦對策

－ 中東 및 先進國에 대한 輸出蹉跌로 인해 經常收支赤字가
당초 30億弗에서 35億弗로 擴大될 것에 대비하여
國際收支 防禦를 위한 對策을 마련하되
○ 주로 戰爭이 終了된후 복구期間중 輸出活動을
積極的으로 뒷받침하는 方案을 講究함
○ 그러나 國際收支에 다소 어려움이 있더라도 直接的인
輸入規制등 通商摩擦을 유발할 可能性이 있는 措置는
止揚

－ 海外旅行에 대해서는 限時的으로 部分的인 制限方案을
講究하고
○ 個人送金 限度등도 限時的으로 縮小하는 方案 檢討

라) 景氣 및 國民生活 安定對策
－ 景氣回復은 戰爭復舊 이후의 輸出增大 努力등으로 이룩해
나가고 物價安定등을 勘案하여 내수경기를 진작시키는
政策은 止揚
－ 또한 不動産價格 및 집세안정을 위한 對策을 強化하고
主要生活必需品 需給圓滑化를 도모하고
－ 中東地域에서 戰爭危險을 避해 귀국한 僑民과 勤勞者들의
生活安定對策을 마련함

마) 環境保全對策
－ 大氣汚染度가 높은 겨울철에는 저유황유를 사용토록 하고
여름철에는 産業施設 및 發電施設에 한하여 고유황유를
사용토록 하며
－ 淸淨燃料인 LNG사용을 擴大하고 脫黃施設의 早期完工 및
擴大를 推進함

－9－

0050

걸灣 戰爭에 따른 特別 石油需給 對策

사본 : 경제국

기획실

1991. 1. 17

動 力 資 源 部

0051

目 次

0052

1. 페灣 戰爭 勃發 및 國際石油市場 動向

　가. 페灣 戰爭 勃發

　　ㅇ '91年 1月 17日 09:00時(韓國時間)를 期하여 페灣戰爭
　　　 突入(사막 暴風 作戰)

　　ㅇ 美 부시大統領은 1月 17日 11:00時(韓國時間)에 對國民
　　　 聲明書 發表

　나. 國際 石油市場 動向

　　ㅇ 戰爭 勃發과 함께 國際 石油現物市場은 크게 동요되고
　　　 現物價格은 暴騰勢를 보임

　　ㅇ 사우디를 비롯 隣接 産油國으로 부터 아직까지 原油
　　　 供給 中斷에 대한 公式 通報는 없음

- 1 -

2. 우리나라 原油需給에 미칠 影響

```
┌─【 基本   前提 】─────────────────────────────┐
│                                                      │
│   ㅇ 戰爭地域이 當事國外에 페灣 一部地域으로 擴散      │
│                                                      │
│      - 사우디. 中立地帶. 카타르의 石油輸出이 全面 中斷  │
│                                                      │
│   ㅇ 戰爭은 1個月 內에 終結될 것이며, 戰後 石油生産施設  │
│                                                      │
│      被害 復舊에는 最小限 5個月 所要                   │
│                                                      │
│      - 戰爭期間 : 戰爭地域으로 부터의 原油導入은 全面 中斷 │
│                                                      │
│      - 復舊期間 : 平均 50% 水準의 導入만 可能          │
│                                                      │
└──────────────────────────────────────────────┘
```

ㅇ 戰爭期間(1個月):戰爭地域으로 부터 長期契約分(288千B/D)과

　　　　　　　　　現物 導入分(259千B/D)의 全量導入中斷

ㅇ 復舊期間(5個月):被害復舊中 戰爭地域으로부터 50% 水準의 長期

　　　　　　　　　契約分(144千B/D)과 現物 導入分(130千B/D)만

　　　　　　　　　導入 可能

【 原油導入 蹉跌(船積基準) 】

(單位 : 千B/D)

區　　分		長期契約	現物導入	計	備考(導入中斷比率)
原油 所要		708	259	967	-
導入蹉跌	戰爭中	①288	259	547	56.6 %
	復舊中	144	130	274	28.3 %

註 : ① 長期契約分 導入中斷(사우디 175, Caltex 95, 카타르 18)

- 2 -

0054

3. 石油需給 特別對策

[基本方向]

ㅇ 原油導入不足分은 精油社 在庫 및 政府備蓄分을 活用 對處
  → 越冬期 需給安定을 위하여 國內精製施設의 正常稼動

ㅇ 消費抑制를 위한 段階別 需要管理 對策을 推進하여 伸縮對應

ㅇ 必要時 國內石油類 價格 調整으로 消費 抑制 强化

ㅇ 非常石油需給特別對策委를 日日 點檢體制로 轉換, 運營

ㅇ 戰爭이 長期化되어 製品需給의 蹉跌이 發生時 主要油種의
  配給制 實施

가. 原油需給對策

ㅇ 原油保有現況 ('91.1.16現在) : 80.2百萬B

【 石油 保有 現況 ('91.1.16 基準) 】

	政府備蓄	精油社在庫	輸送中物量	合 計
原 油 (百萬B)	38.0	14.8	27.4	80.2
製 品 (百萬B)	1.8	19.5	4.6	25.9
計 (百萬B)	39.8	34.3	32.0	106.1
持續日數 (日)	35	30	28	93

註 : 持續日數('91年 計劃 1,146千B/D 基準)

ㅇ 戰爭以外의 地域으로부터 原油導入이 順調로울 경우,
  旣保有 精油社 在庫 및 政府 備蓄油를 活用하여 180日分의
  正常需要 充當 可能

ㅇ 段階別 備蓄油 活用計劃

  ┌1段階(戰爭期間 1個月) : 導入輸送中인 物量으로 充當
  ├2段階(復舊期間 2個月까지):政府備蓄 및 精油社在庫 活用(70:30)
  └3段階(復舊期間 2個月지난後) : 原油確保 狀態를 勘案 備蓄油
                              使用計劃 再樹立

- 3 -

0055

나. 石油消費 抑制對策

o 備蓄油를 活用, 國內 精製施設을 正常 稼動하여 國內生産에는
  蹉跌이 없으나, 製品輸入이 全面 中斷되어 一部 油種(燈油,
  프로판)의 不足 發生

【 '91.1~3月 越冬期中 製品需給 判斷 】

(單位 : 百萬B)

區　　分	揮發油	燈油	輕油	B-C油	프로판	全油種
總　需　要	6.7	14.3	28.2	36.6	7.9	116.8
供　　給	7.9	13.3	35.8	43.3	7.6	129.4
過　不　足	1.2	△1.0	7.6	6.7	△0.3	12.6
需要對比	-	△7%	-	-	△3%	+11%

o 消費抑制를 위한 段階別 主要措置

```
1段階 措置 : 戰爭 勃發時
```

- 非常局面을 克服하기 위한 總體的 節約 施策을 講究

  . 自家用 10部制 實施
  . 專貰,觀光,官用버스 10部制 實施
  . TV 放映時間 短縮 (2時間)
  . 大型 네온사인 使用 全面 禁止
  . 非石油發電 設備의 最大 稼動

```
2段階 措置 : 長期化 조짐 또는 國內需給의 蹉跌 우려시
```

- 需要抑制 施策의 強化

- 揮發油 쿠폰제 또는 車輛 2部制 實施

- 燈油 配給制 實施 檢討

- 部分的인 制限 送電 實施 檢討

  ※ 實際狀況에 따라 伸縮的으로 對應

- 4 -

0056

다. 國內油價 管理 方案

ㅇ 戰爭 勃發時 國際 原油價格은 暴騰 展望

區 分	韓國에너지經濟研究院	日本에너지研究所
戰爭期間	50-60 $/B	40-50 $/B
復舊期間	30-35 $/B	30-40 $/B

ㅇ 段階別 對應 方案

【 1段階 】 必要時 石油消費 抑制를 위하여 國內石油價格 調整

　　- 調整 基準 : 戰爭 終結後 豫想되는 原油價 水準으로 國內油價
　　　　　　　　引上調整 (23 $/B 基準時 約 20% 水準)

【 2段階 】 戰爭의 長期化로 繼續 高油價 持續될 경우에는
　　　　　　追加的인 油價調整을 檢討

- 5 -

4. 1段階 消費節約施策 實施

가. 輸送手段의 運行制限

ㅇ 適用對象 : 非事業用 乘用車

專貰, 觀光, 自家버스

官用 및 公共機關用 車輛

- 例外 : 緊急自動車 (道路交通法施行令 第2條), 外交官用

言論報道用 및 障碍者用 車輛 등

ㅇ 運行制限方法 : 10部制 實施

- 車輛番號의 끝숫자와 같은날자에 車輛運行 禁止

(例:1月25日 경우 車輛 끝番號가 5인 車輛의 運行禁止)

- 運行制限 違反時는 過怠料 10萬원 賦課

ㅇ 施行期間 : 1991年 1月   日 00:00 時 부터 別途公告時

까지 (國務會議 議決)

- 단, 구정特別 輸送期間은 例外

ㅇ 適用地域 : 全國 일원

ㅇ 根據規定 : 自動車 管理法 制24條 (自動車의 運行制限)에

의한 運行制限 公告

- 6 -

0058

나. TV 放映時間 短縮

ㅇ 放映時間 調整으로 하루 ~~2時間 短縮~~ 24정도

	從 前	調 整	短縮時間
午前	06:00~10:00	07:00~09:30	1時間30分
午後	17:30~24:00	18:00~24:00	30分

ㅇ 施行期間 : 1991年 1月 ■日 00:00 時 부터 別途公告時

　　까지

ㅇ 根據規定 : 行政指導(公報處)

다. 大型 네온사인 및 電子式 電光板 使用 全面禁止

ㅇ 對 象 : - 野立, 屋上 또는 建物의 벽면등에 設置하며 特定

　　　　　商品이나 會社를 宣傳하기 위한 廣告物

　　　　- 言論機關에서 使用하는 電子式 電光板

ㅇ 施行期間 : 1991年 1月 17日부터 別途公告時까지

ㅇ 根據規程 : 電氣事業法 第22條에 의한 動力資源部 告示

라. 全國 街路燈 隔燈制 實施

ㅇ 對　　象 : 市道가 設定한 特別한 地域을 除外한 道路의 全國

　　　　　街路燈

ㅇ 施行期間 : 1991年 1月 17日부터 別途公告時 까지

ㅇ 根據規定 : 行政指導(市·道知事)

- 7 -

0059

마. 家庭用 大型보일러에 燈油販賣規制

　　ㅇ 對　　　象 : 家庭用 大型煖房보일러

　　ㅇ 販賣規制 : 油槽車에 의한 燈油販賣 禁止

　　ㅇ 施行期間 : 1991年 1月 17日부터 3月末 까지

　　ㅇ 根據規定 : 石油事業法 制17條 (石油需給등의 調整)에
　　　　　　　　　 의한 調整命令

바. 既 推進中인 節約施策의 徹底 履行

　　ㅇ 産業體의 自體 에너지管理委員會 活動強化로 에너지 浪費
　　　要因 除去

　　ㅇ 建物의 室內 溫度 基準 徹底 遵守
　　　- 겨울철 : 18℃ ～ 20℃ 維持

　　ㅇ 各種 節電 施策의 推進
　　　- 事務室·工場의 백열등 使用 禁止
　　　- 1業所當 2個以上 간판 使用 禁止
　　　- 昇降機 격층제 徹底 運行
　　　- 建物의 室內消燈 強化(복도 1/2, 外出時 完全消燈)

　　ㅇ 에너지·물 多消費 業體의 週 1回 休日制 徹底 履行

- 8 -

0060

분류번호	보존기간

발 신 전 보

WUS-0189   910117 1802 AO

번 호 : _____   종별 : 긴급

수 신 : 주 수신처 참조   대사//총영사

WUK -0118	WJA -0239
WSG -0038	WNY -0094

발 신 : 장 관 (중근동)

제 목 : 페만 전쟁

　　　　페만 전쟁과 관련, 원유 수급정책 수립에 긴요하니 세계 유가
동향을 파악되는 대로 수시로 보고 바람. 끝.

　　　　　　　　　　　　　　(중아국장 이 해 순)

수신처 : 주 미, 영, 일, 싱가폴, 뉴욕 대사

1991. 12. 12에 예고문에
의거 일반문서로 재분류됨

보 안 통 제 2L

앙고재	91년 1월 17일	기안자 성명		과 장		국 장		차 관 장 관		
	중근동과			7L		전결		7H		외신과통제

0061

외   무   부

종   별 : 초긴급

번   호 : USW-0238   일   시 : 91 0117 0056

수   신 : 장 관(대책반,기협,통일,중근동,미북,기정)

발   신 : 주 미 대사

제   목 : 미 석유 전략 비축분 방출 결정(제 9신)

　　1.금번 대 이락 공격 개신 관련,부쉬 대통령은 석유 전략 비축분 (6천억 배럴)을 1일 100만배럴씩 방출 조치토록 관련 부서에 지시하였다함.

　　2.한편, 당지 방소 보도에 따르면 북해산 BRENT유는 배럴당 2불이 하락, 27불에 거래가 형성되고있다함.

　　(대사 박동진-국장)

공란	국제경제국	에너지자원과	담당	과장	심의관	국장	차관	장관

대책반 정와대	장관 종리실	차관 안기부	1차보 동자부	2차보	미주국	중아국	경제국	통상국

외 무 부

종 별 : 지 급

번 호 : BUW-0016　　　　　　　　　일 시 : 91 0117 1700

수 신 : 장관(중근동,아동,정일,기협)

발 신 : 주 브나이 대사

제 목 : 페만전쟁발발

1. 페만에서의 전쟁발발과 관련 주재국정부는 상금 공식성명이나 코멘트를 발표치 않고있으며 1.14. 외무부내에 관계부처(종교부, 채신부, 보건부, 재무부, RBA 항공사)로 구성된 페만 비상대책본부를 설치하여 페만사태관게 정보수집과 사우디, 오만및 애급에 체류중인 자국민의 철수및 보호 대책수립 시행을 담당케하고있음.

2. 주재국 외무부는 상기 3 개국에 체류중인 브루나이공관원 가족 32 명을 기철수시켰음.

3. 주재국은 페만사태후 일산 15 만배럴을 약간상회(일 2 천배럴)하는 수준의 원유를 생산 (70 만배럴증산)한바, 아세안 석유안전협정에따라 비산유회원국에 현물시장판매분을 최우선 수출할 계획이라함. 끝

(대사허세린-국장)

예고:91.6.30

1991. 6.30. 에 대피관세

선거 일 재고 재보류

공람	국제경제국	년월일	담 당	과 장	국 장	차관보	차 관	장 관

중아국　　장관　　차관　　1차보　　2차보　　아주국　　경제국　　정문국　　청와대
총리실　　안기부　　동자부

외 무 부

종 별 : 지 급

번 호 : JAW-0235

일 시 : 91 0117 1650

수 신 : 장관(경일,봉이,기협,아일,중근동,상공부,동자부)

발 신 : 주 일대사(경제)

제 목 : 페만 전쟁발발에 따른 경제관계 보고(1)

1. 다국적군의 이라크 공격에 따른 일본의 경제관련 동향을 하기 보고함.

가. 환율 및 주가

0 1.17. 오전 136 엔 40 전에서 135 엔 80 전, 오후 종가 134 엔으로 전일대비 2 엔이상 엔화가치 상승

0 동경 증권거래소 평균주가(1.17 종가)는 전일 종가대비 1004 엔 상승한 23,446 엔 81 전으로 주가가 상승

나. 원유가

0 동경시장에서 거래되는 표준유가는 오전에는 WTI 3 월 인도분이 바렐당 전일비 3.45 불 인상되었으나 오후에는 바렐당 전일비 1.55 불 하락

0 주재국 에너지 소식통들에 의하면 원유가의 동향은 1.17 개장예정인 뉴욕현물시장의 추이에 영향을 받을것으로 예상된다함.

다. 분석

0 당초 전쟁이 발발하면 달러화 상승, 주가하락, 원유가 급등할 것이라는 예상과 달리 엔고 및 주가의 상상, 원유가의 안정추세가 계속되고 있는것에 대해서, 주재국 언론들에서는 군사충돌이 이전부터 예견되어 왔었기 때문에 이미 이러한 요소들이 가격에 반영이 되었기 때문으로 분석하고 있음.

0 또한 현상태에서는 무력충돌이 단기간에 종결되리라고 예상하여, 엔화매입, 달러화 매각의 추세가 진행되고 있는 것으로 분석하고 있음.

2. 한편, 통산성 관계자에 의하면 일본이 원유수입의 6 할 이상을 중동지역에 의존하고 있기는 하나, 분쟁이 단기 종료될 경우에는 하기에 비추어 일본경제및 국민경제에 큰 영향을 미치지 않을것으로 판단하고 있다함.

0 일본은 현재 정부에서 142 일분, 민간회사에서 81 일분의 석유를 비축하고

경제국 정와대	장관 총리실	차관 안기부	1차보 상공부	2차보 동자부	아주국	중아국	경제국	통상국

PAGE 1

91.01.17 17:29

외신 2과 통제관 BW

0064

있는바, 일본정부는 금일 전쟁발발직후 우선 민간회사가 보유하고 있는 81 일분의 석유비축분중 4 일분에 달하는 232 만 KL 를 방출하여 가격인상 방지책 실시

0 민간 석유회사에 대해서는 현물시장에서의 원유 매입 자제 및 유가 상승시의 가격편승 인상행위를 방지하기 위한 가격감시 활동을 강화

3. 일본의 아라비아 석유사가 보유하고 있는 사우디아라비아의 카후지 유전(쿠웨이트 국경 남방 18KM)의 석유저장 탱크가 1.17 당지시각 11 시경 로켓탄에명중되어 소실되었다고 함.

4. 사태 진행에 따른 진전사항 수시 보고예정임.끝

(대사 이원경-차관)

예고:91.6.30. 까지

1991 . 6 .30 .에 예고분데
의거 일반문서로 재분류급.

외 무 부

종 별 : 지 급

번 호 : JAW-0240   일 시 : 91 0117 1832

수 신 : 장관(경일,통이,기협,아일,중근도,상공부,동자부)

발 신 : 주 일대사(상무관)

제 목 : 페만전쟁 발발에 따른 경제관계 보고(II)

연:JAW-0235

1. 봉산성은 1.17. 페만사태에 따른 종합적 긴급대책을 강력히 추진하기 위해 봉상대신을 본부장으로 하는 "중동위기 대책본부"를 설치하고, 그 산하에 경제대책위원회 및 에너지 대책위원회를 설치함(설치내용 별첨)

2. 동성은 페만사태에 따른 국민경제, 국민생활에의 악영향을 최소화하기 위해 아래와 같은 조치를 취하기로 함.

-아래-

가. 에너지 대책

0 석유비축법에 의한 비축의무량 조정

- 2 월말 까지 의한 비축의무량 조정

-2 월말까지 의무량을 현재 82 일 분에서 78 일 분으로 줄여 석유가의 안정유지

0 원유가 앙등시의 구입자제 요청 및 가격 감시

-국제석유시장 및 국내석유제품가의 앙등 방지를 위해 주요 석유회사등에 지침시달.

0 성에너지 대책의 추진 철저

-실내온도 20 도 이하의 유지, 주요 방송사의 방영시간 단축등의 대책실시.

나. 경제대책

0 수급. 가격 부문

-수급. 가격 감시체제를 강화함과 아울러 봉산성내에 가격등 상담창구를 설치코, 필요시 동성직원에 의한 실사를 병행실시

0 경제동향 파악 및 대국민 대응

-산업동향 조사를 기동적으로 실시하면서 특히 중소기업에의 영향에 대하여충분한

경제국 청와대	장관 총리실	차관 안기부	1차보 상공부	2차보 동자부	아주국	중아국	경제국	통상국

PAGE 1

공람	국제경제국	년 월 일	담 당	과 장	국 장	차관보	차 관	장 관

91.01.17   19:05

외신 2과 통제관 BW

0066

주의를 경주

3. 이외에도 전쟁이 장기화될 경우에 대비 물가앙등 및 인플레심리 확산 방지를 위해 "국민생활 안정 긴급조치법", "생활 관련 물자에 관한 매점.매석 방지법"의 발동여부와 무역과 관련한 대중동지역 수출물품에 대한 무역보험의 신규 접수 정지조치가 검토중임. 동 조치의 대상은 이라크의 공격을 받은 국가 및 중동지역에서 전부에 말려들 가능성이 큰 주변국가가 포함될 것인바 봉산성의 컨트리리스트 위원회가 금명간 이를 결정케 될 것임.

4. 한편, 페만사태와 관련 일 산업계는 동 지역에서의 플랜트 및 합작부자사업 추진에 큰 영향이 미칠 것으로 우려하고 있는바, 일본의 대중동 무역액은 년 350 억달러로서 전체 무역액의 7 프로를 점하고 있음. 미쓰비스, 마루베니등주요상사는 금일부터 임시대책본부를 본사에 설치코, 현지 주재원의 대피 상황등을 점검중임.

5. 현재 중동지역에 추진중인 대형사업으로서는 치요다 화공의 250 억엥 규모의 이르크 소재 제유소 건설, 미쓰비스 중공 1,500 억엥 규모의 쿠웨이트 비료공장 건설을 수주받고 있고, 미쓰이 조선이 에칠렌 공장을 1,000 억엥에 수주받고 있는 상태임.

(첨부)

봉산성의 페만사태 대책본부 설치

1. 조직 및 구성원

0 본부장: 대신

0 부본부장: 정무차관 2 명, 사무차관

0 본부원

봉산산업심의관, 관방장, 총무심의관, 기술총괄심의관, 봉상정책국장, 무역국장, 산업정책국장, 상무유봉심의관, 입지공해국장, 기초산업국장, 기계공보산업국장, 생활산업국장, 공업기술원장, 자원에너지청장관, 특허청장관, 중소기업청장관

(사무국:대신관방총무과장, 기획실장 및 회계과장)

2. 경제대책위원회 및 에너지 대책위원회

0 경제대책위원장: 산업정책국장

0 에너지대책 위원장: 자원에너지청 장관

(서무: 대신관방 총무과). 끝.

(공사 이한춘-국장)

종　별 : 초긴급

번　호 : USW-0240　　　　　　　　　　　　일　시 : 91 0117 0325

수　신 : 장관(대책반,기협,통일,중근동,미북,기정)

발　신 : 주미대사

제　목 : 페만 개전 관련 경제 동향(제 11신)

　　연: USW-0238

　　1. 연호 2항 관련, 당지 CNN 방송은 1.17 02:00 뉴스를 통해, 북해산 BRENT 유가 계속가격 하락 추세를 보이고 있으며,현재는 배럴당 25.25불에 거래되고 있다고 보도함. 또한 현물 석유시장의 유가도 계속 하락 추세를 보이고 있다함.

　　2.한편 동경 증권 시장의 주가도 미국의 공습보도 직후에는 폭락세를 보이다가,현재는 상승세로 반전하고 있다함.

　　(대사 박동진-장관)

공람	국제경제국	선 인 인	단	단	과 장	국 장	차관끄	차 관	장 관

대책반　　2차보　　미주국　　중아국　　경제국　　통상국　　안기부

외   무   부

종   별 : 지   급

번   호 : USW-0255   일   시 : 91 0117 1507

수   신 : 장관

발   신 : 주 미 대사(중근동,기협,미북,경일)

제   목 : 유가동향 및 경제지표

대:WUS-0189

금 1.17(목) 11:00 현재 유가 및 기타 경제지표는 아래와 같음.

1.원유가격 (뉴욕 상품시장)

0 베럴당 23.09불(전일대비 7.50불 하락)

2.DOW JONES 지수

0 2,592.32 (전일대비 83.41. 상승)

3.금

0 온스 당 377불(전일 대비 27불 하락)

(대사 박동진- 국장)

걸프사태 : 국제원유 수급 동향, 1990-91. 전6권 (V.5 1991.1.15-31)   239

외 무 부

종 별 :

번 호 : CHW-0101 일 시 : 91 0117 1730

수 신 : 장관(기협,아이)

발 신 : 주 중 대사

제 목 : 페만사태(3)

연:CHW-0089

주재국 경제부는 페만전쟁 발발로 인한 국내물가 폭등에 대비한 '물가안정유지 6개항 조치'를 1.16.부터 실시키로 하였는바 동 내용 다음과 같음.

1.91.1.16.부터 물가조사 담당요원을 각 시장에 부정기 파견, 시장동태 파악

2.각 조합에 가격인상 금지통고 및 위반시 '공업단체법' 또는 '상업단체법' 등 관련 규정에 의한 처벌

3.시장거래질서 감독강화 및 인위적 물가인상 사례방지

4.구정북수등을 감안 주요 민생물자의 안정공급 도모

5.주요물자 유통현황을 수시 파악, 부족사태 또는 가격앙등 징후가 보일시 수출금지 혹은 수입관세 인하를 통한 안정공급 도모

6.소비자에 대한 시장물가 정보의 신속, 정확한 전달로 물가인상 심리해소. 끝

(대사 한철수-국장)

경제국	장관	차관	1차보	2차보	아주국	미주국	정문국	정와대
총리실	안기부							

외 무 부

종 별 : 긴 급

번 호 : SGW-0026　　　　　　　　　　　일 시 : 91 0117 1940

수 신 : 장관(중근동, 아동, 대책반)

발 신 : 주 싱가폴 대사

제 목 : 페만전쟁(유가동향)

　　대: WSG-0038, WAAM-0003

　　페만전쟁 발발에 따른 당지 유가동향을 아래 보고함.

　　1. 두바이산 원유:

　　작 1.16. 종가가 배럴당 25.40 불이었으나 금 1.17. 09:00 26 불로 개장되었다가
10 시경부터 하락하기 시작하여 14:30 에 LIMITED DOWN 으로 22 불까지 하락함으로
인해 거래가 중단되었음.

　　2. 벙커 C 유(HSFO)

　　작 1.16. 종가는 2 월분이 톤당 177 불, 3 월분이 163.5 불이었으나 금 1.17.
오전 196 불과 173 불로 각각 개장되었다가 계속 폭락, 18:00 현재 137 불과 117 불로
각각 폐장되었음. 끝.

　　예고: 91.12.31. 까지

접 보 존(1991. 6. 30.) ⊙

공 람	국 제 경 제 국	년 원 일	담 당	과 장	국 장	차관보	차 관	장 관

중아국　　장관　　차관　　1차보　　2차보　　아주국　　정와대　　안기부　　대책반

91.01.17　21:14

외신 2과 통제관 CF

0071

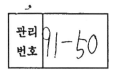

외 무 부

원 본

종 별 :

번 호 : THW-0089

일 시 : 91 0117 1430

수 신 : 장 관(기협)

발 신 : 주 태 국 대사

제 목 : 아세안 석유 안전 협정

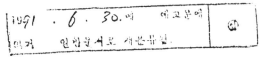

대 : WTH-0016

대호 정참사관이 1.16 RONARONG 외부성 아세안국 부국장은 면담, 파악한 요지 아래 보고하며 협정사본은 금파편 송부하였음

1. 금년 1 월초 마닐라에서 개최된 아세안 정유회사대표 회합의 주요목적은 아세안 석유안전협정 제 2 조 2 항에 명시된 석유수출회원국이 보유하고 있는 원유(또는)석유제품 지분의 10%를 에너지수급에 차질을 빚고있는 회원국에 지원하기 위한 방안협의에 있었다고함

2. 상기 회의에서는 걸프사태로 인하여 태국 및 필리핀의 원유확보량이 국내 수요의 80% 또는 그이하로 떨어질경우, 인니, 말련 및 브루나이 3 국이 아래와 같이 자국산 원유를 태국및 필리핀에 제공해 주기로 아세안 회원국간에 합의되었다고함

0 인니의 원유 공급물량 : 80,000 B/D

0 말련의 원유 공급물량 : 60,000 B/D

0 브루나이의 원유 공급물량 : 10,000 B/D

3. 상기 물량을 태국 및 필리핀 양국에 어떻게 나누어 줄 것인지에 대해서는 마닐라 회의에서 합의되지 않았다고 하며 이들 양국의 원유 부족상황에 따라 신축적으로 대응할 것이라고함

4. 상기 회의에서는 태국 및 필리핀에 긴급공급될 원유의 가격은 결정하지 않고 추후 협의키로 하였다고함

5. 걸프사태가 더악화되어 원유수입량이 격감할 경우에는 에너지 소비절약을 하는수 밖에 없을 것이라고함. 태국은 전체에너지 수요의 60%를 해외에서 수입하며 40% 는 자체생산 석유 및 천연가스등으로 충당하고 있다고하며 해외에서 수입하는 60%는 거의다 중동산 원유에 의존하고 있다고함

경제국   차관   2차보

공람	국제경제국	년월일	담 당	과 장	국 장	차관보	차 관	장 관

PAGE 1

91.01.17   21:50

외신 2과 통제관 CF

0072

(대사 정주년-국장)
예고 : 91.6.30 일반

주 태 국 대 사 관

관리
번호 91-55

태정 720-44   1991. 1. 17.

수신   외무부장관

참조   국제경제국장

제목   아세안 석유안전협정

대: WTH-0016

대호 ASEAN Petroleum Security Agreement사본을 별첨과 같이 송부합니다.

첨부: 상기 협정사본 1부.   끝.

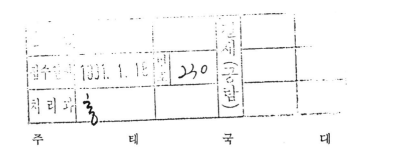

접수일자 1991. 1. 18   230

처리과 홍

주   태   국   대   사

ASEAN PETROLEUM SECURITY AGREEMENT

THE GOVERNMENTS OF BRUNEI DARUSSALAM, THE REPUBLIC OF INDONESIA, MALAYSIA, THE REPUBLIC OF THE PHILIPPINES, THE REPUBLIC OF SINGAPORE AND THE KINGDOM OF THAILAND, being members of the Association of South East Asian Nations, hereinafter referred to as ASEAN:

REFERRING To the Agreement on ASEAN Energy Cooperation signed at Manila, Philippines, on 24 June 1986.

CONSIDERING that the establishment of a petroleum security agreement among ASEAN Member Countries will contribute to the strengthening of the economic resilience of the individual Member Country as well as to the economic resilience and solidarity of ASEAN;

HAVE AGREED on the following provisions :

ARTICLE I

ESTABLISHMENT OF THE ASEAN EMERGENCY
PETROLEUM SHARING SCHEME

The Governments of the ASEAN Member Countries hereby agree to establish the ASEAN Emergency Petroleum Sharing Scheme for crude oil and/or petroleum products in times/circumstances of both shortage and oversupply.

0075

ARTICLE II

GUIDELINES FOR THE ASEAN EMERGENCY PETROLEUM

SHARING SCHEME

Shortage Situation

(i)   In the event of critical shortage or when at least one
        Member Country is in distress, the oil exporting members
        of ASEAN commit to supply, towards meeting such shortage,
        that amount of indigenous ASEAN crude oil and/or
        indigenous ASEAN petroleum products equivalent to :

                crude production capability

        plus   available imports of crude oil and/or
                        petroleum products

        less   (a)   the amount contractually
                                committed to traditional buyers,

                        (b)   domestic consumption,

                        (c)   crude oil and/or petroleum
                                products exports by oil
                                contractors/operators or refiners
                                serving mainly international
                                markets, to which the government
                                has no entitlement, and

                        (d)   the amount of crude oil and/or
                                petroleum products not owned
                                directly by the government,
                                taking into account processing
                                facilities in the distressed
                                country/countries.

(ii)   If the above quantity added to other available supplies
        is less than 80 percent of the normal domestic
        requirements of the country in distress, then the ASEAN

0076

Governments will endeavour to make available to the supply pool of the country in distress, <u>an additional 10 per cent</u> of the volume of each type of crude oil and/or petroleum products to which the oil exporting country has <u>entitlement</u>. Any request of supply to cover needs beyond 80 per cent of normal requirements shall be negotiated on a bilateral basis.

(iii)   Such emergency oil supplies shall be for domestic consumption in the distressed countries.

Oversupply Situation

(iv)   In times of indigenously-sourced crude oil and/or petroleum products oversupply, the importing Member Countries should, so far as practicable, purchase exports of Member Countries in distress so as to raise the latter's exports to at least 80 per cent of the normal exports taking into account the importing country's domestic requirements of the volume of each type of crude oil and/or petroleum products, processing facilities, as well as existing supply commitments.

"Exports" here is understood to exclude exports by oil contractors/operators to which the government has no entitlement.

Supply negotiations on the above shall be done on a bilateral basis.

(v)   In the event that there is more than one Member Country affected by an emergency shortage or oversupply, then the available quantity to be committed shall be initially allocated in proportion to their respective normal domestic consumption and exports, for the 12-month period immediately preceding the emergency.

0077

Governing Conditions

(vi)   For the purpose of this Agreement :

"shortage" shall refer to an emergency situation in which at least one ASEAN Member Country suffers extreme petroleum shortage, due to unexpected natural calamity such as earthquake or other calamity such as an explosion of production facilities, storage or refinery plants or an abrupt stoppage of import due to war or other similar crisis and due to worldwide petroleum shortage situation in the ASEAN Member Countries concerned or in other parts of the world, and is unable to cope with such situation through its domestic supplies and procure the needed supply through normal channels of trade to the extent that the total supply is less than 80 per cent of the normal domestic consumption requirements.

"Oversupply" shall refer to an emergency situation in which ASEAN Member Countries are suffering extreme petroleum oversupply due to worldwide petroleum oversupply situation, and are unable to cope with such situation through their normal channel or trade to the extent that the total export is less than 80 per cent of the normal exports.

(vii)   In the event of either a shortage or an oversupply the Member Country in distress shall give notice of such emergency situation to the ASEAN Economic Ministers on Energy Cooperation which should decide within 3 weeks of such notice to put the Emergency Petroleum Sharing Scheme into operation.

(viii)   The period of emergency shall be determined by the ASEAN Economic Ministers on Energy Cooperation through

0078

consultation.

(ix)   The prices and other conditions shall be subjected to bilateral negotiations between the appropriate parties.

(x)   The guiding principle in the arrangement shall be the spirit of assistance; no undue advantage shall be taken of any adverse position faced by a Member Country.

(xi)   The Member Countries shall nominate the respective executing agency for the purpose of implementing this Agreement.

The Member Countries in distress shall exert all efforts to cope with the adverse situation through domestic and normal acceptable commercial means before invoking assistance under this Scheme.

In the case of less critical difficulties, the country affected may directly negotiate with any other ASEAN Member Country in the spirit of mutual assistance.

ARTICLE III

FINAL PROVISIONS

1.   This Agreement is subject to ratification by the ASEAN Member Countries.

2.   The Instruments of Ratification shall be deposited with the Secretary General of the ASEAN Secretariat who shall promptly inform each ASEAN Member Country of such deposit.

3.   This Agreement shall enter into force on the thirtieth day after the deposit of the sixth Instrument of Ratification.

4.   No reservations may be made to this Agreement either at the time of signature or ratification.

5.   Any amendment to the provisions of this Agreement shall be effected by consent of all the ASEAN Member Countries.   0079

6.   This Agreement shall be deposited with the Secretary

General of the ASEAN Secretariat who shall promptly furnish a certified copy thereof to each ASEAN Member Country.

IN WITNESS WHEREOF, the undersigned, being duly authorized thereto by their respective Governments, have signed this Agreement.

DONE in Manila, Philippines this 24th day of June 1986, in seven copies in the English language.

0080

For the Government of the
Kingdom of Thailand:

DR. ARUN PANUPONG
Deputy Minister for Foreign Affairs

For the Government of
Negara Brunei Darussalam:

H.R.H. PRINCE MOHAMED BOLKIAH
Minister for Foreign Affairs

For the Government of the
Republic of Indonesia:

PROF. DR. MOCHTAR KUSUMAATMADJA
Minister for Foreign Affairs

For the Government of Malaysia:

TENGKU AHMAD RITHAUDDEEN
Minister for Foreign Affairs

For the Government of the
Republic of the Philippines:

SALVADOR H. LAUREL
Vice-President
and
Minister for Foreign Affairs

For the Government of the
Republic of Singapore:

S. DHANABALAN
Minister for Foreign Affairs

0081

외 무 부

종 별 :

번 호 : UKW-0158   일 시 : 91 0117 1700

수 신 : 장관(중근동,기협)

발 신 : 주 영 대사

제 목 : 유가동향

대:WUK-0118

1. 대호, 미국등 연합군의 군사행동 이후 금 1.17(목) 오후 현재 런던 석유시장 유가 폭락 사태를 가져왔으며 전일대비 $ 8.40 BBL 이 하락한 $ 21.60 BBL(BRENT OIL 91.2 월 인도분)에 거래되고 있음

2. 상기 현상은 기본적으로 소비국들의 여유있는 비축분과 금번 서방측의 군사 작전이 성공적으로 수행됨에 따라 이라크의 공격 능력 약화, 전쟁 당사국 및 인접국의 유전 파괴 가능성이 희박하다는 심리적 요인에 기인한 것으로 봄. 다만 상기 현상은 향후 유가 방향의 전제라고는 볼수 없고 이스라엘 참전 여부, 지상군 투입, 이라크군 자진철수등 전쟁 양상에 따라 민감하게 반응할 것으로 봄.끝

(대사 오재희-국장)

91.12.31. 까지

접 수 필(1991 . 6 . 30.) ㉑

공람	국제경제국	년월일	담 당	과 장	국 장	차관보	차 관	장 관

중아국   장관   차관   1차보   2차보   경제국   청와대   안기부

외 무 부

종 별 :

번 호 : HUW-0020　　　　　　　　　　　일 시 : 91 0117 1600

수 신 : 장 관(기협,중근동,미북,정일)사본:주미대사(필)

발 신 : 주 휴스턴 총영사

제 목 :

　　석유 중질유 2월 인도가격은 초장에 베릴당 40불선까지 인상되었으나 후장에 전일보다 불과 1.93불 인상된 32불선까지 하락함.

　　2.당지 석유전문가들은 이락의 공곡으로 중요한 석유시설이 결정적으로 파괴되지않는한 (결국 이락의 거뤼에 달려있음) 석유가격은 전재우라도 베릴당 40불선을 유지할 것으로 전망.

　　3.한편 부시대통령은 1.17.밤 석유가 안정을 위해 비상시 비축원유를 향후 30일간 석유시장에 방출토록 명령함. 에너지성은 1일 1.12 백만 베릴 또는 판매 기간중총3천3백만 베릴을 판매할 예정이라함. 현재 미국이 보유중인 비상원유는 586 백만 베릴이며 텍사스와 루이지아나 소재 소금동굴에 저장되어 있다함.

　　(총영사 최대화-국장)

공람	국제경제국	년 근 인	담 당	과 장	국 장	발 차 관 보	차 관	장 관

경제국　　2차보　　미주국　　~~군주국~~　　정문국　　안기부　　동자부
　　　　　　　　　　　　　　중아국

외 무 부

종 별 :

번 호 : USW-0266
일 시 : 91 0117 1817

수 신 : 장 관(중근동,기협,경일,미북)

발 신 : 주 미 대사

제 목 : 미국의 전략 비축석유 방출

1. 부쉬대통령은 폐만 전쟁 개시와관련, 1.16(수) 저녁 미국정부가 보유하고 있는 전략비축석유(SPR)의 방출을 지지하였는 바, 동지시에 따라 미에너지부는 향후 30일간 총 33.75 백만 배럴, 1일 1.125 백만 배럴의 SPR을 방출키로 결정하였음.

2. 동 방출 결정과 관련 WATKINS 에너지 장관은 폐만전쟁 발생시 OECD국 보유 SPR을 1일 2.5 백만 배럴씩 방출키로한 1.11 국제에너지기구의 결정에 따라 미 국외 독일.일본등 13개국도 자국보유 SPR을 방출할 예정이라고 하면서 폐만전쟁에따라 즉각적인 원유공급 WWPAL사태가 발생할 것으로는 기대하지 않는다고 발언하였음.

3. 미국은 현재 총 585 백만 배럴의 원유를 SPR 로 보유하고 있는바, 1일 3.5백만 배럴까지방출이 가능하다고함.

4. 미에너지부의 상기 SPR 방출관련 보도자료별첨 송부함.

첨부: USW(F)-0201 (2 매)

(대사 박동진-국장)

공람	국제경제국	년인일	담당	과장	국장	차관보	차 관	장 관

중아국   2차보   미주국   경제국   경제국

DOE NEWS

ㄴ~(F)-020l
수신: 장관(중근동, 개정,경일
미북)
발신: 주미대사
제목: USW-0166 전부(2매)

NEWS MEDIA CONTACT:
Mary Joy Jameson, 202/586-5806

FOR IMMEDIATE RELEASE
January 16, 1991

PRESIDENT DIRECTS DRAWDOWN OF STRATEGIC RESERVE

President Bush tonight authorized the Secretary of Energy to drawdown the Strategic Petroleum Reserve (SPR).

President Bush's authorization tonight to begin releasing government-owned oil stocks is part of an international effort to minimize world oil market disruptions caused by Middle East hostilities. In response to the President's finding, Secretary Watkins immediately ordered the Department to implement a drawdown of 33.75 million barrels of oil, equivalent to a drawdown of 1.125 million barrels per day.

In announcing plans for using the SPR, Secretary Watkins emphasized that he does not anticipate immediate oil shortages due to the current situation.

"By drawing on our strategic stocks, the U.S. is working in close cooperation with its partners in the International Energy Agency (IEA). Our purpose is to take precautionary action early and in doing so, counter any possible disruption of supplies from the Persian Gulf," Watkins said.

Watkins said the U.S. action will be joined by similar stock drawdowns from 13 other nations, including Germany and Japan.

"Acting collectively, the U.S. and its allies intend to reassure the world market," Watkins said. "Consumers should not have any concerns about the availability of petroleum and petroleum products. The SPR was envisioned for exactly the situation we have today. Now is the time to begin taking advantage of the investment we have made in it."

The Department of Energy will issue a "notice of sale" tomorrow specifying the types and location of crude oil it will offer for sale from the government's oil stockpile. The SPR, located along the Texas and Louisiana coastline, holds more than 585 million barrels of crude oil. The Reserve was established in 1975 to protect the U.S. against interruptions in petroleum supplies.

(MORE)

R-91-09

0085

-2-

Concurrently with the authorization to use the SPR, the President directed the Secretary of the Treasury to waive provisions of the Jones Act that require the use of U.S.-flag vessels to transport crude oil from the Reserve. The general, or "blanket," waiver will ensure that the widest range of transportation opportunities is made available for moving SPR oil into all parts of the U.S. market.

"We anticipate releasing 33.75 million barrels of crude oil from the SPR which is equivalent to a drawdown of 1.125 million barrels per day over a 30-day period. This rate is about a third of the Reserve's maximum oil distribution capability of 3.5 million barrels per day that could be called upon should the situation warrant in the future," Watkins said.

Under the international coordinated effort, the 1.125 million barrels per day is the U.S. share of 2.5 million barrels per day to be made available by OECD nations, as agreed to on January 11 by the IEA's governing board.

The IEA will meet again in 10 days to reassess the world oil supply situation and determine whether additional measures are necessary.

Last October and November, the Energy Department ran a test of the Reserve's oil sales and distribution process. Although today's announced action will withdraw more than six times the amount of crude oil sold in last year's test, Watkins said that the exercise gave both industry and the Department increased confidence that oil could be moved into the market efficiently and quickly.

Watkins said that the release of government-controlled oil inventories should send a clear signal to oil markets that supplies will be adequate. This should minimize price increases and inventory buildups.

"If I had a message to markets right now," said Watkins, "it would be to base their decisions on facts such as we are announcing today, rather than on unsubstantiated rumors and fears."

The first oil from the reserve could enter the U.S. market within sixteen days. Due to normal industry and pipeline and vessel scheduling requirements, the bulk of the oil will likely be delivered late in February or in March. Earlier deliveries could occur depending on purchasers' ability to schedule transport.

-DOE-

R-91-09

-2. End

0086

중앙일보

91.1.18.

세계石油수급 큰 지장없다

◇ 페灣전쟁 상황별 경제파급효과 (三星경제연구소)

개 요	시나리오 I 단기전으로 美國승리	시나리오 II 교착상태로 장기전 내지 협상대치	시나리오 III 중동으로 전면전 확대
• 유전피해	작음	작음	큼
• 유가 (배럴당 달러)	23~25	30	50~80
• 가능성 (%)	70	20	10
세계경제	당초예상 (OECD평균2%)보다 성장률 0.3~0.4% 증가	1.7% 정도의 저성장	마이너스성장
국제경제변화			
• GNP성장률 (%) ( )안은 연초 예상률	7.0(6.6)	6.0	3.0
• 소비자물가	9.5(9.5)	12.5	19.5
• 경상수지 (억달러)	−45(−55)	−70	−100
• 수출(억달러, 통관기준)	690(680)	676	656
• 수입(〃)	768(772)	785	795

3차 石油위기 올 것인가

經済초점

增産分·비축물량으로 충격 흡수
1·2次때보다 우리體質 강해져

된다.

페灣 開戰後 전세계의 油價가 폭락하고 株價가 폭등한 것은 이번 전쟁이 단기전으로 끝날 것이란 기대 때문이다.

이같은 상황에서는 현재 짜여진 올해 경제운용계획을

위시한 다국적군의 압도적 힘의 우위속에 단기전양상 이·무엇해지고 있다.

이번 전쟁이 세계경제에 미칠 영향은 전쟁기간이 얼마나 되느냐에 달려있다 해도 과언이 아니다.

페르시아灣전쟁이 國을美 도 1개월이내의

질 가능성이 크다.

이번 페灣전쟁이 3차 석유위기로 이어질것인가의 도의적으로 대두되면서의 기대나 수급의 대폭적이고 현 戰況으로보아 위기상황 이 예상되지는 않고있으며 또 장기전으로인해 그같은 사태가 오더라도 中東全面

산유국의 增産으로 충분히 메워지고 있으며 또 美國을 비롯한 주요선진국의 비축 유분도 포함되어 있으므로 품切 어느때보다 많아 하루 2백만배럴정도의 추가 방출이 가능한 것으로 여겨지고 있다.

또 특정국가에 대한 급배제등도 없으므로 자원 부족으로 극심한 어려움을

여기에는 요즘 통계에서 잡히지않고있는 국내의행 보유분이 지난달 기준으로보면 30억~35억달러 정도다.

현재 외환보유고는 1

%의 인상요인을 생각하게 되며 이를 반영할경우 도매물가는 0.4%, 소비자물 가는 0.07%의 직접인 상요인이다 이는 간접인

중앙경제 신문

91.1.18.

油價폭락 한때 去來중단

뉴욕 32弗서 23弗로…株價는 급등

【뉴욕·런던·東京 外信綜合=本社特約】 17일 단행된 연합군의 對이라크 공격이 이틀째 계속되면서 국제油價·金값·美달러貨시세등은 폭락한 반면 세계 각국 주가는 일제히 폭등했다.

유가는 이날 뉴욕상품거래소에서 개장과 동시에 하루 허용 최대 하락폭인 배럴당 7·5달러나 폭락, 1시간동안 원유거래가 중단되는 사태를 빚었다.

北海産브렌트油 3월인도분도 이날 런던에서 전날보다 배럴당 9달러이상 폭락, 20달러선 아래로 내려갔다.

美달러貨시세도 이날 東京외환시장에서 전날에 비해 2·35엔이 떨어진 1백34엔을 기록한뒤 뉴욕외환시장에서는 1백33엔대로 폭락했다.

東京증시는 이날 美군의 일방적 공격이 계속되고 있다는 戰況이 전해진데 힘입어 사상 10번째로 큰 상승폭을 기록하면서 닛케이 주가지수가 1천4·11엔이나 올라갔다.

英國의 파이낸셜타임스 주가지수도 이날 12시현재 전날보다 2·6%상승한 2천1백8·8포인트를 기록했으며 美國의 다우존스 주가지수 역시 이날 11시 현재 2천5백89·36으로 전일에 비해 80·45포인트 급등했다.

유가는 이날 뉴욕상품거래소에서 24·5달러로 곤두박질 려앉았다.

거래중단 조치가 해제된 이후에도 낙폭을 늘치다 오전장이 끝날 무렵에는 26·75달러나 폭락한데 23달러까지 떨어졌다 뉴욕시장에서는 전날보 3달러80여 한편 金값은 이날 런던에서 전날에 비해 온스당 23달러 급락한 3백80달러를 기록했다.

0088

258 걸프 사태 국제원유 수급 동향 2

氣流

戰況따라 混調 거듭

湾戰 이틀째…숨가쁜 國際經濟

◇戰後 세계證市움직임 <다우존스기준, 단위=%>

1차 세계대전	1일후	1주후	1년후
1914. 7월28일 오스트리아 형가리세르비아에 대한 선전포고	-3.53	-9.67	17.74
1917. 1월31일 독일의 모든선 박공격선언	-7.24	-3.40	-16.38
2차대전 1939. 9월1일 독일의 폴란드침공	0.62	11.63	-3.71
1941. 12월7일 일본의 진주만공격	-3.50	-5.03	-1.37
한국전 1950. 6월25일 북한의 남침	-4.65	-6.97	9.77
월남전 1964. 8월2일 통킹만사건	-0.09	-1.42	4.48
1968. 1월30일 테트공격	-0.47	-0.28	9.08
중동전 1967. 6월5일 6일전쟁개시	-1.80	1.34	5.11
1973. 10월6일 욤키퍼전개시	0.66	1.76	-39.81
1990. 8월2일 이라크, 쿠웨이트공격	-1.20	-5.67	-14.10

(1월15일현재)

油田폭파땐 배럴당 40~50弗 예상 장기화되면 투자·소비 크게 위축

◇美공군장병이 이라크공격후 기지로 돌아오고 있다. 〈사우디아라비아=AP특約연합〉

0089

관리
번호 91-53

외 무 부

종 별 : 지 급

번 호 : BUW-0017

일 시 : 91 0118 1200

수 신 : 장관(중근동,아동,정일,기협)

발 신 : 주 브루나이 대사

제 목 : 페만 전쟁 발발

연:BUW-0016

1.17 저녁 FATIMAH 외무부 경제 정보국장은 표제관련, 아래내용의 성명을 발표함

브루나이정부는 걸프만 사태진전을 예의 주시 하고있음

사우디, 애급및 오만주재 공관원과 애급 체류 주재국 유학생들은 안전한바 국내가족은 외무부, 동지역거주 브인은 대사관과 긴밀히 협조바람. 끝

(대사허세린-국장)

, 예고:91.12.31. 까지

검 토 필(1991. 6. 30.)

<table>
<tr><td rowspan="2">공
람</td><td>국
제
경
제
국</td><td rowspan="2">9
1
년
1
월
18
일</td><td>담 당</td><td>과 장</td><td></td><td>관보</td><td>차 관</td><td>장 관</td></tr>
<tr><td colspan="2"></td><td></td><td></td><td></td><td></td></tr>
</table>

중아국　　아주국　　경제국　　정문국　　안기부

폐灣 戰爭에 따른 特別 石油需給 對策

1991. 1. 18
민정당 당무회의

動 力 資 源 部

0091

目　　　　　　　次

1. 페灣 戰爭 勃發 및 國際石油市場 動向

2. 우리나라 原油需給에 미칠 影響

3. 石油需給 特別對策

    가. 原油需給對策

    나. 石油消費 抑制對策

    다. 國內油價 管理對策

       :

4. 1段階 消費節約施策 實施

0092

1. 폐灣 戰爭 勃發 및 國際石油市場 動向

ㅇ '91年 1月 17日 09:00時(韓國時間)를 期하여 폐灣戰爭 突入
  (사막 暴風 作戰)

ㅇ 國際原油價格은 戰爭勃發로 인해 17日 오전중에는 크게
  동요되었으나, 오후에 들어서 戰況消息과 主要國의 石油備蓄油
  放出 措置 消息등으로 점차 下落하여 開戰前 水準으로 復歸

ㅇ 美國을 비롯 EC 및 日本은 備蓄油 放出을 決定

  - 美國 : 向後 30日間 33百萬B의 戰略石油備蓄分 放出
  - 日本 : 통산성은 民間 石油在庫를 14.6百萬B 放出

ㅇ 사우디 및 隣接産油國의 主要 原油 船積港에서의 原油 船積은
  現在까지 正常 狀態로 이루어지고 있음

  - 아직까지 사우디의 原油生産施設, 送油管, 港灣施設등에
    대한 被害는 없음.

- 1 -

2. 우리나라 原油需給에 미칠 影響

┌─【 基本　前提 】────────────────────┐
│ ㅇ 戰爭地域이 當初國外에 페灣 一部地域으로 擴散
│ 　 - 사우디. 中立地帶. 카타르의 石油輸出이 全面 中斷
│ ㅇ 戰爭은 1個月 內에 終結될 것이며, 戰後 石油生産施設
│ 　 被害 復舊에는 最小限 5個月 所要
│ 　 - 戰爭期間 : 戰爭地域으로 부터의 原油導入은 全面 中斷
│ 　 - 復舊期間 : 平均 50% 水準의 導入만 可能
└─────────────────────────────────┘

ㅇ 戰爭期間(1個月):戰爭地域으로 부터 長期契約分(288千B/D)과
　　　　　　　　　 現物 導入分(259千B/D)의 全量導入中斷

ㅇ 復舊期間(5個月):被害復舊中 戰爭地域으로부터 50% 水準의 長期
　　　　　　　　　 契約分(144千B/D)과 現物 導入分(130千B/D)만
　　　　　　　　　 導入 可能

【 原油導入 蹉跌(船積基準) 】

(單位 : 千B/D)

區　　分		長期契約	現物導入	計	備考(導入中斷比率)
原油 所要		708	259	967	-
導入蹉跌	戰爭中	①288	259	547	56.6 %
	復舊中	144	130	274	28.3 %

註 : ① 長期契約分 導入中斷(사우디 175, Caltex 95, 카타르 18)

- 2 -

0094

3. 石油需給 特別對策

[基本方向]

    ㅇ 原油導入不足分은 精油社 在庫 및 政府備蓄分을 活用 對處
      → 越冬期 需給安定을 위하여 國內精製施設의 正常稼動

    ㅇ 消費抑制를 위한 段階別 需要管理 對策을 推進하여 伸縮對應

    ㅇ 必要時 國內石油類 價格 調整으로 消費 抑制 強化

    ㅇ 非常石油需給特別對策班을 日日 點檢體制로 轉換,運營

    ㅇ 戰爭이 長期化되어 製品需給의 蹉跌이 發生時 主要油種의
      配給制 實施

가. 原油需給對策

    ㅇ 原油保有現況 ('91.1.16現在) : 80.2百萬B

【 石油 保有 現況 ('91.1.16 基準) 】

	政府備蓄	精油社在庫	輸送中物量	合　計
原　　油 (百萬B)	38.0	14.8	27.4	80.2
製　　品 (百萬B)	1.8	19.5	4.6	25.9
計　　(百萬B)	39.8	34.3	32.0	106.1
持續日數 (日)	35	30	28	93

註 : 持續日數('91年 計劃 1,146千B/D 基準)

    ㅇ 戰爭以外의 地域으로부터 原油導入이 順調로울 경우,
      既保有 精油社 在庫 및 政府 備蓄油를 活用하여 180日分의
      正常需要 充當 可能

    ㅇ 段階別 備蓄油 活用計劃

      ┌1段階(戰爭期間 1個月) : 導入輸送中인 物量으로 充當
      ├2段階(復舊期間 2個月까지):政府備蓄 및 精油社在庫 活用(70:30)
      └3段階(復舊期間 2個月지난後) : 原油確保 狀態를 勘案 備蓄油
                              使用計劃 再樹立

- 3 -

0095

나. 石油消費 抑制對策

o 備蓄油를 活用, 國內 精製施設을 正常 稼動하여 國內生産에는
   蹉跌이 없으나, 製品輸入이 全面 中斷되어 一部 油種(燈油,
   프로판)의 不足 發生

【 '91.1~3月 越冬期中 製品需給 判斷 】

(單位 : 百萬B)

區 分	揮發油	燈油	輕油	B-C油	프로판	全油種
總 需 要 供 給	6.7 7.9	14.3 13.3	28.2 35.8	36.6 43.3	7.9 7.6	116.8 129.4
過 不 足 需要對比	1.2 -	△1.0 △7%	7.6 -	6.7 -	△0.3 △3%	12.6 +11%

o 消費抑制를 위한 段階別 主要措置

┌─────────────────────────────┐
│ 1段階 措置 : 戰爭 勃發時 │
└─────────────────────────────┘

- 非常局面을 克服하기 위한 總體的 節約 施策을 講究

   . 自家用 10部制 實施
   . 專貰,觀光,官用버스 10部制 實施
   . 大型 네온사인 使用 全面 禁止
   . 非石油發電 設備의 最大 稼動
   . TV 放映時間의 短縮 運營 (2時間 基準)

┌──┐
│ 2段階 措置 : 長期化 조짐 또는 國內需給의 蹉跌 우려시 │
└──┘

- 需要抑制 施策의 強化

- 揮發油 쿠폰제 또는 車輛 2部制 實施

- 燈油 配給制 實施 檢討

- 部分的인 制限 送電 實施 檢討

   ※ 實際狀況에 따라 伸縮的으로 對應

- 4 -

0096

다. 國內油價 管理 方案

ㅇ 戰爭 勃發時 國際 原油價格은 暴騰 展望

區　　分	韓國에너지經濟研究院	日本에너지研究所
戰爭期間	50-60 $/B	40-50 $/B
復舊期間	30-35 $/B	30-40 $/B

ㅇ 段階別 對應 方案

【 1段階 】 必要時 石油消費 抑制를 위하여 國內石油價格 調整

　－ 調整 基準 : 戰爭 終結後 豫想되는 原油價 水準으로 國內油價

　　　　　　　引上調整 （23 $/B 基準時 約 20% 水準）

【 2段階 】 戰爭의 長期化로 繼續 高油價 持續될 경우에는

　　　　　追加的인 油價調整을 檢討

- 5 -

4. 1段階 消費節約施策 實施

가. 輸送手段의 運行制限

ㅇ 適用對象 : 非事業用 乘用車(官用 및 自家用 乘用車)

非事業用 버스(官用 및 自家用 버스)

專貰버스

- 例外 : 警察 및 作戰用 自動車, 消防用 自動車,

醫療機關의 救急車·採血車, 報道用 自動車,

遞信官署의 郵便物 輸送車, 外交官用 自動車,

身體障碍者 使用 自動車.

ㅇ 運行制限方法 : 10部制 實施

- 車輛番號의 끝숫자와 같은날자에 車輛運行 禁止

(例:1月25日 경우 車輛 끝番號가 5인 車輛의 運行禁止)

- 運行制限 違反時는 過怠料 10萬원 賦課

ㅇ 施行期間 : 1991年 1月 18日 00:00 時 부터 別途公告時

까지 (國務會議 議決)

- 단, '91年 1月 21日까지는 啓導 措置

ㅇ 適用地域 : 全國 일원

ㅇ 根據規定 : 自動車 管理法 第24條 (自動車의 運行制限)에

의한 運行制限 公告

- 6 -

0098

나. 大型 네온사인 및 電子式 電光板 使用 全面禁止

     ㅇ 對 象 : - 野立, 屋上 또는 建物의 벽면등에 設置하며 特定
                    商品이나 會社를 宣傳하기 위한 廣告物
                - 言論機關에서 使用하는 電子式 電光板
     ㅇ 施行期間 : 1991年 1月 17日부터 別途公告時까지
     ㅇ 根據規定 : 電氣事業法 第22條(電氣使用의 制限등)에
                  의한 動力資源部 告示

다. 全國 街路燈 隔燈制 實施

     ㅇ 對 象 : 市道가 設定한 特別한 地域을 除外한 道路의 全國
                  街路燈
     ㅇ 施行期間 : 1991年 1月 17日부터 別途公告時 까지
     ㅇ 根據規定 : 行政指導(市・道知事)

라. 家庭用 大型보일러에 燈油販賣規制

     ㅇ 對 象 : 家庭用 大型煖房보일러
     ㅇ 販賣規制 : 油槽車에 의한 燈油販賣 禁止
     ㅇ 施行期間 : 1991年 1月 17日부터 3月末 까지
     ㅇ 根據規定 : 石油事業法 第17條 (石油需給등의 調整)에
                  의한 調整命令

- 7 -

마. TV 放映時間 短縮 運營

   ㅇ 放映時間 調整으로 하루 2時間 短縮

	從　前	調　整	短縮時間
午前	06:00~10:00	07:00~09:30	1時間30分
午後	17:30~24:00	18:00~24:00	30分

   ㅇ 施行期間 : 原則的으로 1月 18日부터 施行하되 彈力的으로

        運營

   ㅇ 根據規定 : 行政指導(公報處)

바. 旣 推進中인 節約施策의 徹底 履行

   ㅇ 産業體의 自體 에너지管理委員會 活動强化로 에너지 浪費
     要因 除去

   ㅇ 建物의 室內 溫度 基準 徹底 遵守
     - 겨울철 : 18℃ ~ 20℃ 維持

   ㅇ 各種 節電 施策의 推進
     - 事務室, 工場의 백열등 使用 禁止
     - 1業所當 2個以上 간판 使用 禁止
     - 昇降機 격층제 徹底 運行
     - 建物의 室內消燈 强化(복도 1/2, 外出時 完全消燈)

   ㅇ 에너지·물 多消費 業體의 週 1回 休日制 徹底 履行

- 8 -

0100

외 무 부

종 별 : 지 급

번 호 : JAW-0257   일 시 : 91 0118 1401

수 신 : 장관(중근동,경일,기협,봉이,아일) ·

발 신 : 주 일 대사(경제)

제 목 : 페르샤만 전쟁

대:WJA-0239

1. 대호, 1.18. 오전 현재 주재국의 유가동향 및 경제관련 사항을 하기 보고함.

O 원유가(두바이산 원유 베럴당)

- 09:00 경 불 15.40 - 불 15.55.

- 10:30 경 불 18.75 - 불 18.25(이라크의 이스라엘 미사일 공격 소식후 유가 상승중)

O 환율(11:30 오전 종치)

- 1 불당 133 엔 60 전

O 주가(오전 종치)

- 동경 증권거래소 평균주가 23,676 엔 39 전(전일비 229 엔 상승)

2. 원유, 외환, 주식시장등은 오전에는 1.17. 에 이어 유가하락, 엔고, 주가 상승등으로 개시되었으나, 이라크의 이스라엘 공격 소식후 달러화 매입의 양상으로 변화하고 있는바 이는 금번 무력충돌의 장기화 및 이스라엘의 참전으로 인한 확대를 우려한 때문이라고 분석하고 있음. 끝.

(공사 이한춘-국장)

예고:91.12.31. 까지

검 토 필(1991. 6. 30.)

외 무 부

종 별 :

번 호 : JAW-0280

일 시 : 91 0118 1825

수 신 : 장관(경일,봉이,기협,아일,중근동,상공부,동자부,해운항만청)

발 신 : 주 일 대사(경제)

제 목 : 페만전쟁 발발에 따른 경제관계보고(3)

페만전쟁 발발에 따른 주재국의 91.1.18. 경제관계 사항을 하기 보고함.

1. 시장동향

가. 환율

0 오전에는 이라크의 이스라엘 공격 소식등으로 2 엔 전후의 변동을 계속, 오전 종치 133 엔 60 전, 오후에는 이스라엘의 보복공격자제 및 다국적군의 우세예상등으로 1.18 종치는 133 엔 60 전

0 1.17 과 비교하여 40 전 엔화상승

나. 주가

0 동경증권거래소 평균주가 1.18 종치 23,808 엔 30 전

0 1.17 과 비교, 361 엔 49 전 상승

다. 원유가

0 두바이산 3 월 인도분은 오전에는 바렐당 18 불 전후로 거래

0 오후에는 이스라엘등의 태도등을 반영하여 16.90 불 전후로 거래됨.

2. 일본경제에의 영향 및 전망(언론보도 종합)

가. 경기전망

0 전쟁이 장기화할 경우 심각한 악영향 전망

0 원유가격이 바렐당 40 불이 될 경우 성장율 2 퍼센트 하락

0 단기 종결시 유가가 20 불 전후로 하락할것으로 전망되어 영향은 없을것임.

나. 일본정부 긴급대책

0 통산성 페만위기 대책본부 설치

- 232 만 KL 방출

- 석유제품 수급 및 가격 감시체제 강화등

경제국 정와대	장관 총리실	차관 안기부	1차보 상공부	2차보 동자부	아주국 해항청	중아국	경제국	통상국

PAGE 1

공람	국제경제국	년원일	담당	과장	국장	차관보	차관	장관

91.01.18 19:39

외신 2과 통제관 DO

0102

0 운수성
- 외항선사에 대한 선박 보안대책 강화
다. 산업계 대응 및 영향
- 전쟁 장기화시 수주감소, 원가상승에 의한 경영수지 악화 우려(석유, 해운, 화학, 전력, 가스업계등
- 로이드 보험업계 및 일본선박 보험연맹 수에즈 운하 항행 선박에 대한 전쟁 할증 보험료 징수 동향
- 극동/구주동맹(FEFC)는 수에즈 운하항행 선박에 대한 중동위기 긴급과징금 설정, 1.19 부터 실시예상
. MEES, FCL 화물 TEU 당 300 불, FEU 당 600 불
. LCL 화물 톤당 12 불
3. 석유정세 전망
0 당분간 석유공급 부족사태는 없을것으로 분석
- OECD 석유비축분 96 일분
- 산유국 비판매 재고 6 천만 바렐
0 유가전망
- 현재는 전쟁 조기종결 관측으로 하락 및 안정세
- 전쟁 장기화 및 사오디의 석유공급 중단시는 바렐당 40-50 불로 급등 가능성
- 금후 유가는 당분간 인상될 것이나, 전쟁종결후 바렐당 20 불 전후 예측. 끝
(공사 이한춘-국장)
예고:91.6.30. 까지

외 무 부

종 별 :

번 호 : SGW-0030   일 시 : 91 0118 1930

수 신 : 장 관(중근동,아동,기협,대책반)

발 신 : 주 싱가폴 대사

제 목 : 페만 전쟁

금 1.18. 당지 유가및 주식시장 동향을 아래 보고함.

1. 유가

가. 두바이산 원유

싱가폴 선물화시장(SIMEX)은 1.17.부터 두바이산 원유 선물시장을 당분간 휴장했음. 장외 블랙마켓의 경우 금 1.18. 아침 한때 배럴당 15.50 미불까지 떨어졌으나, 17.85 미불을 유지함.

나. 벙커 C 유(HSFO)

2월분 가격은 본당 135미불, 3월분 가격은 117미불로 페장하였음.

2. 주식시장

금 1.18. STRAIT TIMES INDUSTRIAL INDEX 는 1.17. 보다 2.06 포인트가 상승한 1213.60 을 기록함. 끝.

(대사-국장)

공람	국제경제국	년인인	담 당	과 장	국 장	차관보	차 관	장 관

√중아국   장관   차관   1차보   2차보   아주국   미주국   경제국   정문국
√청와대   총리실   안기부   √대책반   동자부

외   무   부

종   별 :

번   호 : GEW-0129

일   시 : 91 0118 1700

수   신 : 장관(기협,중근동, 기정동문,국방)

발   신 : 주독대사

제   목 : 페만전쟁(12)(유가, 주가 동향)

대: WGE-0089

1. 주재국 유가는 국제현물시장의 원유가격 하락에도 불구하고 계속 안정세 유지하고 있음

-디젤: 1.11. DM, 무연휘발유: 1.19 DM

2. 종합주가지수: 602.78(18일)

602.78(17일 종합)

571.98(16일 종합)

3. DM 의 대미 달러기준 환률

-18일: 1.5430

-17일: 1.5200

-16일: 1.5120

4.금값 동향(온스당)

18일: 380 DM

-17 일 : 379 DM

-16 일: 403 DM

(대사-국장)

공람	국제경제국	년관인	담당	과장	국장	차관보	차관	장관
				발N				

경제국	장관	차관	1차보	2차보	미주국	중아국	중아국	정문국
청와대	총리실	안기부	국방부	동지부				

PAGE 1

91.01.19   04:48 DQ

외신 1과 통제관

0105

湾전쟁의 國內經濟 파급효과 〈KDI등 主要經濟硏究所分析〉

"最惡의 경우 成長率 2~3%"

消費者물가 두자리수 불가피
貿易赤字 적어도 44억弗전망

〈KDI의 湾戰과 올해 國內經濟전망〉

항 목	당초 전망	시나리오 I	시나리오 II	시나리오 III
실질GNP성장(%)	7.1	6.7	5.0내외	2~3
총소비(%)	7.8	7.8	5.5	3.5
고정투자(%)	9.2	9.0	6.1	4.0
(설비투자(%))	10.0	8.1	6.0	2.0
(건설투자(%))	8.1	7.8	6.0	6.0
상품수출(%)	5.3	4.5	3.2	△5.0
상품수입(%)	7.0	6.4	3.5	△2.0
무역수지(억달러)	△33	△44	△95	△160
수출(억달러)	687	686	685	685
(증가율, %)	(8.3)	(8.2)	(8.1)	(8.1)
수입(억달러)	720	730	780	845
(증가율, %)	(11.5)	(12.7)	(20.0)	(30.0)
물가상승률(%)				
GNP디플레이터	8.0	9.2	12.0	14.0
도매물가	9.8	10.5	16.0	25내외
소비자물가	9.7	10.8	15.0	20내외

(註) 시나리오 I 은 1주일 전후의 단기간에 美국의 승리로 전쟁이 종료되는 경우
시나리오 II 는 전쟁기간이 1개월가량 지속되나 이라크의 사우디공격등으로 유전피해가 발생해 戰後 5개월가량의 복구기간이 소요되는 경우
시나리오 III은 이라크의 이스라엘 공격으로 전면적인 中東戰으로 확대되는 경우

〈湾전쟁 시나리오별 파급효과〉(三星經濟硏究所)

상 황	시나리오 I	시나리오 II	시나리오 III
	단기전으로 미국승리	교착상태로 장기전내지 협상기대치	中東전면전으로 확대
유전피해	작음	작음	
유가(달러/배럴)	23~25	30	50~80
가능성(%)	70	20	10
〈세계경제〉	당초 예상(OECD 평균2%)보다 성장률 0.3~0.4% 포인트 상승	보합내지 성장률 1.7%정도의 저성장	마이너스 성장
〈국내경제〉			
GNP성장률(%)	7.0	6.0	3.0
소비자물가	9.5	12.5	19.5
경상수지(억달러)	△45	△70	△100
수출(통관기준, 억달러)	690	676	656
(증가율, %)	(6.2)	(4.0)	(0.9)
수입(통관기준, 억달러)	768	785	795
(증가율, %)	(10.2)	(12.6)	(14.1)

短期에 끝나지않으면 기반 "흔들"…대량 失業발생도   0106

한국일보

91. 1. 19.

油價 擴戰돼도 큰변동 없을듯

세계各國 비축분 방출착수
생산늘어 오히려 供給초과

「사우디油田피해」 즉시復舊만전
"장기화땐 심리적영향 60弗까지"

세계 석유 이동경로
(단위:백만배럴)

캐나다
330
미국
210
210
438
290
685
824
남미
650
150
남아프리카
서유럽
572
1,433
소련
1,100
중동
939
일본
309
북아프리카
아시아

89년도 기준

◇싱가포르 석유市場 = 전쟁발발후 유례없는 폭락세를 보였던 유가는 18일 이라크의 이스라엘 공격으로 다시 반등했으나 소폭에 그쳤다. 싱가포르 석유시장에서 경매에 나선 거래인물의 모습. 【싱가포르AP聯=聯】

0107

한국일보

91.1.19.

"한 척이라도 더 "原油수송 안간힘

페灣 유조선 5척 조기 船積 강행

송유관통해 紅海등 안전항구 이용 모색

이달예정 70% 확보예상… 需給에 숨통

0108

油價 ▶ OPEC 公示價 밑돌아

국제 기름값 왜 떨어지나

油田피해없고 産油國들 증산

메이저도 油價안정 다짐…국내부담 덜어

0103

〈李紀勳기자〉

페灣戰 岐路에선 世界經濟 <2>

脱석유화 모색

日, 에너지다변화 拍車

中東불안 尙存…美·英·佛도 原子力등 확대

0110

페灣戰발발 직후인 17일 일본 미국 영국 프랑스등 세계 각국의 경제관련정부부서들은 각각 긴급대책회의를 열었다.

이들 회의의 촛점은 전체 에너지소비에서 석유의 비중을 줄이는데에 맞추어졌다. 이른바 산업의 「脱石油化」를 모색한것이다.

이날 일본정부의 대책회의에 참석한 通産省관리들과 경제단체장들의 모습은 비교적 평온한 모습이었다. 이번 中東戰은 과거의 中東戰때와는 달리 세계석유시장에 파동을 몰고오지는 않을것이라는 확신이 선 때문이다.

일본이 만약의 사태에 대비, 석유비축량을 늘려왔던 것도 이같은 여유를 갖게한 요인으로 분석되고있다.

중동문제 전문가들은 이번 페灣전이 석유파동을 야기하기 진 않겠지만 전세계에 심리 적 충격을 주는 계기가 될것 으로 평가하고 있다. 특히 원유가의 움직임에 의해 경 제가 좌우되는 非産油개발도 로 나눌수 있다. 또 장기대 들어갔다.

脱石油化는 크게 실행주체 이 이미 이러한 장단기에 별로 정부와 민간부문으로 지름給대책을 마련, 시행을 위해 앤쓰고있는 것은 세계

상국들에는 일대 위기의식마 저 갖게해주었을 것으로 보 고있다.

이에따라 세계각국은 에너 지다변화시책을 서두르지 않 을 수 없는 상황이 됐다. 非 産油개발도상국이나 日本과 같은 非産油선진공업국들은 상품생산시 석유비중을 낮추는 방안이 있다.

우선 정부가 주도, 원자력 너지絶約을 을 들어 전 에너지소비량가운데 약 58 %에 달하는 석유비중을 오 능해질 경우 유조선항의 불가 2010년까지는 43%선 으로 대폭낮추기로 했다는 이에비해 미국 프랑스는 20%, 영국은 15%, 독일10

낮추는 한편 에너지효율화 방안을 모색하는 것이다. 장기대책으로는 전국민이 에너지절약을 몸에 밸수있게 계속적인 홍보를 하는 한편 자가용승용차의 유행규제, 냉·온방 온도규제등 소비절 약을 추진하는 방안을 들수 있다.

일본의 경우 정부와 민간 이 이미 이러한 장단기에너 지름給대책을 마련, 시행을 위해 앤쓰고있는 것은 세계 의 화약고라는 中東에서의

▲에너지개발 ▲국제에너지기구(IE A)와의 정책협조 ▲원자력발 전방안등을 추진키로 했다. 일본의 이처럼 脱석유화를 적극추진, 장기적으로 세계油価의 안정에도 도움이 될것으 로 실함하다.

한편 對이라크경제재재로 공급이 불가능해진 이라크 쿠웨이트分 원유(하루 4백만 배럴)는 사우디등 OPEC 의 증산으로 메우고 있다.

이에따라 지난 12월 하루평 균 원유생산량은 2천3백40 만배럴로 작년7월보다 2천 2백49만1천배럴를 크게 웃 돌고 있다. 이것만으로도 가 격하락요인이 된다. 석유전 문가들은 석유소비절약, 대 해협에서 유조선항의 불가 량의 재고, 미국경기부진등 으로 페灣전이 끝날경우 油 価가 배럴당 20달러밑으로 곤두박질 칠수있다고 접치고 있다.

그러나 석유값이 안정된

다도 2%를 줄인것이다. 일본은 제 1차석유파동당 시 석유비중이 77%이상에 달했었다.

일본은 현재 ▲자동차연료 ▲도시排熱등 비 이용효율화 ▲태양에너지 개발 ▲국제에너지기구(IE

%밑으로 일본보다는 그 비 중이 훨씬 작다.

세계의 자원大國 美國도 페灣사태후 에너지절약에 적극적이며 프랑스나 영국등 도 원자력 태양열발전비중을 확대하려하고있다.

페灣전을 계기로한 이러한 세계적인 脱석유化운동의 움직임은 장기적으로 세계油価의 안정에도 도움이 될것으로 실함하다.

폐灣戰…豫想뒤엎고 20弗이하로

油價폭락異變 왜 일어났나

短期戰 기대감등 크게 작용
각국 非常대책·物量도 충분

전쟁발발직후
美·日·IEA

국제석유시장에 대이변이 일어났다. 폭등할 것으로 예상됐던 국제원유가격은 전쟁소식과 함께 오히려 수직낙하하고 있다.

배럴당 40달러를 넘고 60달 러까지 치솟을 것이라던 유가는 20달러밑으로 떨어졌다.

이런 유가수준은 이라크가 쿠 웨이트를 침공한 작년 8월2 일의 가격보다 낮은 수준이다.

전문가들의 예상을 완전히 뒤엎은 이같은 유가폭락사태는 왜 일어났는가.

석유시장의 심리적 요인과 각국의 석유비상대 책으로 우선 그 원인을 찾을수 있다. 이와함께 세계적으로 원 유공급이 충분하다는 것이 이 번 유가폭락사태의 2차적인 배경으로 풀이되고 있다.

전쟁발발이후 첫거래일인 지난 17일 국제유가는 사상최대의 폭락세를 나타냈다. 이날 뉴욕상업거래소〈사진〉런던국제석유거래소등 국제석유시장에서 거래업자들은 값이 떨어진 석유선물 매입에 열을 올렸다.

0111

국제유가추이 (WTI 현물, 배럴당 달러)

32달러 (16일)
23.48달러 (8월2일) 이라크, 쿠웨이트 침공
21.45달러 (17일) 전쟁발발
19.25달러 (18일)

〈李廷훈기자〉

걸프사태 : 국제원유 수급 동향, 1990-91. 전6권 (V.5 1991.1.15-31) 281

"備蓄늘려 波動없을 것"

—되돌아 본 中東戰…日의 페灣戰 석유대책

東京= 金亭澈특파원

70%이상 1차오일쇼크 4차 中東전쟁
依存줄어 需給혼란 덜어
이란·이라크戰

불타는 사우디 石油저장탱크 사우디 아라비아의 카프지에 있는 석유저장탱크가 17일 이라크 로켓포의 공격을 받아 붙타고 있다. 【카프지(사우디아라비아)=AP聯合】

<과거의 석유위기와 現페灣위기 비교>

	제1차석유위기	제2차석유위기	페灣위기
시　기	73년10월~74년8월	78년10월~82년4월	90년8월~현재
위기원인	제4차중동전을 계기로OPEC석유禁輸	이란혁명으로 이란원유생산 격감	이라크의 쿠웨이트침공, 이라크에 대한 경제제재
원유가상승폭 위기이전대비 최고가비교 (달러/배럴)	아라비안경질유 공식가격 3.0→11.6	아라비안경질유 현물가격 13.5→40.8	두바이현물가격 17.1→36.99
원유비축량	67일(73년9월)	92일(78년12월)	142일(90년12월)
원유수입량 (만배럴/日)	497.4(73년)	476.3(79년)	363.4(89년)
원유 중동의존도	77.5(73년)	75.9(79년)	71.3(89년)

이번事態"단기終結"낙관
消費감소·비축량도 충분
0112

외 무 부

종 별 :

번 호 : FRW-0175   일 시 : 91 0119 1430

수 신 : 장관(기협,중근동)

발 신 : 주 불 대사

제 목 : 페만사태

    연:FRW-128

    대:WFR-52

    1. IEA 는 전쟁발발 직후 비축분 방출및 석유소비 감축 방침을 각 회원국에
봉보하였으나, EEC 는 현재의 석유시장 상황에 비추어 소비절약까지 취할 필요는
없다는 입장으로 이에 대립함.

    2. IEA 방침에 따를 경우 주재국 해당분은 약 125,000 B/D 이나 산업성은 이의
달성을 위해 연호 차량속도 제한등 석유절약 조치는 당분간 취하지 않고 비축분 방출로
대체할 것으로 알려짐.

    3. 불정부의 방침변경은 현재 석유물량이 충분하며 석유소비가 하락하는 추세에서
소비절약과 같은 UNPOPULAR MEASURE 에 국민적 공감대를 구하기 어려우며석유시장에
잘못된 SIGNAL 을 보낼 가능성을 우려한 것이라 함. 끝.

    (대사 노영찬-국장)

공람	국제경제국	년인	담 당	과 장	국 장	차관보	차 관	장 관

경제국   장관   차관   1차보   2차보   중아국   정와대   안기부

PAGE 1   91.01.20   00:36

외 무 부

종   별 :

번   호 : GEW-0139   일   시 : 91 0119 2000

수   신 : 장관(중근동,구일,기협,기정동문,국방)

발   신 : 주 독대사

제   목 : GULF 만 전쟁(16)

1. 주재국 연방경제부는 1.18. 독일 석유사업체협회 (석유 판매회사로 구성, 석유법에 따라 석유비축을 의무화 하도독 되어있음) 에게 동협회 비축분중 65만본을방출토록 지시 하였으며 동협회는 회원사에게 석유를 시장가격으로 제공함

2. 연방 경제부는 석유의 절약과 사용의 절제를 호소하는 일방, 금번 방출조치가 독일비축분 (130일불, 약 6천만본)의 극히 일부이며 독일은 전쟁 지역으로 부터의 원유도 입분량기 작고세계 석유 공급이 안정적임을 지적, 국민의 위기감을 불식토록 홍보함

3. 연방경제부는 금번 조치가 IEA 와의 합의에 따라 취한 조치임을 지적함

(대사-국장)

공람	국제경제국	연신인	담당	과장	심의관	정책연구	차관	장관

중아국 청와대	장관 종리실	차관 안기부	1차보 국방부	2차보 대책반	미주국	구주국	경제국	정문국

PAGE 1   상황실   91.01.20   08:08 DA

                                                    외신 1과 통제관

0114

284 걸프 사태 국제원유 수급 동향 2

외 무 부

종 별 : 지 급

번 호 : BUW-0018

일 시 : 91 0120 1000

수 신 : 장 관(중근동,아동,정일,기협)

발 신 : 주 브루나이 대사

제 목 : 걸프전쟁

주재국 외무성은 1.19. 저녁 1.17.에 이어 아래내용성명 발표함

ㅇ 걸프에서 다국적군과 이락군간에 전쟁이 발발된것은 유감임

ㅇ 브루나이는 무력적대 행위를 피하기 위해 취해진 모든 외교적이니 시어티브를 계속 지지해왔으며 이락군의 쿠웨이트 침공이래 이락의 행동을 비난하고 이락군의 쿠웨이트로부터의 완전철수 및 합법적 쿠웨이트 정부의 회복을 촉구하였음

ㅇ 이에따라 브루나이는 걸프사태에 대한 이제까지의 모든 유엔결의안을 계속지지해왔음

ㅇ 브루나이는 적대행위의 확대를 우려하며 전쟁이 조속히 끝나 쿠웨이트가 이전 상태로 회복되도록 평화적 제외교노력이 즉각 이루어 질수있길 희망함

ㅇ 또한 브루나이는 걸프에서의 현적대행위가 종식되고 장래의 이러한 외교적 이니 시어티브에 의해 걸프지역의 핵심문제가 다루어지길 희망함.끝

(대사허세린-국장)

PAGE 1

91.01.20 11:30 WG

외신 1과 통제관

0115

Oil prices settle at $20 a barrel after nervous trading

By Deborah Hargreaves

OIL prices closed below $20 a barrel yesterday for the first time since the Gulf crisis began. But traders were jittery and ready to push prices back up again should the Gulf war take a different turn.

North Sea Brent crude for March delivery dropped $2.025 to $18.60m after its record-breaking one-day fall of over $3 on Thursday.

Sir Peter Holmes, chairman of Shell, set the scene for a further drop in the oil market when he said that any price for Brent crude above $15-$16 a barrel could be a war premium, speaking in an interview with World Business Tonight, a co-production by Financial Times TV and Cable News Network.

Brent

The world is awash with crude oil – western nations' oil stocks can last 96 days – but refined products are not so abundant. That could mean prices for products such as jet fuel and petrol stay higher than warranted by the drop in the crude market.

While the prices for most refined products which are traded in the Rotterdam spot market fell sharply on Thursday, they jostled to establish new levels yesterday. Crude prices continued down but jet fuel prices rose by $20 a tonne to $280 a tonne after a fall of $108 a tonne on Thursday.

The tightness in refinery capacity led to a huge run-up in price for products such as jet fuel towards the end of last year. The margins between jet fuel prices and crude oil ran out of kilter in the lead-up to the Gulf war and have still not settled back at historical ratios.

Mr Phillip Morgan, analyst at Laing and Cruickshank, reckons that the traditional margin between jet fuel and crude has lengthened in response to high levels of demand. The usual margin would indicate a crude price about $5 a barrel higher.

The Indian authorities are imposing restrictions on aviation fuel for both Indian and foreign airlines, as part of an economic contingency plan following the outbreak of war in the Gulf, Paul Betts reports.

Mr Karmohan Dhawan, the Indian civil aviation minister, said yesterday fuel allocations to Indian carriers would be cut by 25 per cent for at least two weeks from next Tuesday. Foreign airlines will also be affected by the emergency steps, but it was unclear yesterday to what extent supplies would be cut for foreign carriers.

British Airways, with services to Bombay, Delhi, and Calcutta, said it been told by Indian authorities advising the UK carrier that fuel would not be supplied to non-scheduled flights.

However, BA said regular scheduled services would continue to refuel at Indian airports. Air France had been told the same. The UK carrier is monitoring the situation to ensure flights carry enough fuel to be able to refuel in some other area in the event of more stringent restrictions.

Airline industry officials said fuel had become a problem in India because of the country's difficulties in financing its oil imports with foreign exchange.

The Middle East has turned from a net exporter to an importer of jet fuel since the Gulf crisis, in an attempt to meet the huge demand from allied war aircraft. Refineries can respond quickly to this demand, as they store oil at an intermediate stage of its refining process and it can be turned into a product such as jet fuel or gas oil quite quickly.

But world refining capacity is tight since the closure of the Kuwaiti refineries has taken 1m barrels a day (b/d) of supply from the market. Although

Jet Kerosene

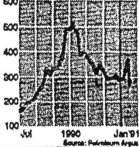

Cargo price, CIF, NW Europe
($ per tonne)

Jul 1990 Jan'91

Source: Petroleum Argus

there is some slack in the US because of the recession, an upturn in demand caused by lower oil prices could again put pressure on refineries.

Gasoline, or petrol, which oil companies also buy in Rotterdam, stabilised yesterday at $230 a tonne after a $90 drop in price on Thursday. UK oil companies said the market was still too volatile to consider cutting prices.

"There are wild extremes in the market right now. When conditions and trends stabilise, we will review the situation," an official at Shell said.

Action by the International Energy Agency, the western nations' oil watchdog, was blamed by some traders and analysts for contributing to the rapid fall in oil prices with its plan to release 2.5m b/d of oil to the market. But the body denied yesterday that it would be shelving its plan.

It meets to review the situation on January 28, when it is likely to modify its emergency procedures to remove any emphasis on demand restraint. But it would be difficult to remove the stocks from the market because the process of releasing them has begun.

FT 1/20/91

0116

빈호 : USW(F)

수신 : 장 관

발신 : 주미대사

제목 :

(매)

Market Surplus Cuts Flow of Oil From the Gulf

Saudi Arabia, Unable to Sell Its Stock, Decides to Cut Output More Than 10%

By Allanna Sullivan
And James Tanner
Staff Reporters of The Wall Street Journal

The massive flow of oil from the Persian Gulf is beginning to slow, but mainly because of market forces rather than war.

After increasing its oil production to nearly nine million barrels a day in recent months, Saudi Arabia suddenly has reduced it more than 10% and is said to be planning more cuts because it is having difficulty selling all its oil.

The reductions are coming in the kingdom's northern fields that are nearest Kuwait and perhaps within reach of Iraq's missiles. But Iraq's Saddam Hussein is due little credit for the cutbacks despite his prior threats to destroy Saudi as well as other Middle East oil fields if he were attacked.

The amount of tanker traffic into the Persian Gulf is shrinking some because of the war—and the high cost of war-risk insurance. But Iran may already have reactivated a former tanker shuttle while Saudi Arabia plans a similar service allowing customers to pick up oil outside the war zone.

The chief reason behind the production cuts, according to oil industry and U.S. government sources, is the world's growing surplus of oil, particularly in the heavier grades. Commercial channels are choked because of the enormous volumes of oil that have poured into markets to offset any disruptions from a Middle East war.

This was underscored by the one-third fall in oil prices last week after the sweeping initial successes of the air strikes that launched the war against Iraq. The price of February crude oil traded on the New York Mercantile Exchange closed the week at $19.25 a barrel. That was the first time since July the price of the crude had been less than $20 a barrel, although it obviously could surge again on any **negative news from the war.**

U.S. government officials confirmed that Saudi production is on the wane. The decline "is due solely to market conditions rather than to any military threat," according to one U.S. official with knowledge of the situation.

As it had promised, Saudi Arabia began expanding its output from 5.4 million barrels a day shortly after Iraq's Aug. 2 invasion of Kuwait and the subsequent United Nations embargo against Iraqi and Kuwaiti oil. Its big surge helped push total production by the Organization of Petroleum Exporting Countries to the former high level of 24 million barrels a day in the first half of January.

The full scope of the Saudi oil-output reductions that have come since couldn't be immediately determined. But oil industry officials suggested they are major. "We believe substantial amounts of northern [Saudi] production now are shut in for commercial reasons," said Lawrence Goldstein, president of the Petroleum Industry Research Foundation. "But if the market needs it, it can be brought back on again," he said.

The Saudi offshore Safaniyah field near Kuwait is temporarily one million barrels below normal production levels of 1.5 million to 1.8 million barrels a day, said Joseph Stanislaw, a Paris-based managing director of Cambridge Energy Research Associates. "This, however, is due to a voluntary cutback not related to fear of attack but rather due to storage tanks capacity limitations," he said.

Mr. Stanislaw suggested that total production has dropped to 7.5 million barrels a day. Some other estimates put Saudi production much lower than that with cuts said to be coming in the Marjan and Az Zuluf fields as well.

Some estimates put the cuts for all three fields, where normal output is 2.6 million barrels a day, at around 1.1 million barrels. Further cuts, industry sources said, are likely to be attributed to a "maritime" problem—lack of tankers.

Because of the surplus, some industry officials predicted total Saudi reductions eventually will be as much as two million barrels a day or more. They noted that is equal to volumes the International Energy Agency plans to make available through its contingency plan.

The Paris-based IEA, meanwhile, denied a report in this newspaper that it may be having second thoughts about the wisdom of going through with the release of crude from government strategic stockpiles. Despite the oil glut, IEA officials said that once the plan was activated—it was announced Thursday, **the day of the** biggest one-day *drop ever* **in oil prices** it

had to run its course. Still, they reaffirmed that the plan can be modified, as reported, if the IEA governing board so decides when it meets Jan. 28 to review it.

One factor that is pushing oil prices down is the sudden softening of demand because of the recession and the fact that the peak winter needs are over. According to Tom Burns, director of international economics for Chevron Corp., oil demand last year fell by nearly three million barrels a day from the first quarter to the second quarter. "The second and third quarters this year don't look pretty as far as oil markets are concerned," said Paul Mlotok, a Morgan Stanley oil economist.

Even if it is reducing production, the Saudi government is moving ahead with plans to ship out all the oil it does produce. U.S. officials said the Saudis began selecting tankers Friday to serve as part of a shuttle. For customers leery of entering Saudi ports that are within range of possible Iraqi missile and air attacks, the shuttle would carry the oil out beyond the Strait of Hormuz, the entrance to the Persian Gulf. From there it would be loaded onto customers' vessels.

Since the outbreak of hostilities, tanker traffic to ports in Saudi Arabia and other facilities in the Persian Gulf has fallen as some shippers and oil companies have balked at sending their tankers into war zones. Insurance rates for tankers traveling into the Gulf have soared. Japanese shippers are steering completely clear of Saudi ports. And even Exxon Corp. for a brief period last week was barring a tanker from Ras Tanura, Saudi Arabia's main terminal.

Other producers ringing the Persian Gulf already have moved to keep their oil flowing. Iran is understood to have reactivated the shuttle it used during its eight-year war with Iraq. And even tiny Qatar has put together a shuttle, according to Dow Jones International Petroleum Report.

—*Barbara Rosewicz contributed to this article.*

WSJ
1/21/91

0258 —2, End

0117

외 무 부

종 별 :

번 호 : SNW-0028   일 시 : 91 0121 1805

수 신 : 장 관(아동,경협,대책반,기정동문)

발 신 : 주 시드니 총영사

제 목 : 걸프전쟁의 대호주 경제영향

대: WAAM-0003

1. 90.8 이라크의 쿠웨이트 강점에 따른 걸프사태 발발이후 호주경제는 직.간접으로 피해를 받고있음. 즉, 호주는 유엔결의에 따라 이라크 및 쿠웨이트에 대해 8월 8일부로 전면 금수조치를 단행하여 양국에 대한 주요 수출상품이었던, 소맥, 산양, 축산가공식품 등 약 호불 5억의 수출시장을 상실한바 있으며, 기타 중동소맥 수출시장을 상실하지 않을까 우려하고있음.

2.한편, 이라크에 대한 유엔측 최후 통첩시한이 입박해짐에 따라 현지 주요 은행인 NATIONAL AUSTRALIA BANK 는 다음과 같이 2가지 시나리오의 걸프전쟁이 호주경제에 미치는 영향을 분석하고 있음.

가.단기전 경우(3개월이내 전쟁종료)

-91년 1/4분기중 유류가격 급등 및 이에 따른 인플레율 상승

-장기 채권금리 일시 상승

-호주의 화폐가치 단기 상승

-금,미국달러화에 대한 투자활발, 단기 이자율 일시하락

-정부의 금융완화정책 추진보류

-호주는 원유의 80프로를 지급중이며 에너지 순수출국이지만 국제원유가 상승에대한 이익은 호주화의 가치상승으로 일부 상쇄되고 현 호주경제 침체상의 회복은 91년도 말 이후에나 가능시 됨.

나.장기전 경우(3개월이상 장기화)

-전재발발 초기의 경제상황은 단기적 경우와 유사하나 세계경제 전반 및 호주경제에 미치는 파급효과는 더욱 심각함.

-급등한 원유가격이 최소한 1년이상을 지속하여 전세계적으로 인플레율 급상승초래

아주국	장관	차관	1차보	2차보	미주국	중아국	경제국	정문국
정와대	총리실	안기부	안기부	대책반	등크북			

PAGE 1

91.01.21   18:44 DA

외신 1과 통제관

0118

- OECD 국가를 중심으로 한 세계경제 퇴조현상이 91년도 말까지 현저히 나타나며국제 원자재 가격하락 및 호주화의 가치하락 예상

-호주의 경상수지 악화, 수출감소 및 91년말까지 금융통화 긴축정책으로 복귀

-92년에도 높은 인플레이율 및 92년도 중반기 까지에도 현 호주 경제불황을 회복 조짐을 보이지 않을 전망

3. 당관의 전망

걸프지역의 전쟁이 장기화될 경우 OECD 선진국의 경기하락 가속화, 이로 인한국제지원 시장수요 감소, 자원국인 호주화의 가치상승에 따른 수출감소 및 수입증가등이 예상되고 있고 특히 호주는 원유의 80프로를 자급중이니 국내원유 가격이 국제가격과 연동되어 있어 유가상승 및 소비재 가격인상등 인플레이션 압박으로현 호주의 경기침체는 더욱 장기화 될 전망임.

끝

(총영사 안세훈-국장)

PAGE 2

외 무 부

종 별 :

번 호 : BUW-0020

일 시 : 91 0121 1705

수 신 : 장관(중근동,아동,정일,기협)

발 신 : 주 브루나이대사

제 목 : 걸프사태

연: BUW-18

주재국 정부는 1.20. 애급에서 유학중인 브루나이 유학생 108명을 RBA 전세기편으로 철수시킴.

끝

(대사 허세린-국장)

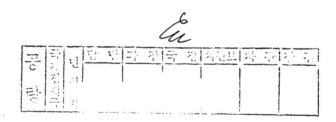

중아국	장관	차관	1차보	2차보	아주국	미주국	경제국	정문국
정와대	총리실	안기부	대책반					상황실

PAGE 1

91.01.21 18:55 DA

외신 1과 통제관

0120

외 무 부

종 별 :

번 호 : SGW-0034   일 시 : 91 0121 1930

수 신 : 장 관(중근동,아동,기협,대책반)

발 신 : 주 싱가폴 대사

제 목 : 걸프전

    금 1.21 당지 유가및 주가동향을 아래 보고함.

    1. 유가

    가.두바이산 원유:

    장외 블랙마켓의 경우 배럴당 18미불을 유지함.

    나.벙커 C유(HSFO)

    2월분가격은 톤당 141.80 미불, 3월분 가격은114미불, 4월분은 100미불로 폐장됨.

    2. 주가

STRAIT TIMES INDUSTRIAL INDEX 는 1.18.보다 8.23포인트가 하락한 1,205.37
을기록함.끝.

    (대사-국장)

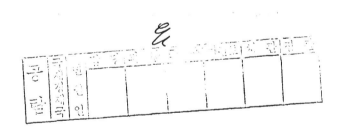

중아국 정와대	장관 종리실	차관 안기부	1차보	2차보	아주국	미주국	경제국	정문국

PAGE 1

91.01.21   21:25 DN

외신 1과 통제관

0121

외 무 부

종 별 :

번 호 : CNW-0099 　　　　　　　　일 시 : 91 0121 1700

수 신 : 장 관(기협,봉일,미북,정일,동자부)

발 신 : 주 카나다 대사

제 목 : 걸프전(자료응신 제 12 호)

대 : WCN-0038

1. 원유 순 수출국인 주재국 정부는 걸프전 발발관련, 특별한 별도 조치를 취하지 않고 있으며, 종전과 같이 사우디 원유시설의 파괴등 만약의 비상사태에 대비하여 주 정부 당국과의 협조하에 실내 온도의 하향조절, 비휘발유 사용 자동차 이용, 여행 감축등 일반 국민의 자발적인 유류소비절약을 권장하는 선에서 대처하고 있음.

2. 주재국은 정부의 직접 개입없이 시장의 자동조절 기능에 의거, 석유제품 가격이 결정되도록하여 가격 상승시 수요 감소 효과를 활용하는 정책을 취하고 있음. 한편 EPP에너지.광업.자원 장관은 지난 1.11. 개최된 IEA 긴급 조치 계획에 의하면 비상사태 발생시 IA 회원국의 추가 공급량 2.5 백만 B/D 중카나다는 115 천 B/D 을 기여토록 되어 있음.

(대사 - 국장)

경제국　　2차보　　미주국　　통상국　　정문국　　안기부　　동자부

외 무 부

종 별 :

번 호 : GEW-0152   일 시 : 91 0121 1830

수 신 : 장 관(기협, 중근동,기정동문,국방)

발 신 : 주 독 대사

제 목 : 걸프전쟁(유가,주가동향)(20)

대: WGE-0089

91.1.21(월) 1200 기준 다음 보고함

O 유가 안정세 지속

-디젤유: 1.10 DM, 무연휘발유: 1.18 DM

O 주식시세 0.63 프로 하락

-종합주가지수: 596.77(1.18. 600.52)

O DM 의 대미 달러 환률 1.2 프로 상승

- 1.4970(1.18. 1.5153)

O 금값 하락(1온스당)

-378 불(1.18. 378.25불)

(대사-국장)

경제국   2차보   중아국   안기부   국방부   동자부

PAGE 1   91.01.22   16:28 WG

외신 1과 통제관

0123

외 무 부

종 별 :

번 호 : JAW-0301

일 시 : 91 0122 1011

수 신 : 장관(중근동,경일,기협,봉이,아일)

발 신 : 주 일 대사(경제)

제 목 : 걸프전

대:WJA-0239

연:JAW-0257

대호, 1.21. 의 주재국 경제관계 변동사항 하기 보고함.

O 환율: 132 엔 75 전(85 전 엔고)

O 주가: 23,352 엔 19 전(456 엔 11 전 하락)

- 걸프전 발발이후 최초의 하락

O 원유가(두바이산): 불 15.65(불 2 하락). 끝.

(공사 이한춘-국장)

예고:91.12.31. 까지

중아국	장관	차관	1차보	2차보	아주국	경제국	경제국	봉상국
청와대	총리실	안기부	동자부					

PAGE 1

91.01.22   16:41

외신 2과 통제관 DO

0124

외 무 부

종   별 :

번   호 : UKW-0191   일   시 : 91 0121 1800

수   신 : 장관(중근동,기협) 사본: 재무부

발   신 : 주 영대사

제   목 : 유가 및 주식동향(1.21. 1800 현재)

1. 유가동향

- BRENI 원유(3월 인도분) 가격은 19.20 BBL로서 지난 주말(1.18) 막장시 17.80 BBL 까지 하락했던 것이 걸프전쟁 장기화 조짐등으로 약간 반등하는 수준에서 가격이 형성됨

- 금후 유가 전망은 일가의 사우디 유전 파괴 가능성이 희박하고 공급 감소시 소비국 (IEA 회원국)의 비축유 방출이 계획되고 있어, 이스라엘 참전등 돌발사태가발생 하지 않는한 현 유가 수준을 증심으로 소폭적인 변화가 예상되고 있음

2. 주식동향

- FTSE 100 주가지수는 2,084.00 로서 주말보다 18.7포인트 하락하였는 바 이는걸프전 전황이 연합군에 불리하게 전개될지도 모른다는 조심성 때문인 것으로 분석하고 있음.

끝

(대사 오재희-국장)

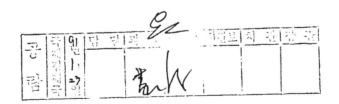

중아국	장관	차관	1차보	2차보	미주국	구주국	경제국	정와대
총리실	안기부	재무부	대책반					

PAGE 1   91.01.22   20:43 DA

외신 1과 통제관

0125

외 무 부

종 별 :

번 호 : FRW-0199 일 시 : 91 0121 1920

수 신 : 장 관(기협)

발 신 : 주 불 대사

제 목 : 유가및 주식동향(91.1.21)

연: FRW-170

1. 유가

O연호 유가에 변동없음.

(다만 당지는 유종에 따라 정유회사가 5-10센트 정도의 차이를 두며 자율 결정)

2. 주가지수

01553.57 (1.18 지수 대비 0.42.프로 하락)

(대사 노영찬-국장)

경제국

외 무 부

종 별 :

번 호 : CHW-0144   일 시 : 91 0122 1150

수 신 : 장 관(기협,아이)

발 신 : 주 중 대사

제 목 : 걸프사태(5)

연:CHW-0101

　1.중국석유 공사는 원유부족 사태에 대비, 1.20.-27.간 총 78만톤의 원유를 예정대로 수입하게 됨으로써 주재국의 석유재고량은 기존의 140일분에서 총 160일분을 확보하게 되었다 함.

　2.주재국 정부는 국제원유가 동향을 계속 주목하고 있는바, 향후 국제원유가의 대폭적인 변화가 없는한 국내유가 인상은 고려치 않을것이라 함.끝

　(대사 한철수-국장)

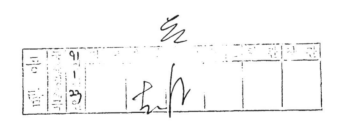

경제국　　1차보　　2차보　　아주국　　중아국　　정문국　　안기부

PAGE 1

외　무　부

종　별 :

번　호 : SGW-0038　　　　　　　　　　일　시 : 91 0122 1900

수　신 : 장 관(중근동,아동,기협,대책반)

발　신 : 주 싱가폴대사

제　목 : 걸프전

금 1.22. 당지 유가및 주가동향을 아래 보고함.

1. 유가

가. 두바이산 원유

당지 SIMEX 를 금일 개장했는바, 3월분은 배럴당 16.80 미불, 4월분은 16.38 미불이었음. 2월분의 경우 유가 변동이 심하여 개장하지 않았는바, 현물시장 에서는 배럴당 17 내지 17.50 미불선을 유지함.

나. 벙커 C 유(HSFO)

2월분가격은 본당 165미불, 3월분 가격은 127미불, 4월분은 115미불로 폐장됨.

2. 주가

STRAIT TIMES INDUSTRIAL INDEX 는 어제보다 4.47 포인트 상승한 1,209.84 를 기록함.

끝.

(대사-국장)

중아국　장관　차관　1차보　2차보　아주국　미주국　경제국　청와대
총리실　안기부　대책반

PAGE 1　　　　　　　　　　　　　　　　91.01.22　20:56 DA

외신 1과 통제관

0128

298　걸프 사태 국제원유 수급 동향 2

걸프戰爭과 세계經濟

서울에 온 美MIT 碩學

루디 돈부시 敎授 종합진단

"油價 앞으로 4~6週가 고비"

石油전쟁 끝난셈…달러는 下落 계속

〈시나리오 要約〉

①걸프戰爭의 결과로 油價는 오히려 하락할 것이다. 비축원유의 방출·생산체제의 회복으로 공급파급이 근거이며 사우디시설의 대량파괴가 안된다는 전제하에서 이같이 예상된다.

②美國聯邦銀行은 6개월내에 金利를 1%이상 인하할 것이다.

③美國과 독일및 日本과의 국제금리차는 확대되나 美달러貨는 對도이치마르크의 경우 25%가량 평가절하가 예상된다.

④低油價·디스인플레이션·低金利에 대한 기대가 이미 株價에 반영되고 있고 부동산시장을 안정시켜 美銀行의 대량도산을 막고 전반적인 시적경기는 완만한 경기후퇴가 예상된다.

⑤위 시나리오를 전제, 현직 부시大統領의 재선가능성은 매우 높다.

⑥서부유럽은 독일경제를 중심으로 '90년대중 美國보다 높은 성장률을 보일것이나 동구및 소련은 장기침체가 예상된다.

⑦'90년대중 南美는 칠레와 멕시코를 중심으로 성장지역으로 바뀔것이며 美國도 걸프전쟁이 끝나는 즉시 멕시코와의 자유무역협정체결이 예상된다.

東歐圈 시장경제 전환 쉽지않아…中南美에 관심을

비축기지 5곳 추가

油開公 올 착공 아르헨·베트남鑛區개발 참여

油開公은 21일 석유수급안정을 위해 정부비축유가 60일분이 계속 유지될 수 있도록 5군데의 추가비축기지건설공사를 올 하반기에 착공하는 한편 알제리·아르헨티나·베트남등 해외유망광구개발에 신규참여할 계획이라고 밝혔다.

油開公은 이날 李奭楗동자부장관에게 올해 업무보고를 통해 이같이 밝히고 원유비축기지 2군데 (4천5백만배럴) 석유제품비축기지 2군데 (7백48만배럴) LPG

비축기지 1군데 (16만톤)등 추가비축기지는 오는 96년까지 완공될 방침이라고 말했다.

油開公은 또 국내 대륙붕에서 3개공의 탐사시추를 실시, 석유부존유무를 확인하는 작업도 지속적으로 실시해나가겠다고 밝혔다.

차질액 20억~30억弗 될듯

걸프戰 찬바람, 輸出전선 확산

원자재·海外자금難에 운임추가 겹쳐

인접국·유럽市場까지 지장

방독면등 防産업체는 「전쟁特需」

0131

한겨레신문

걸프임박 석유 자원 우려

정부, 사우디항만 진입 금지 지시
서울수송도 시간걸려 수급 불투명

이라크와 사우디에 대한 공격이 본격화될 조짐을 보임에 따라 그동안 순조롭게 이뤄지던 석유에서의 원유 및 석유제품 선적이 일부 차질을 빚을 것으로 우려되고 있다.

21일 동자부에 따르면 전쟁발발 이후 걸프에서의 선적이 예상보다 훨씬 순조로워 1일 들이 20일까지 선적 실적은 전쟁발발에도 불구하고 원유 1배1%, 액화석유가스(LPG) 1배11% 등 당초 계획을 웃돌고 있다.

그러나 20일밤 해운항만청이 걸프에 부설된 기뢰피 폭발을 우려해 '걸프내 국적선 운항통제'를 통보하고 이에 따라 동자부가 21일부터 사우디 걸프지역에 대해 21일부터 사우디항만 진입을 전면 금지토록 지시함으로써 원유의 수급전망이 불투명해졌다.

동자부와 한보정유 사우디 의 스베네이와 카타르 등 지역에도 그때그때 전황에 따라 상호협의해 한 및 전체 여부를 결정하며 스스로 부셔질 아부다비마리도 이란 지역에는 기뢰가 부설돼 있지 않았는 것이 확인되지 않을 경우에는 한편 진입을 허용치 않기로 했다.

이러한 동자부의 한반성의 걸입을 허용하는 통해는 석유류 수송놀이의 23%를 차지하고 있는 우리 국적선 10척에만 해당되나 걸프에서의 미사일과 기뢰 피격 위험이 높아짐에 따라 외국용선을 쉽게 확보하기도 쉽지 않은 것으로 엄려되고 있다.

이에 따라 정부에서는 스사우디의 중계측 항구인 얀부항에서 선적하거나 스호르무즈해협 입구에 정박시켜두고 한만으로부터 선적배를 이용해 선적하는 방안을 등을 적극 검토하고 있다.

그러나 얀부항의 선적능력은 하루 약 3백만배럴로 사우디 생산량의 30~50%에 불과한 것으로 엄려지고 있다.

또 바레인과 카타르는 서틀식 선적을 실시하겠다고 공표했고 아란은 이미 카드그림의 한유를 다반항가지 서틀로 수송하고 있으나 정유사 관계자들은 이 방식이 시간이 오래 걸리고 결항이 잦다는 점 등 문제가 많다고 지적하고 있다.

정유업계에 따르면 이미 보험요율이 맹시의 10~20배나 뛰어 운항부담이 배럴당 1달러에서 2달러 이상으로 늘었을 뿐 아니라 프리미엄을 붙여서도 사우디 항까지 들어가려는 배를 구하기가 매우 어려워졌다는 것이다.

석유에너지의 영국 국적 가스선 티포리이즈호가 지난 18일 이후 두차례 얀포 진입을 시도했다가 영국 국방부의 지시에 따라 오만의 무자이라항으로 대피하는 등 유조선들마다 각국 정부의 안전 확인 없이는 걸프 진입을 꺼리고 있는 형편이다.

석유수급 안정위해
비축기지 5곳 추가

정부는 장기적인 석유수급 안정을 위해 올 하반기중에 비축기지 5곳을 추가 건설, 정부비축유 17만5천배럴을 장기계 약유 지 17만5천배럴로 사우디 유 1만8천배럴, 카타르 1만8천배럴 이란 11만배럴과 아랍에미리트연 한 7만5천8백배럴 등으로 전체 장기계약 물량 70만8천배럴의 53. 5%에 이른다.

이라크와 사우디에 대한 공격이 60일분 이상을 계속 유지하도록 할 방침이다.

또 알제리, 아르헨티나, 베트남 등의 새로운 해외유전 개발사업에도 적극 참여하기로 했다.

유가증 석유개발공사 사장은 2 1일 동자부에서 열린 91년 주요 업무보고에서 이렇게 밝혔다.

유가증은 7권억원의 사업비를 들여 96년까지 한유비축 2곳, 석 유제품 2곳, 액화석유가스(LPG) 1곳 등 모두 5곳의 비축기지를 건설할 계획이다.

96년 5곳의 기지가 한공되면 한유 4천5백만배럴, 석유제품 7 백48만배럴, 액화석유가스 16만t 의 비축 능력이 추가로 확보된다.

매일경제신문 91. 1. 22.

油價 3月까지 안정…달러弱勢 지속

KDI 세계經濟추세와 전망 강연

— 돈부시 美MIT大교수 발표내용

세계적 碩學인 美MIT大 루디·돈부시 교수(경제학)가 韓國개발연구원(KDI) 초청으로 訪韓, 22일 상오 KDI에서 「세계경제의 추세와 전망」이란 주제로 강연회를 가졌다. 올해는 걸프전쟁및 세계금융시장의 불안과 함께 UR협상 등으로 세계경제변화가 어느 때보다 커질 전망이라 이번 강연은 큰 관심을 끌었다. 돈부시교수는 강연을 통해 걸프전쟁의 短期化로 오는 3월까지는 中東사태이전 수준까지 油價가 안정될 것이며 세계경제도 서서히 회복세로 돌아설 것이라는 낙관적 견해를 피력했다. 강연 내용을 요약, 소개한다 〈편집자註〉

올해 세계경제는 크게 네가지 사건에 의해 지배될 것으로 전망된다.

우선 걸프전쟁으로 향후 세계정치·경제여건 및 油價가 어떻게 변화할 것인가 하는 점이다.

이와함께 蘇聯내부개혁이 어떻게 진행될 것인가도 주요관심대상이다. 또 美國의 경기침체로 美國의 이자율이 하락하고 달러貨가 약세를 유지하게될 것이라는 점과 끝으로 유럽에서 獨逸이 물가안정을 위해 금리를 높게 유지함으로써 유럽통화동맹의 추진이 차질을 빚게된다는 점이다.

美國은 걸프전쟁을 오래 끌수 없으며 오는 3월까지는 油價가 이라크의 쿠웨이트침공이전수준까지 다시 안정될 것으로 보인다.

현재 油價는 비축유 방출 및 생산제한 철폐로 공급초과가 발생해 계속 하락하고 있다. 이번 걸프전쟁이 4~6주내에 종결되고 사우디아라비아의 油田시설이 크게 파괴되지 않는 한 향후 유가는 계속 하락세를 유지할 전망이다.

油價가 하락하면 올해 세계경제는 침체를 면할 수 있게 된다. 유가하락은 곧바로 민간소비를 늘리고 물가를 안정시키며 주요선진국의 금융긴축을 완화시키게될 것이다.

한편 美國의 경기침체는 이미 진행되고 있다. 美國의 산업생산은 올초반 계속 감소, 2·4분기의 산업생산은 지난해 3·4분기보다 1·5%포인트나 낮아질 것으로 예상된다. 美國경기는 올 3·4분기 이후에나 회복될 것으로 예상되고 있다.

따라서 美國은 금리를 크게 낮추고 달러貨의 절하(약세)를 유지시켜 경기회복을 도모할 것으로 예상된다. 하지만 통화 및 환율정책의 효과가 나타나기까지 6개월 이상의 시간이 걸리는 점을 감안한다면 재정이 다시 팽창할 위협도 도사리고 있다.

美 金利내려 景氣회복

약세통화국 문제로 유럽通貨동맹 지연

獨逸은 유럽성장의 원동력이었다. 그러나 이제 獨逸의 성장은 유럽경제에 도움이 될 수도, 부담이 될 수도 있다. 동독 경제활성화를 위한 獨逸의 재정팽창으로 獨逸의 실질이자율은 여타 EC국가들에 비해 매우 높은 수준을 보이게 될 것으로 예상되고 있다. 따라서 여타 EC국가들은 상대적으로 약세를 보이는 자국의 환율 방어 및 물가안정을 위해 금리를 올리든지 아니면 성장을 위해 平價절하를 순순히 받아들이든지 해야 하는 기로에 놓여있다.

英國과 스페인은 곧 환율을 切下(약화)시킬 것이며 이탈리아도 이에 뒤따를 것이다. 그러나 프랑스와 베네룩스국가들은 마지막까지 對마르크貨 환율방어에 노력할 것이다.

◇루디거·돈부시
·美MIT大 경제학과 교수
·美國 경제학회 부회장
·美·獨 중앙은행 자문

이와 같은 유럽통화간 환율재조정은 매우 가능성이 높은 시나리오이지만 동시에 각국경제에 큰 부담을 주는 非생산적인 것이 될 가능성이 높다. 환율재조정만으로는 獨逸의 변화된 위상에 따른 피해를 상쇄할 수 없으며 이탈리아 英國 스페인등 약세통화국에서는 다시 인플레를 유발할 것이다.

환율재조정의 가능성에 비추어볼 때 현재 브뤼셀의 EC위원회및 이탈리아에 의해 적극 추진중인 「유럽통화동맹」은 약세통화국 문제로 인해 결성이 연기될 가능성이 높다.

日本은 과거와 마찬가지로 방관자적 입장에서 세계시장의 영향을 상대적으로 덜 받고 그들의 환율과 이자율을 결정할 수 있을 것이다. 日本의 경제성장률은 2~3%를 유지할 것으로 예상되며 지속되는 인플레압력때문에 어느 정도 긴축기조를 유지할 것으로 전망된다. 따라서 日本엔貨는 달러貨에 대해 강세를 유지할 것이나 獨逸마르크貨에 대해서는 약세를 보일 것이다.

英國경제는 이미 경기침체로 치닫고 있기 때문에 높은 이자율을 그대로 유지해서 자국통화가치를 고수하는 정책은 유지하기가 어려워질 것이다.

0133

UR타결실패 貿易전쟁발전 가능성 희박

英國파운드貨의 평가절하가 불가피하다면 신임英國총리는 총선을 늦춰서 경기둔화가 심화되는 것을 기다리기보다는 3월 이전에 총선을 치루어 승리한뒤 對마르크貨연동(페그)을 위해 파운드貨환율의 재조정을 시도하는 것이 바람직할 것이다.

한편 UR협상의 실패로 무역마찰이 예상되지만 이것이 무역전쟁으로 발전할 것으로는 보이지 않는다. 농산물에 대한 美國의 제재는 즉각 유럽의 대응제재를 유발하겠지만, 쌍방은 곧 냉정을 되찾을 것으로 보인다. 蘇聯과 中東문제는 美國과 유럽의 협력을 필요로 하기 때문이다.

그러나 日本은 시장개방을 위한 美·유럽의 主공격대상이 될 가능성이 높다. 日本의 시장개방은 아직 큰 진전이 없으며 이로 인한 불만이 도처에서 쌓이고 있다. 美國의 경기침체로 슈퍼 301조에 의한 對日무역보복이 있을지도 모르며, 이때 EC도 동일한 조치를 취할 것인가 하는 점에 관심이 모아지고 있다.

동아일보

91.1.22.

原油 金값 오름세

세계株價는 떨어져

[뉴욕·런던=연합] 걸프전쟁이 신속히 종결되리란 기대감이 21일 점차 감소함에 따라 세계의 원유·金값은 뛰어오르고 株價는 하락했다.

뉴욕상품거래소에서 텍사스중질油 2월인도분은 지난 18일의 폐장가인 19.27달러보다 배럴당 2.05달러 오른 21.30달러에 폐장됐다.

런던에서도 北海産브렌트油 3월인도분이 18일의 18.20달러에 비해 배럴당 1.05달러가 오른 19.25달러에 거래됐다.

그러나 싱가포르시장에서는 두바이油 先物가격이 18일의 배럴당 17·50달러보다 2·30달러 하락한 15·30달러에 폐장됐다.

이날 주가는 전세계 주요 주식시장에서 하락세를 보였다. 뉴욕주식시장의 다우존스지수는 개장초부터 내리기 시작 17·57포인트 하락한 2,629·21로 장을 마감했으며 거래량도 적은편이었다.

0134

매일경제신문

91.1.22.

사우디 250만배럴 감산

日産 6백만배럴로 저장능력·유조선 한계

【런던＝연합】 최근 몇달동안 하루 8백50만배럴의 원유를 생산해온 사우디아라비아가 걸프戰 발발이후 하루 원유생산량을 6백만배럴로 갖축했다고 석유업계 간행물 오일마킷 리스너가 사우디아라비아의 소식통을 인용, 21일 밝혔다.

이 간행물은 사우디아라비아의 원유저장 능력이 한계에 도달하고 원유수출에 필요한 유조선이 부족하기 때문에 이같은 감산이 이뤄졌다고 말했다.

사우디아라비아가 감산하고 있는 2백50만배럴에는 생산중단량도 포함돼 있는데 오일마킷 리스너는 지난낮주말 중립지역 원유생산단지의 폐쇄에 따른 감산책이 이라크의 공격에 대비한 예비조치의 의미도 갖는다고 말했다.

이 이라크軍의 공격이있은 후 폐쇄됐다고밝힌바 있다.

국제原油·金값 상승세

WTI 20弗 넘어

【뉴욕·런던＝연합】 걸프전 다국적군의 개전조짐이 예상보다 길어질 조짐을 보이면서 21일 세계주요시장에서는 이

파리의 석유소식통들은 이달에 폐장되었고, 런던에서도 北海産 브렌트유의 3월 인도분이 18일의 폐장가 18·80달러에 비해 배럴당 0·60달러가 상승한 19·40달러에 거래됐다.

금값도 런던에서는 18일의 폐장가보다 온스당 2달러 오른 3백78달러에 거래되었고 뉴욕에서는 온스당 4·50달러 상승한 3백78·50달러를 기록했다.

세계주요시장에서는 이

른 반면 株價는 한단세를 나타냈다.

다국적군의 개전조치가 이라크 폭격으로 큰 戰果를 거둔것으로 보이는 성공으로 18일 배럴당 20달러보다 21·3

유류가격이 뉴욕거래소에서는 WTI(서부텍사스中質油) 2월 인도분이 18일의 폐장가인 19·27달러보다 2·05달러 오른 21·3

날 주가가 하락세를 보여

뉴욕주식시장의 다우존스 (日經) 평균지수는 17·5 7포인트 하락한 2천6백 29·21로 장을 마감했으며 거래량도 적은편이었다.

東京주식시장의 니케이 (日經) 평균지수는 한산한 거래속에 4백56포인트(약2%)의 하락세를 보였고 런던주식시장의 FT(파이낸셜 타임스) 10

0지수도 18·7포인트 빠진 2천84·0포인트에 거래를 마쳤으며 이밖에 파리·프랑크푸르트 랑크푸르트 파리등에서도 일제히 하락했다.

외 무 부

종 별 :

번 호 : USW-0362   일 시 : 91 0122 1858

수 신 : 장 관 (중근동,미북,기협,경일)

발 신 : 주 미 대사

제 목 : 유가및 주식 동향

1.21 (월)및 22 (화) 유가및 주식 동향아래 보고함.

1.원유 및 석유 제품 가격(뉴욕 상품 시장,2월인도 가격)

가.원유

0 1.21: 배럴당 21.30불(전일 대비 2.05 불 상승)

0 1.22: 배럴당 24.18불(전일 대비 2.88 불 상승)

나.휘발유

0 1.21: 갤런당 59.52 센트(전일 대비 1.74선트상승)

0 1.22: 갤런당 63.52서니트(전일 대비 4 센트 상승)

다.난방유

0 1.21: 갤런당 65.81 센트(전일 대비 4.19 센트상승)

0 1.22 : 갤런당 68.51 센트(전일 대비 2.7 센트상승)

2.주식(DOW JONES INDUSTRIAL INDEX)

0 1.21: 2,629.21(전일 대비 17.57 하락)

0 1.22 : 2,603.22(전일 대비 25.99 하락)

(대사 박동진-국장)

중아국 2차보   미주국   경제국   경제국   안기부   동자부

PAGE 1   91.01.23   10:26 WG

외신 통제관

0136

외 무 부

종 별 :

번 호 : UKW-0204

일 시 : 91 0122 1700

수 신 : 장 관(중근동,기협,사본:재무부)

발 신 : 주 영 대사

제 목 : 유가 및 주식동향

1. 유가동향

- 1.22(화) 16:00 현재 91.3월 인도분 BRENT 원유는 20.55 BBL 로 거래되어 전일 동가대비 1.25 BBL이 인상됨.

- 상기 현상은 걸프전의 장기화 우려와 이락측이 쿠웨이트 유전시설을 파괴하고 사우디를 공격했다는 뉴스에 자극을 받은 것으로 분석됨.

2. 주식동향

- 1.22(화) 16:00 현재 FT-SE 100지수가 2,081.60 로서 전일 동가대비 2.4 포인트 하락하였음.

- 상기 주가하락 현상은 걸프전 사태추이와 관련, 불안한 시장심리를 반영한 것으로 보임.끝

(대사 오재희-국장)

중아국   2차보   중아국   경제국   재무부

PAGE 1

91.01.23   11:13 WG

외신 1과 통제관

0137

걸프사태 : 국제원유 수급 동향, 1990-91. 전6권 (V.5 1991.1.15-31) 307

외 무 부

종 별 :

번 호 : DJW-0139   일 시 : 91 0123 1110

수 신 : 장 관(기협)

발 신 : 주 인니 대사

제 목 : GULF 전

    대 : WDJ-0055

1. 주재국 GINANDJAR 광업에너지성 장관은 1.22. 주재국은 작년 하반기부터 원유를 증산하고있으며, 금년 1월 현재 1.48 백만 B/D 와 CONDENSATE 류 18.05 만 B/D를 생산함으로써 최대 생산시설(1.6 백만 B/D) 전부를 가동시키고 있다고 하였음.

2. 이와 관련, PERTAMINA 사 탐사생산부 NAYOAN이사는 91년 578 개의 새로운유정을 시추할 계획이며, 외국회사와 신규 원유개발 계약을 적극 추진하고 있다고

    함.

3. 당관이 PERTAMINA 사 ABDI HUTA 공보관과 접촉한바, 기존 장기 거래선에 대한 원유공급에 차질이 없도록 충분한 물량을 확보하고있으며, GULF 전으로 인한 국내소비에대한 제한조치는 없을 것이라고 함.끝.

    (대사 김재춘-국장)

Oil Prices Edge Upward As War Optimism Wanes

By MATTHEW L. WALD

After collapsing last week, the price of oil rebounded slightly yesterday, with less optimism about the course of the war and a sense that the market had overshot its proper level.

Product prices also rose, but at the gasoline pump, industry officials and other experts around the country said prices were falling in response to last week's oil price plunge. Pump prices appear to be declining more slowly than wholesale gasoline prices, with many companies being vague about how much margins are increasing at the retail level.

Crude for February delivery gained $2.05 in trading on the New York Mercantile Exchange, closing at $21.30 a barrel. The last day of trading in that contract is today, and some traders say the upswing was accelerated by thinness in the market. The March contract rose $1.33, to $20.32.

Somber Attitude Toward War

Showing a more somber attitude toward the war in the Persian Gulf, including Iraq's weekend Scud attack, Rick Donovan, a trader at Lehman Brothers, said: "I don't think there's any question about the end result. It's not 'if,' it's 'when.' But 'when' isn't this week, and it causes tension."

Tom Bentz of United Energy Inc. said: "The big selloff last week was really overdone. There's a little uncertainty coming back in." The price could rebound to $23, he said.

At the bottom of the recent selloff, in trading during the day on Friday, the February contract reached $18.

Heating oil for delivery next month closed at 65.81 cents a gallon yesterday, up 4.19 cents, the equivalent of $1.80 a barrel. Unleaded gasoline was up 1.74 cents, to 59.52 cents a gallon.

Prices may have rebounded, but Saudi oil production remains mostly untouched by the war, experts say. And Petroleum Intelligence Weekly pointed out yesterday that of the fields most vulnerable to Iraqi attack — offshore fields that produce, 2.5 million and 3 million barrels a day, by the newsletter's estimate — half is "low-quality oil that isn't being absorbed in the market in any case."

Large Quantities on Tankers

Saudi Arabia has 30 million to 40 million barrels of oil in a floating stockpile, the newsletter said, most of it in transit. Iran is also said to have large quantities on tankers at sea.

Norman Higby, a petroleum analyst in Palo Alto, Calif., predicted that crude and gasoline prices would fall sharply in coming months, with gasoline at the pump reaching $1 a gallon by spring.

War has sharply increased budget responsibilities for Saudi Arabia, he said, and those were barely being covered at $30 a barrel. At $20, the only way to raise income will be to grab a bigger share of the oil market, he said.

Mr. Higby added, "Not only will the Saudis have Desert Storm to pay off, but they have to make sure Iraq is kept an insignificant marketer."

Saudi Arabia is a big participant in the gasoline market in this country, through its joint venture with Texaco, and will gain market share by bidding down the price, he predicted.

Most if not all gasoline producers have cut the prices they charge service stations and distributors, and at least part of the decrease is finding its way through to consumers.

Ashland Oil, based in Ashland, Ky., cut its prices by up to 9 cents last week. At company-owned stations in Louisville, Ky., it lowered the pump price to $1.139 from $1.189, and in Minneapolis to $1.199 from $1.249, a spokesman, Roger Schrum, said yesterday.

At Philips Petroleum, in Bartlesville, Okla., George Minter, a spokesman, said that the company had dropped its wholesale price by "a little over 9 cents" on Friday.

At Getty Petroleum, in Jericho, L.I., Mary Garrett, a spokeswoman, said that the company dropped its wholesale prices on Thursday, Friday and Saturday.

0139

OPEC Oil's Value Soars

BRUSSELS, Jan. 21 (AP) — Rising oil prices because of the Persian Gulf crisis helped propel the value of OPEC's petroleum exports last year to the highest level in nearly a decade, analysts estimated today.

The oil-producing nations last year earned $154.1 billion to $165.8 billion — as much as 42 percent higher than their 1989 gains, estimates show.

Peter Bogin, the associate director for oil markets at Cambridge Energy Research Associates in Paris, estimated that members of the Organization of Petroleum Exporting Countries earned an extra $16 billion in the last half of the year because of the jump in crude prices and production because of the Persian Gulf conflict.

Of the bonanza, Saudi Arabia captured about $9.3 billion, Mr. Bogin's estimates show. The kingdom, the world's largest oil exporter, was pumping furiously to help compensate for any losses stemming from the conflict.

Iraq missed out on oil exports worth about $7.8 billion and Kuwait on $6.4 billion because their oil was embargoed during the surge, Mr. Bogin said.

Over all, he estimated the value of oil exports of the 13 OPEC nations at $154.1 billion last year.

Pierre Terzian, the editor of the Petrostrategies newsletter in Paris, calculated an estimate of $165.8 billion for last year, including crude, natural gas liquids and related products.

If prices had held at 1989 levels, he said, the oil producers would have exported $124.3 billion in oil and derivatives last year.

In 1989, OPEC reported the value of its members' oil exports at $116.6 billion. The group's 1990 tally will not be released until later this year.

Under Mr. Bogin's count, last year's earnings were the highest since 1983, when OPEC recorded exports worth $156.9 billion. With Mr. Terzian's scenario, they were the most since a 1982 tally of $202.8 billion.

NYT
1/22/91

0266 — 2   End

0.140

외 무 부

종 별 :

번 호 : FRW-0209

일 시 : 91 0122 1920

수 신 : 장 관(기협)

발 신 : 주 불 대사

제 목 : 주식 동향(91.1.22)

연: FRW-0199

- 유가: 연호와 변동 없음
- 주가지수: 1548.64 (1.21 지수 대비 0.32 퍼센트 하락)

끝.

(대사 노영찬 - 국장)

경제국

91.01.23   17:11 WG

외신 1과   통제관

0141

金融·外換

資金경색…高金利 도래
東歐개발 戰後복구의 調達難

長期에 고비단 經濟는 긴축

輸出증가율 鈍化전망
實勢금리·物價상승요인 우발

國內經濟

국제油價

0142

早期종전땐 下向안정

主要局面과 油價變動과 換率變動 (단위:%)		
主要局面	油가변동	달러/엔
1차석유파동 (73.10~74.10)	+294	△11.4
2차석유파동 (79.6~82.10)	+131	△20.7
유가하락기 (85.7~87.12)	△35	+106.1

油價25弗이상땐 침체

主要國의 經常收支 展望 (단위:10억달러)			
	1989	1990	1991
미국	△82.4	△95.6	△100.8
일본	△110.0	△98.5	△120.0
독일	57.2	47.5	37.0
영국	55.4	48.9	38.4
	△15.9	△34.5	△10.9
	△29.7	△37.7	△24.8
	△3.8	△27.0	△19.7
OECD		△10.7	△11.2
		△7.2	△14.8

世界經濟

경제 · 外換

資金경색…高金利 드라

東歐개발 戰後복구비 調達難

輸出증가율 鈍化전망

實勢금리·物價상승요인 우발

0142

換率變動과 油價變動

主 要 局 面	有價變動		
	달러/배럴	변동률	換率變動
1차석유파동 (73.10~74.10)	+294	△6.4	△11.4
2차석유파동 (79.6~82.10)	+131	△7.9	△20.7
逆석유파동 (85.7~87.12)	△35	+76.3	+106.1

<主要國의 經常收支 展望>
(단위:100억달러)

	1989	1990	1991
OECD전체	△82.4	△95.8	△100.6
	△100.2	△98.6	△120.0
美	△110.0	△90.0	△88.0
	45.4	48.9	38.4
日	△15.9	△10.9	△10.5
	△31.7	△35.1	△27.0
	△25.9	△24.8	
	△9.0	△10.7	△11.1
	13.8	△9.0	△14.8

國際油價

0143

早期종전땐 下向안정

産油시설 파괴땐 50~60弗

油價25弗이상땐 침체

인플레·投資감소…美 근타적

세계經濟

관리
번호 91-60

외 무 부

종 별 :

번 호 : JAW-0345　　　　　✓　　　　　일 시 : 91 0123 1658

수 신 : 장관(중근동,경일,기협,봉이,아일)

발 신 : 주 일 대사(경제)

제 목 : 걸프전

대:WJA-0239

연:JAW-0301

1.22. 의 주재국 경제관계 변동사항 하기 보고함.

0 환율: 131 엔 65 전(1 엔 10 전 엔고)

0 주가: 23,253 엔 65 전(98 엔 54 전 하락)

0 원유가(두바이산): 불 16.60(불 0.95 상승). 끝.

(공사 이한춘-국장)

예고:91.12.31. 까지

접 표 인(1991. 6. 30.)

공람	국제경제국	년월일	담 당	과 장	국 장	차관보	차 관	장 관

중아국　　　아주국　　　경제국　　　경제국　　　통상국

외 무 부

종 별 : 지 급

번 호 : UKW-0218   일 시 : 91 0123 1730

수 신 : 장관

발 신 : (중근동,기협)

제 목 : 주영대사

유가 및 주식동향

1.유가동향

- 1.23(수) 1600 현재 BRENT 산 원유 3월 인도분은 21.65 BBL 로서 전일 종가 대비 1.20 BBL인상된 가격에 거래됨

- 유가가 다소 상승하고 있는것은 전쟁발발 초기의예상에 반하여 단기전으로 끝나지는 않을것이라는 여론과 갑작스런 유가 하락으로 인해부자자를 비롯한 중개인들이전쟁과는관계없이 유가가 비교적 저렴하다는 인식 때문인것으로 봄

- 또한 거래중 특이사항은 전쟁종료(휴전 포함)예상기간을 감안하여 2월 인도분은 매수세가강하고 3월분은 매도세가 강하다고 함

2.주식동향

- 1.23.(수) 1600 현재 FT-SE 100 지수는 2,080.30 로서전일종가 대비 1.3 포인트 하락한 시세로 거래되고있음

- 금일 주가는 전일과 별 변동이 없으며 오전에약간 상승세를 보였으나 이락 지상군이 사우디내연합군을 공격했다는 보도에 따라 다시 하락세를보였음

(참고로 FT-SE 100 지수는 런던 FINANCIAL TIMES 가 선정한 대표적인 주식 100개에 대한 대표적인지수로서 가장 권위있는 주가동향의 분석자료로 사용되고 있음).끝

(대사 오재희-국장)

중아국	장관	차관	1차보	2차보	구주국	중아국	경제국	정문국
정와대	총리실	안기부						

PAGE 1

91.01.24   08:07 AQ

외신 1과 통제관

0145

원 본

외 무 부

종 별 :

번 호 : FRW-0229   일 시 : 91 0123 1850

수 신 : 장 관 (기협)

발 신 : 주 불 대사

제 목 : 유가및 주식동향(91.1.23)

    연:FRW-0209

    1. 연호 유가 변동 없음.

    2. 주가지수: 1522.39 (1.22.지수대비 1.69프로 하락).끝.

    (대사-국장)

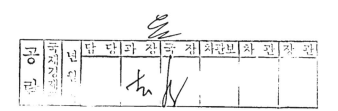

공란	국제경제	년위	담 당	과 장	국 장	차관보	차 관	장 관

경제국   2작성   동제부

PAGE 1   91.01.24   10:03 WG

                          외신 1과 통제관

                                          0146

외 무 부

종   별 :

번   호 : USW-0377 일   시 : 91 0123 1807

수   신 : 장 관(중근동,미북,기협,경일)

발   신 : 주 미 대사

제   목 : 유가 및 주식 동향

1.23(수) 유가 및 주식 동향을 아래 보고함.

1.원유 및 석유 제품 가격 (뉴욕 상품시장, 3월인도 가격)

0 원유: 배럴당 22.04불

0 휘발유: 갤런당 63.05 센트

0 난방유: 갤런당 70.16 센트

2.주식 (DOW JONES INDUSTRIAL INDEX)

0 2,619.06(전일 대비 15.84 상승)

(대사 박동진 - 국장)

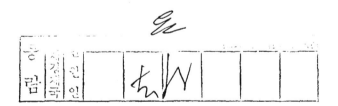

91.01.24   11:02 WG

외신 1과 통제관

0147

외 무 부

종 별 :

번 호 : SVW-0253   일 시 : 91 0123 2340

수 신 : 장관(중근동,동구일,경협,사본:주쏘대사)

발 신 : 주 쏘 대사대리

제 목 : 페만전쟁

대:WSV-147

1. 당관 서현섭 참사관은 1.23(수) 당지 동양학 연구소 ISAYEV 아랍 경제 연구부장을 면담, 표제 관련 파악한바, 동인의 언급 요지 아래 보고함(백주현 서기관 및 SHAHBAZIAN 아랍 연구관 동석)

가. 종전시기

-미국을 비롯한 서방 언론들은 미공군의 선제공격결과를 과장되게 보도하고전쟁이 단시일내에 끝날것으로 예측하였으나 이라크의 다국적 공군기의 격추(30 여대)와 이스라엘에 대한 미사일 공격등으로 볼때 당초 예상보다는 더 오래갈것으로 보임

-이라크는 브라질, 프랑스, 쏘련으로부터 상당량의 무기를 구입하였는바, 쏘련으로 부터만해도 과거 6 년동안에 220 억불 상당의 무기르 공급 받았음, 또한 이라크 자체내의 군수품 생산기술 수준이 상당히 높은 점과 주요 군사시설이 지하에도 있는 점을 비추어 보아 이라크가 어느정도 버틸수 있을 것이라 함.(이라크는 히로시마에 부하된 원폭정도는 1 년 이내에 개발 가능하고 5-6 년 후에는핵무기를 개발할 수 있을 정도로 군사적인 잠재력이 크다 함)

나. 전재 파급 효과

-원유 가격 인상(배럴당 45-50 불), 오존층 파괴등으로 인한 농작물 생산 감소등 세계 경제에 미치는 영향이 클 것인바, 미국은 이번 전쟁으로 1,500 억불, 이집트 120 억불 (GNP 의 6 프로), 요르단 20 억불(GNP/ KDU 60 프로), 터키 130 억불 PLP 60 억불 정도의 손실이 예상된다고 함

- 미국등 서방측의 전비 지출로 인해 아프리카, 동구, 쏘련에 대한 경제협력 자원이 감소하게 되고 이와같은 감소는 동구 및 쏘련 국내의 사회적 긴장을 조성하는 요인으로 작용할 것임

중아국 안기부	장관	차관	1차보	2차보	구주국	경제국	청와대	총리실

공람	국제경제국	년월일	담당	과장	국장	치괄보	학관	장관

91.01.24   06:58
외신 2과 통제관 FE

0148

-PLO 노동자들이 걸프지역에서 철수하여 여행증명서 발급 국가로 돌아가야 하나 이들은 적당한 일자리를 못찾아 결국 테러 행위를 자행하게 됨으로서 사회적 긴장이 높아질 것이라 함(이스라엘에는 쏘련게 유태인들이 많이 유입되어 PLO노동자를 수용할 여유가 없을 것이라 함)

다. 후세인의 장래

-후세인의 운명을 예측하는 데는 많은 변수가 있어 어려움이 많으나 다음과같은 것을 상정할 수 있다함.

-즉 (가) 이라크 군부에 의한 제거,(나) 리비아나 모리타니아로 망명,(다)망명정부를 수립, 지도자로서 역할,(라)현재의 권력독점 체제를 벗어나 집단 지도체제를 수립, 그 일원으로 남는 방안등을 상정할 수 있으나, 이중 군부에 의한제거 또는 망명 정부 수립 가능성이 크다 함.

라. 기타

-이스라엘이 대이라크 보복을 감행하는 경우, 시리아와 이집트의 향배가 주목되나 아랍지도자로 부상하려는 후세인의 야망을 알고 있는 시라아, 이집트가 이라크를 지원할 가능성을 희박할 것이라 함.

-금번 전쟁으로 인해 걸프지역의 왕정 붕괴 가능성을 물은데 대해, 쏘측은 그럴 가능성을 일축함

-쏘련은 금번 전쟁 관련 '절대적인 중립'을 견지할 것이라 함.

-종전후 사우디, 쿠웨이트 등에 건설 수요가 상당히 많을 것으로 !예상된다 하고 숙련되고 기강이 서있는 근로자를 보유하고 있는 한국이 전후 복구 사업에 참여하는데 유리한 위치에 있다고 함(쏘측은 아국의 중동 진출 현황을 물은바, 자세한 사항은 알수 없다 하고 자료 입수후 알려주겠다고 답함)

2. 한편, 쏘련 군사 전문가들은 이라크의 대이스라엘 미사일 공격은 군사적목적이 아니라 전쟁 계속 결의를 대외적으로 나타내는 정치적인 성격이 강한 것으로 보고 있으며 또한 미국은 터키로 하여금 보다 적극적으로 나오기를 계속 설득하고 있으나 그럴경우, 전쟁이 확대될 위험이 크다는 우려를 표명하고 있음.이와같은 우려 표명 관련 당지 VURAL 터키 대사는 작 1.22(화) 기자회견을 갖고, 터키는 유엔안보리 결의 678 호에 따라 다국적군에게 공군 기지를 제공하고 있으나, 이라크가 터키를 직접 공격해오지 않는 한 터키 역시 이라크를 공격하는일은 없을 것이라고 강조 하였음.

3. 동양학 연구소는 설립된지 200 년이 넘는 기관으로서 한국, 중국, 일본

연구뿐만아니라 일찍부터 아랍 제국에 대한 연구를 많이 해왔다고 함. 동 연구소와의 계속 접촉을 위해 쏘측이 요망하는 아국 중동 진출 현황의 개황 정도라도 알려주는 것이 좋겠는바, 동 자료를 당관에 송부하여 주기 바람. 끝

(대사대리-국장)

91.12.31 일반

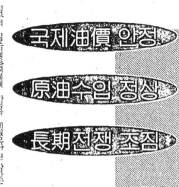

국제油價 안정

原油수입 정상

長期전쟁 조짐

정부 걸프戰예상 3大이변

휘발유쿠폰제 등 2단계시책 "어정쩡"

「最惡」만 감안 다각분석 서툴러

0151

[方俊榴기자]

쿠웨이트油田 폭파説의 波長 〈뉴욕=朴義鉉특파원〉

「유전武器化」조짐에 不安증폭

폭파된 쿠웨이트 石油시설

이란

이라크

무프리바　라우다타인

쿠웨이트　부비얀

루게이　바하라　걸프海

쿠웨이트市

슈아이바(정유시설)

미나알아마디

미나압둘라(정유시설)

브르간　드라

사우디아라비아

올그마이트

와프라油田　마사우드

푸와리스　라스알카즈지

스파리아

중립지대

油田　정유시설

사우디油田도 안심못해

高油價 우려…反戰여론 증폭가능성

0152

이스라엘 死亡者발생도 惡材

외 무 부

종 별 : 지 급

번 호 : SGW-0041

일 시 : 91 0124 1000

수 신 : 장 관(중·근동,아동,기협,대책반)

발 신 : 주 싱가폴 대사

제 목 : 걸프전쟁

1.23. 당지 유가및 주가동향을 아래 보고함.

1. 유가

가. 두바이산 원유

3월분은 배럴당 18.10-18.20 미불, 4월분은 17.85-17.95 미불을 유지함.

나. 벙커 C 유

2월분은 톤당 169미불, 3월분은 133미불, 4월분은 115미불로 폐장함.

2. 주가

STRAITS TIMES INDUSTRIALS INDEX 는 전일보다 9.58포인트가 하락한 1,200.26 을 기록함.끝.

(대사-국장)

공람	국제경제국	년 월 인	담 당	과 장	국 장	차관보	차 관	장 관

중아국 안기부	장관 대책반	차관	1차보	2차보	아주국	경제국	정와대	총리실

외 무 부

종 별 :

번 호 : SGW-0046　　　　　　　　　　　　일 시 : 91 0124 1930

수 신 : 장 관(중근동,아동,기협,대책반)

발 신 : 주 싱가폴 대사

제 목 : 걸프전쟁

금 1.24. 당지 유가및 주가동향을 아래 보고함.

1. 유가

가. 두바이산 원유

3월분은 배럴당 16.30 미불, 4월분은 16미불을 유지함.

나. 벙커 C 유(HSFO)

2월분은 튼당 165미불, 3월분은 120미불, 4월분은 99불로 폐장함.

2. 주가

STRAITS TIMES INDUSTRIALS INDEX 는 어제보다 9.05포인트 상승한 1,209.31 을 기록함. 끝.

　(대사-국장)

공람	국제경제국	년인인	담당	과장	국장	차관브	차관	장관

√중아국　　1차보　　2차보　　아주국　　경제국　　정문국　　정와대　　총리실　　안기부
√대책반

PAGE 1　　　　　　　　　　　　　　　　　　　　　　　　91.01.24　　21:33 DP

외신 1과 통제관

0154

324　걸프 사태 국제원유 수급 동향 2

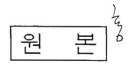

외 무 부

종 별 :

번 호 : FRW-0241   일 시 : 91 0124 1850

수 신 : 장 관 (기협)

발 신 : 주 불 대사

제 목 : 유가 및 주식 동향 (91.1.24)

연: FRW-0229

1. 유가: 연호와 변동 없음

2. 주가 지수: 1553.77 (1.23 지수대비 2.06 퍼센트 사응)

끝

(대사 노영찬- 국장)

경제국   2직원   통외부

외 무 부

종 별 :

번 호 : UKW-0226
일 시 : 91 0124 1730

수 신 : 장 관(중근동,기협)

발 신 : 주 영 대사

제 목 : 유가 및 주식동향

   1. 유가동향

   - 1.24(목) 15:30현재 BRENT 원유 (3월 인도분)가격이 19.95 BBL로서 전일종가 대비 0.61 하락함.

   - 금일 유가는 연합군측의 효과적인 작전수행에 힘입어 약간 하락하였으나 보합세를 유지하고 있음.

   2. 주식동향

   - 1.24(목) 15:00현재 FT-SE 100 지수는 2,080.5 로서 전일종가 대비 1.1. 포인트 하락함.끝

   (대사 오재희-국장)

중아국(사) 2차보   경제국   안기부   동자부

외 무 부

종 별 :

번 호 : NYW-0116　　　　　　　　　일 시 : 91 0124 1650

수 신 : 장 관(기협,봉일,중근동)

발 신 : 주 뉴욕 총영사

제 목 : 주요자원시장 동향(5호)

대:WNY-078,94

1. 대호 자원가격 동향관련, 금 23및 24중 걸프전상황에 변동이 없음을 반영, 가격도 보합 또는소폭의 움직임을 보였음.

2. 원유(BL, WTI) 의 1.24(목)종가를 아래보고함 (괄호안은 전일종가대비)

3월 21.70(-0.33)

4월 20.63(-0.39)

5월 19.84(-0.43)

6월 19.32(-0.43)

7월 19.04(-0.43)

3. OPEC 산유량이 일산 2,380만 배럴수준 (근거:MIDDLE EAST ECONOMIC SURVEY)으로 공급과잉상태에 있는 점등을감안, 걸프전황에 큰 변동이 없는한, NYMEX전문가 다수가 원유는 장기간 현수준이하를 유지할것으로 전망함.

(총영사-국장)

공람	국제경제국	인(서명)	담 당	과 장	국 장	차관보	차 관	장 관

경제국　　2차보　　중아국　　통상국　　안기부　　동자부

외 무 부

증   별 :

번   호 : USW-0404   일   시 : 91 0124 1824

수   신 : 장 관(중근동, 미북, 기협, 경일)

발   신 : 주 미 대사

제   목 : 유가 및 주식 동향

1.24(목) 유가 및 주식동향을 아래 보고함

1. 원유 및 석유제품 가격9뉴욕상품시장,3월 인도가격)

가. 원유: 배럴당 21.71(전일대비 0.33 불 하락)

나. 휘발유: 갤런당 63.05 센트 (전일대비 0.5센트 하락)

다. 난방유: 갤런당 69.85 센트 (전일대비 0.3 센트하락)

2. 주식 (DOW JONES INDUSTRIAL INDEX): 2,643.07 (전일대비 24.01 상승)

(대사 박동진-국장)

		국자정국 91 1 26		보차 관	장 관
공람					

중아국   2차보   미주국   경제국⑦ 정문국   안기부   동자부

PAGE 1   91.01.25   10:36 WG

외신 1과 통제관

0158

외 무 부

종 별 :

번 호 : CHW-0181   일 시 : 91 0125 1730

수 신 : 장관(기협,아이)

발 신 : 주중대사

제 목 : 걸프사태(8)

연:CHW-0144

1.주재국 석유공사는 중동지역으로부터의 원유수입 의존도 감소를 위해 대중동 수입비율을 90년도 68.2 퍼센트에서 91년도에는 63 퍼센트로 책정하고 타지역으로부터동 감소분을 충당할 예정이라 함.

2.주재국의 지역별 90년도 수입실적및 91년수입계획은 다음과 같음.

가. 90 수입실적및 91 수입계획

-90년 실적: 21,340천 키로리터(1억3천4백만 배럴)

-91년 계획: 20,818천 키로리터(1억3천1백만 배럴)

나. 지역별 배포(90 실적, 91 계획 순,단위:퍼센트)

중동(68.2, 63), 동남아(16.5, 18.2), 미주(4.9, 5.6),아프리카(9.3, 12), 호주(1.2, 1.2)

3.아울러 행정원 주계처는 1.25. 국제원유가 현수준을 유지할경우 주재국의 금년도 경제성장율은 약 6 퍼센트 수준으로 전망하였음.(90.11. 행정원 주계처는 91 상반기 원유가를 30불/배럴, 하반기 26불/배럴로 가정, 금년도 경제성장율은 6.14 퍼센트로 예측한바있음). 끝

(대사 한철수-국장)

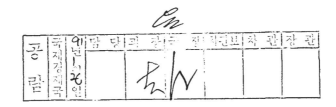

공람	국제경제국	91년1월28일	담당	과장	국장	차관보	차관	장관

경제국	장관	치관	1차보	2차보	아주국	미주국	중아국 ✓	정문국
청와대	총리실	안기부	대책반					

당직실

PAGE 1   91.01.25   21:24 DN

외신 1과 통제관

0159

외 무 부

종 별 :

번 호 : MXW-0095

일 시 : 91 0125 1210

수 신 : 장관(미중,기협)

발 신 : 주 멕시코 대사

제 목 : 주재국 원유 공급정책 불변

1. 주재국 CUAUHTEMOC CARDENAS 야당 PRD 당수는지난 1.19. 주재국이 미국등 걸프전쟁에 가담하고있는 국가에 대한 주재국산 원유의 공급을 증단하여야 한다고 주장한데 대하여 지난 1.24. 집권 PRI 당 대변인은 성명을 발표, PRI 당은 미국에 대한 원유 공급 EMBARGO 를 요청한적이 없다고 언급함.

2. PRI 당 집행 위원회는 지난 1.23자 성명에서 '걸프전쟁이 석유를 통제하기 위한 전쟁' 이라고 단정, 멕시코의 석유자원이 전쟁 수행을 위해서 사용되여서는 않되며, 동 전쟁이 후진국에 미칠 부정적인 영향을 최소한 하도록 사용되어져야 한다고 발표한 바, 금번 PRI 당 대변인 성명은 상기 PRI 집행위 성명이 걸프 전쟁에개입된 나라에 대한 주재국 원유공급을 중단하여야 한다는 야당측 입장에 동조하는 것으로 오해되는 것을 막기위한 것으로 판단되는바, 한 정부관리는 상기 미국에 대한 멕산 원유 판매중단에 대한 정치인들의 발언은 금년말 중간선거에 대비 주재국이 장배하고 있는 반전주의자들의 지지 획득을 위한 것이라고 언급함.

3. 한편 주재국 국영 석유회사 PEMEX 는 걸프전쟁 발발에도 불구, 주재국의 원유공급정책은 변함이 없으며, 20개국과 기채결한 원유공급 계약을 철저히 이행할 것이라고 작 1.24. 발표함.

(대사 이복형-국장)

공람	국제경제국	인년구월위26일	담 당	과 장	국 장	차관보	차 관	장 관

| 미주국 정와대 | 장관 총리실 | 치관 안기부 | 1차보 대책반 | 2차보 동와부 | 미주국 | 중아국 | 경제국 | 정문국 |

PAGE 1

91.01.26   04:32 DA

외신 1과 통제관

0160

330 걸프 사태 국제원유 수급 동향 2

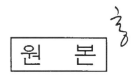

외 무 부

종 별 :

번 호 : FRW-0266　　　　　　　　　　일 시 : 91 0125 1810

수 신 : 장관 (기협)

발 신 : 주 불 대사

제 목 : GULF 사태 대응책

　1.표제관련,주재국은 IEA 의 결정에 부응하여 아래와 같은 두가지 시책을 추진키로 하였음.(IEA목표량 250만배럴중 12만6천 배럴이 주재국에할당됨)

　가.새로운 절약조치는 시행치 않고 기존 규정준수노력 강화(6만배럴 절감 기대)

　-고속도로 주행속도(130KM) 준수(74년이래 시행중)

　-공공시설 난방온도 19도로 제한(79년이래 시행중)

　나.디젤유 및 가정용 연료 STOCK 방출(6만6천배럴)

　-전체 주재국 STOCK (100일간 소비량)의 3프로에해당

　2.주재국은 상기 1항(가) 준수를 위한 통제를강화키로 하고,1.24.부터 라디오,TV 매체를 통해대국민 CAMPAIGN 을 실시중임.끝.

　(대사 노영찬-국장)

공람	국제경제국	원1.29일		담당					차관	장관

경제국 대책반	차관	1차보	2차보	중아국	정문국	청와대	총리실	안기부
	장관	동지부						

외 무 부

종 별 :

번 호 : FRW-0267 일 시 : 91 0125 1820

수 신 : 장 관 (기협,통일,미북)

발 신 : 주 불 대사

제 목 : 미국의 대개도국 기술 수출 제한

1. 주재국 일간지 LE FIGARO 1.24.자 보도에의하면, 미국은 최근 동구권에 대한 COCOM 규정적용완화 조치에도 불구,아국을 비롯한 개도국에대해 기술수출을 제한키로하고,여타 선진국에대해서도 협조를 요청중이라 하는바, 주요 내용 아래보고함.

　가. 대상기술:화학,생물학적 기술 및 미사일제조기술

　나. 목적:개도국내에서의 비재래식 무기(핵무기포함) 확산 방지

　다. 대상국가:이라크,리비아,이스라엘,한국등

2. 상기 조치는 미국의 대 IRAQ기술수출(컴퓨터,실험장비,항공사진분석 분야포함 85년 이래 15억불)의 부정적 결과에 그배경을 두고있으며, 50여개 품목에 이르는화학제품이 중점 대상이 되고있다 함.

3. 한편, 상기 제한조치가 실시될 경우 미국 수출에2,500억불의 차질이 예상되며,또한 위반업체에대한 엄격한 제재(벌금 100만불,10년징역,10년간 정부와의 계약불허)를 예상하고있어 업계의 반발이 심하며, 여타 구주제국도자국수출에 대한 간접적 영향을 고려,회의적반응을 보이고 있다함.끝.

　(대사 노영찬-국장)

경제국　　2차보　　미주국　　통상국

91.01.26　08:04 ER

외신 1과　통제관

0162

외 무 부

종 별 :

번 호 : UKW-0242   일 시 : 91 0125 1830

수 신 : 장관(중근동,기협)

발 신 : 주영대사

제 목 : 유가 및 주식동향

1. 유가동향

-2.25(금) 16:00현재 BRENT 원유 3월인도분가격은 20.25로서 전일 종가와 같은가격에 거래되고 있음.

-걸프전황에 급격한 변화가 없어 유가는보합세를 유지하고 있음.

2. 주식동향

-1.25(금) 16:00현재 FT-SR 100 지수는 2,102.90 로서전일대비 3.6포인트 상승되었음.

-금일 장세는 특이사항 없으며 약간의 기술적반등세를 보이고 있을 뿐임.끝

(대사 오재희-국장)

外 務 部

종 별 :

번 호 : USW-0428
일 시 : 91 0125 1744

수 신 : 장관(중근동,미북,기협,경일)

발 신 : 주미대사

제 목 : 유가및 주식동향

1.25(금) 유가 및 주식동향을 아래 보고함.

1. 원유 및 석유제품가격(뉴욕상품시장,3월 인도 가격)

가. 원유: 배럴당 21.35 불 (전일대비 0.36 불하락)

나. 휘발유: 갤런당 63.05 센트(전일과 동일)

다.난방유: 갤런당 69.35 센트 (전일대비 0.5센트 하락)

2. 주식 (DOW JONES INDUSTRIAL INDEX): 2,659.41 (전일대비 16.34 상승)

(대사 박동진-국장)

중아국   1차보   2차보   미주국   경제국   경제국   정문국   안기부

PAGE 1

91.01.26   08:54 ER
외신 1과   통제관
0164

334   걸프 사태 국제원유 수급 동향 2

精油社

걸프特需에 즐거운 비명

〈사진은 이라크에 의해 폭파된 것으로 알려진 쿠웨이트의 아마디정유소〉

군사용석유제품 수요가 늘면서 제트오일등 석유제품 가격이 치솟자 세계정유회사들의 수익이 증가하고있다.

사우디서 軍需用 '사재기'

제트오일등 폭등지속

싱가포르·유럽서 짭짤한 收益

세계최대의 원유수출국인 사우디아라비아가 제트오일 가스오일등 석유제품수입에 열을 올리고있다.

런던등의 석유제품값은 사우디의 '싹쓸이'로 동이날 지경이다.

이에따라 석유제품가격은 별수없이 사이 쓰이는지에 대해 전략상의 이유로 밝히지 않고있다. 사우디는 탱크 전투기등 각종의 군사관계자는 말한다.

지난해12월초 세계최대의 정유사인 사우디의 라스탄누라 社가 화재로 조업을 중단한 것도 사우디의 석유제품공급에 영향을 미쳤다.

사우디는 하루 3만5천배럴의 제트오일이 군사용으로 쓰여진다고 발표 했다.

런던의 국제석유거래소는 물론 미국의 국제석유거래소(IPE)에서도 마찬가지로 제트오일값은 걸프戰 발발이후 구준히 강세를 유지해왔다.

작년말 이후 폭등세를 보이고있다. 세계 각국의 정유회사들은 뜻밖의 '노다지'를 챙기기에 바쁘다.

사우디가 석유제품을 사들이는 것은 自國내에서 활동하는 다국적군의 석유수요를 뒷받침해 다국적군의 활동에 얼마만큼의 제트오일을 공급하기로 했다. 석유관계자들은 지난 21일에 비해 60달러나 뛰었다. 같은 기간 싱가포르가 t당 역시 t당 40달러나 올랐다. 싱가포르시장의 석유전문가들은 최근에 기록된 사우디 석유제품가격 폭등세는 사우디 국영정유회사인 사마렉社의 시장개입때문이라고 분석

原油價 下落 불구, 25% 정도 올라 0165

유회사들은 석유제품 배럴당 평균 7~8달러의 수익을 챙기고있다. 이는 작년12월의 배럴당 2·5달러에 비해 약 5달러나 높다.

걸프戰의 세계 정유회사에는 '굿 뉴스'가 되었다.

〈韓友源기자〉

외 무 부

종 별 :

번 호 : HUW-0029   일 시 : 91 0126 0830

수 신 : 장관 (기협,중근동,미북,정일) 사본: 주미대사(필)

발 신 : 주 휴스턴 총영사

제 목 : 석유가 동향보고(48)

1. 1.24.현재 서부텍사스 중질유 3월 인도가격은 전일대비 33 센트하락, 베럴당 21.71불에 거래됨

2. JAMES WATKINS 에너지장관은 1.23. 원유가는 걸프전에도 불구 베럴당 20-25 불선을 유지할 것이며 걸프전 종료후 좀더 하락할 것으로 전망함.

3. 한편 부시 행정부는 비상원유 공급량을 1일 2백만베럴에 1백만 베럴 추가공급을 현재 검토중이라 함.

4. 당지 석유전문가들은 사우디 및 아랍 에미리트 소재 유전이 군사적으로 철저히 보호되고 있어 걸프전 발발치후에도 석유공급은 원할하며 수요는 안정되어 이스라엘의 보복으로 중동지역의 석유공급이 전발적으로 위협받지 않는 한 석유가격은 비교적 안정세를 유지할 것으로 전망하고 있음.

(총영사 최대화-국장)

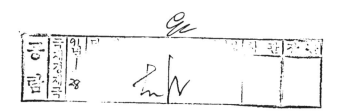

경제국   2차보   미주국   중아국   정문국

외신 1과 통제관

0166

외 무 부

종 별 :

번 호 : FRW-0285 일 시 : 91 0126 1700

수 신 : 장 관 (기협)

발 신 : 주 불 대사

제 목 : 유가및 주식동향(1.25)

연: FRW-241

0유가 : 연호와 변동없음.

0주가지수: 1563.0(1.24 지수 대비 0.59상승).끝.

(대사-국장)

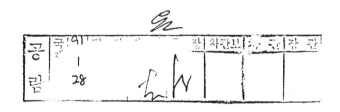

경제국

PAGE 1

외 무 부

종 별 :

번 호 : FRW-0309   일 시 : 91 0128 1820

수 신 : 장 관 (기협)

발 신 : 주 불 대사

제 목 : 유가및 주식동향(91.1.28)

연: FRW-0285

1. 연호 유가 변동없음.

2. 주가지수

- 1565.69 (1.25 지수대비 0.17프로 상승).

끝.

(대사-국장)

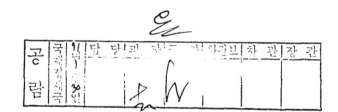

경제국

PAGE 1   91.01.29   06:51 DA

                                          외신 1과 통제관

                                                    0168

종   별 :

번   호 : UKW-0256   일   시 : 91 0128 1800

수   신 : 장   관(중근동,기협)

발   신 : 주 영 대사

제   목 : 유가 및 주식 동향

　　1.유가동향

　　- 1.28(월) 1600 현재 BRENT 3 월 인도분 가격은 19.85BBL 로서 1.26(금)
증가대비 0.3 BBL하락한 시세임

　　- 금주에도 유가에 특별한 변동은 없으나 STOCK물량이 많은 편이라 약간 하락세를
보이고 있음

　　2.주식동향

　　- 1.28(월) 1600 현재 FT-SE 100 지수는 2,118 로서 1.26(금) 막장 대비 15
포인트 (0.71) 상승함

　　- 상기 상승세는 뉴욕증시 상승에 영향을 받은것으로 보고 있으나, 거래는
활발하지 않고 대부분의 거래자들이 걸프 전망에 대해 매우 조심스러운 반응을 보이고
있음. 끝

　　(대사 오재희-국장)

공람	국제경제국	91년 1월 30일	담 당	과 장	국 장	차관보	차 관	장 관

중아국   2차보   경제국   안기부   동자부

PAGE 1   91.01.29   09:04 WG
외신 1과 통제관

0169

외 무 부

종 별 :

번 호 : USW-0475 일 시 : 91 0128 1854

수 신 : 장 관(증근동,미북,기협,경일)

발 신 : 주 미 대사

제 목 : 유가 및 주식 동향

1.28(월) 유가 및 주식 등향을 아래 보고함.

1.원유 및 석유 제품 가격 (뉴욕 상품 시장,3월 인도 가격)

가.원유: 배럴당 20.96불 (전일 대비 0.39불 하락)

나.휘발유: 갤런당 62.55 센트 (전일 대비 0.5센트하락)

다.난방유:갤런당 68.25센트 (전일 대비 1.1 센트하락)

2.주식 (DOW JONES INDUSTRIAL INDEX): 2,654.45 (전일대비 4.95 하락)

(대사 박동진-국장)

공람	국제경제국	91년1월30일	담 당	과 장	국 장	차관보	차 관	장 관

美 첨단기술 육성 강화

대통령 직속 기술硏 설치

産業경쟁력 우위 노력

국가중요技術항목 議會제출 계획

◇內憂外患 협의
부시 美대통령이 백악관에서 알렉산데르·베스메르트니흐蘇외무장관과 회담한뒤 2월11일로 예정된 美·蘇정상회담을 걸프戰등 이유로 연기한다고 발표했다.
【워싱턴AP=聯合】

【워싱턴=張容誠특파원】 美國정부는 산업경쟁력강화에 필수적인 첨단기술을 육성하기 위한 전략을 세워 실시해 나가기 위한 대통령직속기구로 중요기술연구소를 설치키로 했다.

美國정부가 첨단기술강화에 적극 나선것은 美國이 日本과 유럽에 비해 첨단기술개발경쟁에서 뒤져있어 그동안 美의회와 산업계의 반도체등 민생용기술개발에 대한 지원에

는 냉전체제종식에 따라 군수용에 치중했던 美國의 기술정책이 민수용으로의 변화를 알리는 첫번째 조치로 꼽히된다.

美國정부는 이 기술연구소를 운영하기 위한 예산으로 91년도 국방예산·가운데 5백만달러를 확보해

美國정부는 이미 작년 7월부터 美산업경쟁력강화에 불가피한 기술선정작업에 착수, 가까운 시일안에 「국가중요기술」항목을 부시대통령과 의회에 제출할 예정이다.

한편 美國정부가 선정한 국가중요기술은, 분류의 밝혀지지 않았지만 작년 美상무부가 공표한 12가지 신기술과 美국방부가 선정한 20가지 중요기술이 포함되어 있는 것으로 알려졌다.

특히 슈퍼컴퓨터 인공지

능 초전도기술을은 美상무부와 국방부가 공통으로 선정한 것으로, 밝혀졌다.

한편 美國정부는 신기술개발에 필요한 자금과 기술협력을 경감하기위해 日本과 유럽의 기업들과 本과 유럽의 기업들과 협부담을 통해 추진할 방침이다. 特히 소시업구성및 産·學·官협력을 통해 추진할 방침이다.

들은 대통령 科학분야고문인 앨런·브롬리박사를 중심으로 검토중이나 아직 상세한 것은 확정되지 않은 상태이다.

◇美정부육성 주요 하이테크
삼성부 리스트
△신소재 △초전도 △고성능반도체소자 △디지틀화축적기술 △고밀도데이타축 오프 △고성능전산기 △인공지능 △플렉시블생산기술 △센서기술 △바이오·의료기기진단기술

국방부·리스트
△복합재료 △컴퓨터유체시역학 △데이타융합 △패시프센서 △광기술 △반도체재료및 △마이크로일렉트 로닉스회로 △신호처리 △소프트웨어생산능력 △공기추진 △초전도체기계구축 로봇 △고성능레이더 △표지제어 △시뮬레이션과 모델작성 △병기시스템환경 바이오재료및 제법 △고에너지밀도재료 △고속발사체 △펄스파워 △초전도

0171

IEA 原油방출 지속

油價안정 목적 하루 2백50만배럴씩

【파리AP=聯合】국제에너지기구(IEA)는 21개회원국으로 구성된 IEA의 집행위원들과의 긴밀한 협의를 통해 효과적이고 고유제유가의 안정을 위해 하루2백50만배럴씩 방출하는 「긴급원유대책」을 계속 유지하기로 결정했다.

IEA는 이날 성명을 통해「걸프전쟁상황이 불확실한 관계로 운영할것」이라고 밝혔다.

IEA는 또 2백50만배럴의 원유방출량은 OECD(경제협력개발기구)국가들에게 큰 부담이 되지 않을것이며 필요하다면 더높은 수준의 고단위대책을 마련할수도 있을 것이라고 말했다.

적하곡「이계획은 회원국들의 집행위원들과의 긴밀한 협의를 통해 효과적이고 고유시장을 안정시키기위한 조치로 원유비축분정위하루 2백만배럴을 공급하기로 결정했다.

외 　 무 　 부

종 　 별 : 지　급

번 　 호 : SGW-0058
일　　시 : 91 0129 1100

수 　 신 : 장 관(중근동,아동,기협,대책반)

발 　 신 : 주 싱가폴 대사

제 　 목 : 걸프전쟁

1.28. 당지 유가및 주가동향 아래보고함.

1. 유가

가. 두바이산원유

3월분, 4월분 공히 배럴당 15.80 미불을 유지함.

나. 벙커 C 유(HSFO)

2월분은 톤당 146.30 미불, 3월분은 114미불,4월분은 99불로 폐장함.

2. 주가

STRAITS TIMES INDUSTRIALS INDEX 는 1.25 보다 22.09포인트 상승한 1260.84 을기록함.끝.

　　(대사-국장)

중아국 　 장관 　 차관 　 1차보 　 2차보 　 아주국 　 경제국 　 청와대 　 총리실
안기부 　 동자부 　 대책반

PAGE 1
91.01.29 　 13:34 WG
외신 1과 　 통제관

0172

342 　 걸프 사태 국제원유 수급 동향 2

외 무 부

종 별 :

번 호 : FRW-0331

일 시 : 91 0129 1820

수 신 : 장관(기협)

발 신 : 주 벨 대사

제 목 : OECD/IEA 집행위 회의 결과

연:FRW-0068

걸프사태 및 연호 긴급대책 (ENERGENCY RESPONSE CONTINGENCY PLAN) 시행 관련 1.28. 개최된 IEA 집행위 회의 결과 요지 아래 보고함. (임참사관, IEA VLAANDEREN 과장 접촉)

1. 석유시장 현황

-1.17. 걸프전 발발이래 현재까지는 석유시장의 안정적 균형을 유지하고 있음. 이는 전쟁에도 불구하고 원유의 원활한 공급, 높은 수준의 재고유지, 필요시추가 정유능력 보유 때문임.

-긴급대책은 걸프로 부터의 일시적 석유공급 부족을 완화할수 있다는 확신을 주므로서 비정상적 구매를 억제시키는데 기여했음.

2. 주요 결정사항

-1.11. 채택한 긴급대책(2.5 백만 B/D 방출)은 계속 유효하며 집행위원장과협의, 신축성 있게 계속 시행함.(시한 미정)

-프랑스, 핀랜드, 아이스랜드의 긴급대책 참여 환영

-걸프전 진전 상황에 비추어 긴급대책의 재검토가 필요할시 집행위 긴급 소집.

3. 전망

-사우디 및 여타 산유시설의 미사일등에 의한 파괴 가능성과 수뢰 및 해군상황에 의한 운송차질 가능성은 상존함.

-산유시설 파괴 위협및 화학전쟁 가능성은 사태를 더욱 악화시킬수 있음.

-여사한 사태로 인한 걸프로 부터의 더이상의 석유수출 격감은 여타지역의 증산으로 보충될수 없으며 그경우 정부및 석유회사의 재고 방출, 수요억제 (일요일 운전금지, 배급제 실시등 포함) 등의 추가조치가 필요할 것임.끝.

경제국   2차보

PAGE 1

(대사 노영찬-차관보)
예고:91.12.31. 까지

검 토 필(1991. 6 . 30 .)

0174

외 무 부

종 별 :

번 호 : UKW-0263   일 시 : 91 0129 1500

수 신 : 장 관(중근동,기협)

발 신 : 주 영 대사

제 목 : 유가 및 주식동향

　　1. 유가동향 -1.29(화) 16:00 현재 BRENT 3월 인도분 가격은 19.75 BBL 로서
1.28(월) 종가대비 0.1 BBL하락함.

　　2. 주식동향 -1.29(화) 16:00 현재 FT-SE 100 지수는 2,110.9 로서1.28(월)
막장대비 7.1 포인트 하락함.끝

　　(대사 오재희-국장)

공람	국제경제국	위신선30	담 당	과 장	국 장	차관보	차 관	장 관

중아국　　2차보　　경제국　　안기부　　동자부

외 무 부

증 별 :

번 호 : USW-0492 일 시 : 91 0129 1823

수 신 : 장 관(중근동,미북,기협,경일)

발 신 : 주 미 대사

제 목 : 유가 및 주식 동향

1.29(화) 유가 및 주식 동향을 아래 보고함.

1. 원유 및 석유 제품 가격 (뉴욕 상품 시장, 3월인도 가격)

가. 원유: 배럴당 21.85불 (전일 대비 0.89 불 상승)

나. 휘발유: 갤런당 65.30 센트 (전일 대비 2.75 센트상승)

다. 난방유: 갤런당 70.45 센트 (전일 대비 2.2 센트상승)

2. 주식 (DOW JONES INDUSTRIAL INDEX): 2,662.62 (전일대비 2.2 센트 상승)

(대사 박동진-국장)

중아국   2차보   미주국   경제국   경제국   동자부

PAGE 1

0176

외 무 부

종 별 :

번 호 : FRW-0334

일 시 : 91 0130 0900

수 신 : 장 관(기협)

발 신 : 주 불 대사

제 목 : 유가및 주식동향(91.1.29)

연:FRW-309

1. 연호 유가 변동없음.

2. 주가지수

- 1554.49 (1.28 지수대비 0.72프로 하락).끝.

(대사-국장)

경제국

91.01.30   21:04 DP

외신 1과   통제관

0177

외   무   부

증   별 :

번   호 : SGW-0061   일   시 : 91 0130 1800

수   신 : 장 관(중근동,아동,기협,대책반)

발   신 : 주 싱가플 대사

제   목 : 걸프전

    1.29. 당지 유가및 주가동향을 아래 보고함.

    1. 유가

    가. 두바이산 원유

3월분은 배럴당 15.90 미불, 4월분은 15.65 미불을 유지함.

    나. 벙커 C유(HSFO)

2월분은 톤당 142미불, 3월분은 107.30미불, 4월분은 93미불로 폐장함.

    2. 주가

STRAIT TIMES INDUSTRIALS INDEX 는 전일보다 10.34포인트 하락한 1,250.50 을

기록함.

    (대사-국장)

중아국   2차보   아주국   경제국   대책반

PAGE 1

외신 1과 통제관

0178

걸프 사태 국제원유 수급 동향 2

외 무 부

종 별 : 지 급

번 호 : FRW-0347　　　　　　　　　　일 시 : 91 0130 1840

수 신 : 장관(기협,경일,중근동)

발 신 : 주 불 대사

제 목 : 걸프만 사태(주재국 석유제품 가격 조정등)

대:WFR-52

연:FRW-266, 불경일 762-102(91.1.30)

대호,주재국의 석유제품 가격조정및 비축유 방출계획 관련사항 아래 보고함.

(1.30.조참사관이 산업성 석유국 PHILIPPE MOIROUD 경제재정 분석과장 접촉)

1. 석유제품 가격 조정

-각 석유제품 판매업체가 자율 경쟁을 통해 매일 독자적인 가격을 결정하나,주로 2일전(D-2)의 로테르담 SPOT MARKET 가격을 참고함.

.86 년이후 정부는 긴급사태를 제외하고는 유가결정에 개입하지 않으며 업체간 유가협의도 금지됨.

-정부는 90.8. 월초 GULF 사태 발발시 이를 긴급사태로 규정, 약 45 일간 유가한도를 매일 공시하였는바, 당지 기준가격은 로테르담 시장의 D-2 에서 D-7 간 평균가격에 리터당 최대 40 CENTIMES 의 유통마진을 포함하였음.

2. 석유제품 유통시장

-주재국의 석유제품 유통시장(GAS STATION)은 석유회사가 약 60 프로, LECLERC CARREFOUR 등 대형 일반상품 유통 CHAIN 이 40 프로를 점유하고 있음.

. 이들 유통 CHAIN 은 로테르담 시장에서 직접 석유제품을 구입, 자사 유통망을 통해 최저이윤(리터당 10 CENTIMES) 이하로 소비자에 직접 판매함.(유럽에서 일반상품 유통 CHAIN 이 석유제품을 직접 수입판매하는 것은 불란서가 유일함)

. 유통 CHAIN 에 의한 석유제품 가격은 석유회사 직속판매망에 비해 리터당15 CENTIMES 정도 저렴하므로 사실상 동 CHAIN 이 국내 석유제품 가격을 주도하고 있음.

3. 석유제품 비축및 방출

-정부차원의 원유나 석유제품 비축은 없음.

경제국　　2차보　　중아국　　경제국　　동자부

91.01.31　　06:23
외신 2과　통제관 CE

0179

-각 석유제품 판매회사(석유회사와 일반상품 유통 체인)는 전년도 평균 판매량을 기준하여 90 일분의 비축이 의무화되어 있으나, 현재 전국 평균 비축량은약 100 일분임.

-IEA 결정에 따라 1.23. 주재국 정부는 최근 수요가 급증한 디젤유와 가정용 연료에 한해 비축수준을 90 일분에서 87 일분으로 하향조정하였음. 이는 약 66,000B/D 규모로 모든 비축제품의 물량에 비하면 105 일분 정도임.

4. 원유 수급

-주재국은 90.8. 걸프만사태 이후 중동지역 의존도를 대폭 축소하고 아프리카 지역 도입분을 증가하는등 원유도입선 다변화를 추진함.

-89 년 하반기 도입분:중동 48.2 프로(사우디 20 프로, 이락 7.5 프로), 아프리카 25.4 프로, 유럽 22.3 프로, 기타 4.1 프로

-90 년도 하반기 도입분:중동 39.7 프로(사우디 23.7 프로), 아프리카 34.8.프로
유럽 19.9 프로, 기타 5.7 프로

5. 석유 정제시설 가동율

-최근 확인 가능한 통계는 90.11 월 평균치로서 78 프로였으나 이후 상당히높아졌을 것으로 추정함.

6. 기타

-각 석유제품 판매회사는 매주 1 회 정부에 주평균 가격을 보고하며, 월 1 회 수입량, 판매량등을 보고함.(최근 가격동향 별전 보고)

-최근 주재국의 석유시장 동향및 걸프만 사태 관련 대응책등 입수자료는 연호 공문으로 파편 송부함. 끝.

(대사 노영찬-국장)

외 무 부

종 별 :

번 호 : FRW-0348   일 시 : 91 0130 1850

수 신 : 장관(기협)

발 신 : 주 불 대사

제 목 : 걸프만 사태(석유제품 가격동향)

　　대:WFR-99

　　연:FRW-347, 불경일 762-102(91.1.30)

　　연호 4 항관련,91.1 월중 주재국의 매주평균 유가동향 아래 보고함.

　　-아 래-

　　1. 유가

　　가. 선정기준

　　-100 리터당 가격(프랑)으로 휘발유 및 디젤유는 소비자 가격이며, 가정용 연료는 2-5 큐빅미터 판매시 가격임.

　　-하기 나. 항의 괄호안은 세금전 가격(유통마진이 포함한 원가), 괄호밖은 세금포함 가격임.

　　-나. 항의 가격은 1.7,1.14,1.21 및 1.28. 일 순임

　　나. 유종별 가격 추이

　　-고급 유연 휘발유:126(527), 129(530),135(538),129(530)

　　-고급 무연 휘발유(옥탄가 95):157(520),156(519),162(526),157(520)

　　-최고급 무연 휘발유(옥탄가 98):158(522),156(520),162(526),157(520)

　　-디젤유:154(377),158(382),165(390),162(386)

　　-가정용 연료:162.7(243),168.1(249.5),186.1(270.7),186.8(271.6)

　　2. 기타

　　-주재국내 보통휘발유의 소비량은 전체의 3 프로 미만으로 정부 참고용 통계대상에서 제외함.

　　-주재국은 석유제품 원가(유통마진 포함)를 기준한 석유세(TIPP)를 산정한후, 동 합계금액에다 부가가치세 18.6 프로를 포함시켜 최종 소비자 가격을 결정함. 끝.

경제국　2차보　　동자부

PAGE 1   91.01.31   06:51
외신 2과 통제관 CE

0181

(대사 노영찬-국장)

외 무 부

종 별 :

번 호 : FRW-0350   일 시 : 91 0130 1900

수 신 : 장 관(기협)

발 신 : 주 불 대사

제 목 : 유가 및 주식 동향(91.1.30)

연: FRW-0334

1. 연호 유가 변동 없음

2. 주가지수

- 1542.49(1.29 지수대비 1.8 퍼센트 하락) 끝

(대사 노영찬- 국장)

경제국   2차보   동자부

PAGE   91.01.31   09:26 WG

외신 1과 통제관

-0183

외 무 부

종 별 :

번 호 : NYW-0144   일 시 : 91 0130 1700

수 신 : 장 관(기협,통일,중근동)

발 신 : 주 뉴욕 총영사

제 목 : 주요자원시장동향(7호)

　　　대:WNY-078,094

　　　대호 자원중 원유가격 동향 (/BL WTI1.30.종가및 전일대비 증감)을 아래 보고함.
걸프만의 지상국지전의 결과, 다국적군이 우세하였다고 평가, 앞으로도 전세가
유리하게 전개될것으로 전망, 원유공급 관련 심리적 불안이 다소 해소된 결과 유가
하락.

　　　3월:20.97(-0.88)
　　　4월:20.16(-0.73)
　　　5월:19.48(-0.67)
　　　6월:19.00(-0.65)
　　　7월:18.72(-0.63)
　　　(총영사-국장)

경제국   2차보   중아국   통상국   안기부   동자부

PAGE

91.01.31   09:46 WG
외신 1과 통제관

0184

외 무 부

종 별 :

번 호 : UKW-0272　　　　　　　　　일 시 : 91 0130 1800

수 신 : 장 관 (중근동,기협)

발 신 : 주 영 대사

제 목 : 유가,주식 및 자원 시장 동향

　1.유가동향

　- 1.30(수) 1600 현재 BRENT 3 월 인도분 가격은 20.45 BBL 로서 1.29(화) 종가대비 0.3 BBL상승한 시세임

　2.주식동향

　- 1.30(수) 1600 현재 FT-SE 100 지수는 2,152.6 으로서 1.28(월) 막장대비 38 포인트 상승함

　3.자원시장 동향

　- 1.29 LME 장세도 전반적으로 약세를 보였으며 특히 아연은 2년반 이래 최저가를 기록하였음

　1.29 종가(톤당 현금 거래가)

　알미늄: 1476, 연: 303 파운드, 동 1191 파운드, 아연: 1,132 , 주석: 5,560

　- 1.29 금값 종가: 온스당 376.20 .끝

　(대사 오재희-국장)

중아국　2차보　경제국　안기부　동자부

PAGE 1　　　　　　　　　　　　　　　　　91.01.31　09:51 WG

외신 1과 통제관

0185

외   무   부

종   별 :

번   호 : USW-0517   일   시 : 91 0130 1833

수   신 : 장 관(중근동,미북,기협,경일)

발   신 : 주 미 대사

제   목 : 유가및 주식 등향

1.30(수) 유가및 주식 동향을 아래 보고함.

1.원유및 석유 제품 가격 (뉴욕 상품 시장, 3월인도 가격)

가.원유: 배럴당 20.97 불 (전일 대비 0.88 불 하락)

나.휘발유: 갤런당 65.40 센트 (전일 대비 0.1 센트상승)

다.난방유: 갤런당 70.20 센트 (전일 대비 0.25 센트하락)

2.주식 (DOW JONES INDUSTRIAL INDEX): 2,713.12 (전일 대비 50.50 상승)

(대사 박동진-국장)

중아국   2차보   미주국   경제국   경제국   안기부   동자부

油價 추가인상 白紙化

政府검토 국제價 안정돼 더 안올려

特消稅率 인상案도 철회

現시세로 봐선 오히려 내려야할판
引下요인 커지면 石油기금에 흡수

최근油價추이 (달러/배럴)

걸프전쟁 이후에도 국제 기름값이 예상과는 달리 약보합 안정세를 유지함에 따라 정부는 평균 16~20% 정도 올리려던 국내 기름값 인상 계획을 전면 백지화하는 한편 현재 25%인 특소세율도 32·5%로 올리려던 방침도 철회했다.

9일 경제기획원과 동자부등 관계당국에 따르면 걸프전쟁 발발직전인 지난달 16일 배럴당 25·88달러까지 치솟았던 中東오만유가가 전쟁직후인 17일 16·05달러로 폭락한뒤 8일 현재 15·85달러까지 치솟았다가 32·11달러까지 떨어졌으며 앞으로도 계속 떨어질 전망이다.

이에 따라 국내원유도 가도 지난해 11월 최고 31·43달러에서 9일현재 23·2달러로 떨어졌으며 앞으로도 계속 떨어질 전망이다.

정부는 또 국제油價가 큰 변동없이 현수준 내지 이하를 유지할 경우 현행 25%인 휘발유특소세율을 1백85%선으로, 현행25%인 특소세율을 32·5%로 올리려던 방침도 철회했다.

정부는 16~20%선에서 국내 기름값을 인상 계획을 조정하려던 방침을 백지화하는 한편, 국내 기름값도 현재보다 더 떨어뜨리기로 했다. 지난해 7월 배럴당 15·40달러였던 국제油價는 10월에 최고 23·2달러까지 치솟았다가

정부는 또 국제油價가 배럴당 25달러 수준이 되면 평균 16~20%선에서 국내 기름값이 인상될것으로 추산, 이를 우선 보전해 줄 석유사업 기금을 재개할 방침이다.

능성이 높으나 국내에너지 소비절약 차원에서 값을 내리지 않고 대신 이를 석유유사업기금으로 흡수할 방침이다.

정부는 또 국제油價가 큰 폭으로 오르게 되면 오히려 내려야 할 국제유가가 배럴당 25달러 수준이 되면 평균 16~20%선에서 국내 기름값이 인상될것으로 추산, 이를 우선 보전해 줄 석유사업 기금을 재개할 방침이다.

現재 15·86달러로 약보인다.

국제油가 (오만유가)가 현 15·86달러로 국내책정기준 유지, 국내책정기준 재의 16달러 수준을 지속한다면 하반기에 12~15%의 가격을 올리는 커녕 국유가가인하까지 가능하며, 아니면 월6백억원이상의 석유유사업기금을 거둘수있다.

따라서 정부는 걸프전의 장기화에도 불구, 가격수준의 계속될 경우 올1·4분기중 약4천억원에 이를것으로 추산되는 유사업기금을 국내정유산들이 이전에 국제유가가 폭락하기 이전에 재의 16달러 이전의 원유의 도입손실을 채우기 위한 방편으로 활용하기로 했다.

0187

걸프戰에 따른 경제전망 시나리오				
구 분	당초전망 (유가 25달러)	상황 I (유가 20달러)	상황 II (유가 27달러)	상황 III (유가 35달러)
GNP성장률(%)	7.9	7.9	7.1	6.1
무역수지(억달러)	-25	0	-35	-75
수출	685	695	680	665
수입	710	695	715	740
도매물가상승률(%)	8.5	6.9	9.1	11.8
소비자물가상승률(%)	9.5	8.9	9.7	10.8

(韓銀)

전쟁 長期化하면 타격 심각

油價 배럴當 40弗수준까지

韓銀보다 企劃院 더 낙관적 전망

〈시나리오〉

전쟁 1개월지속

1개월정도의 短期戰으로 끝날 경우 국제유가격은 연평균 배럴당 20달러에서 안정될 것으로 내다봤다.

다만 국내경제에 미치는 영향에 관해서는 경제기획원과 韓銀의 분석이 다소 엇갈리고 있다.

경제기획원측은 국내경제가 별다른 영향을 받지않을 것으로 보고있는 반면 韓銀은 당초예상보다 호전될 것으로 분석했다.

韓銀측은 전체로 삼았던25달러보다 낮아져 GNP(국민총생산) 성장이 0.6%p 가량 올라 당초전망한 7% 수준을 무난히 달성할 것으로 내다봤다.

전쟁 2~3개월지속

기획원은 전쟁이 2개월정도 지속되면 유가를 연평균 20~25달러로 어나면서 유가가 연평균27달러 경우 국내경제는 크게 위축될 것으로 내다봤다.

전쟁 3개월이상지속

이 장기화될 경우...

경제기획원은 유가가 연평균 40달러수준까지 치솟아 경상수지 적자폭이 75억달러로 확대될 것으로 내다봤다. 이에따라 경제성장률도 5%밑으로 떨어지고 국내물가도 큰 영향을 받을 것으로 예상했다.

韓銀측은 유가가 연평균 35달러수준으로 올라 경제성장률이 1.2%포인트 하락해 연간 6%수준에 그칠 것으로 예상했다.

경제기획원과 韓銀은 전쟁이 끝날 경우 국제유가격은 연미할 또 도매물가는 1.6% 소...

다만 中東지역에 대한 수출차질등으로 경상수지는 당초전 제도 다소 악화돼 경제성장률이 0.2%포인트 떨어지고 무역수지는 10억달러 악...

걸프戰서 油田피해 늘면

휘발유 쿠퐁制 실시

"차량 홀짝수 운행등 非常대책

油價 40弗예상…低성장 불가피"

특별대책위, 관련대책 수정

정부는 걸프전쟁이 장기화되면서 사우디등의 유전체에 대한 기업절비자금 비상대책을 강구하기로 했다.

유·쿠퐁제·등유배급제·제한송전·차량홀짝수제운행등 현단계에서는 이미 발표된 에너지소비절약대책을 차질없이 추진하면서 물가안정을 위해 재정및 통화를 중심으로 3단계 상황을 가장을 위해 재정및 통화를 정해 발표했던 관련대책을 가장을 위해 수정, 사우디아라비아등 근동국가의 유전피해여부와 결대되는것의 국내경제는 커부시킨 3단계전쟁상황을 가장을 위해 수정, 사우디아라비아등 관련대책을 밝혔다.

30일 정부제1청사에서 此 이 대책에 따르면 정부 경제기획원차관은 는 사우디아라비아등의 유大주재로 열린 국무총리행정조정실장 전피해가 경미한채 ▲전쟁의 이같이 대책실무위원회에서 1개월 내외의 단기전으로 보고했다. 끝나는 경우 (상황Ⅰ) ▲전 李鎭卨 차관은 이날 회의에서 쟁이 2~3개월 지속되는 지난 17일 걸프전쟁기을

상황Ⅲ단계에서는 휘발유 쿠퐁제실시등 에 너지절약대책과 경기 침체에 따른 고용안정대책, 해외여행및 송금제한등 가안정과 국제수지방어·서 민생활안정을 위한 비상대책 을 강구하기로 했다.

휘발유쿠퐁제가 시행될 경 우 지정하는 배급권을 나 뒤주고 소비자들은 이를 가 져야 주유소에서 휘발유를 살수있게 된 일정량씩

경우 (상황Ⅱ) ▲전쟁이 개월이상 장기화되고 사우 디아라비아등의 유전피해가 를 경우 (상황Ⅲ) 등으로 구분했다.

상황 Ⅰ·Ⅱ단계에선는 국 제유가가 배럴당 23~25달 러로 유지돼 경상수지적자 가 당초 예상(30억달러) 보다 5억~8억달러정도 확 대되는것외의 국내경제는 7%수 준의 경제성장과 한자리들 가담성의 가능할 것으로 전 망됐다.

상황Ⅲ단계에서는 국제유 가가 연평균 배럴당 40달러 수준으로 폭등해 경제성장 률이 5%이하수준으로 하락 하고 국내유가는 1백%의 인상요인이 발생, 경제운용 상 전면수정하는등 비

0189

외　무　부

종　별 :

번　호 : SGW-0063　　　　　　　　　　　　　　　　일　시 : 91 0131 1500

수　신 : 장 관(중근동,아동,기협,대책반)

발　신 : 주 싱가폴 대사

제　목 : 걸프전

1.30. 주재국 유가및 주가동향 아래 보고함.

1. 유가

가. 두바이산 원유

3월분은 배럴당 16.40 미불, 4월분은 16.20 미불을유지함.

나. 벙커 C 유(HSFO)

2월분은 톤당 141 미불, 3월분은 105 미불, 4월분은 91 미불로 폐장함.

2. 주가

STRAIT TIMES INDUSTRIALS INDEX 는 전일보다 2.06포인트 하락한 1248.44 를 기록함.끝.

　　(대사-국장)

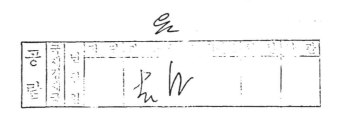

중아국　　아주국　　경제국　　대책반

PAGE 1　　　　　　　　　　　　　　　　　　　　　　91.01.31　　21:06 CT

　　　　　　　　　　　　　　　　　　　　　　　　외신 1과 통제관

　　　　　　　　　　　　　　　　　　　　　　　　　　　　0190

외 무 부

종 별 :

번 호 : FRW-0364

일 시 : 91 0131 1820

수 신 : 장 관 (기협)

발 신 : 주 불 대사

제 목 : 유가 및 주식 동향 (91.1.31)

연:FRW-0350

1. 연호 유가는 변동없음.

2. 주가지수

- 1580.67(1.30 지수대비 2.8프로 하락).끝.

(대사-국장)

공람	국제경제국	원	담 당	과 장	국	장	차관보	차 관	장 관

경제국   2차보   중아국   안기부   동자부

91.02.01   09:42 WE

외신 1과 통제관

0191

외 무 부

종 별 :

번 호 : CGW-0096

일 시 : 91 0131 1400

수 신 : 장 관 (기협,미북,중근동,정일,해신,기정)

발 신 : 주 시카고 총영사

제 목 : 걸프전 관련 허드슨 연구소 발표 (자료응신91-2호)

당관 관할 인디아나폴리스 소재 보수적인 두뇌집단 (THINK TANK) 인 허드슨 연구소 (HUDSON INSTITUTE) 가 1.30 당지에서 주최한 걸프전관련 발표회 요지 아래 보고함 (당관 지혜양 영사가 참관함)

1. WILLIAM SCHNEIDER (레이건 행정부 국무차관, 동연구소 선임연구원)

0 걸프전쟁은 에너지 문제와 관련되었지만, 단순히 원유를 위한 전쟁이 아님. 전쟁 발발이전 예상과는 달리 현재 원유 공급 과잉이 이를 잘 나타내주고 있음. 세계의 석유 공급은 이번 전쟁을 안해도 될만큼 충분히 있음.

0 원유확보를 위한 혈전이라는 표현은 이번사태를 지나치게 단순화 시킨것이며 일반 대중들에게 이번전쟁과 에너지 문제를 연결시키는 잘못된 인식을 심어주고 있음.

2. ELLIOTT ABRAMS (레이건 행정부 국무차관보, 동연구소 선임연구원)

0 전세계적인 전략적 이익과 걸프지역의 원유가 안정은 연관되어 있으나 미국이 군사적으로 개입한것은 더큰 목적때문이며, 이는 냉전시대 이후의 정치, 경제적 안정을 유지하기 위한 것임.

0 원유가는 전쟁이 발발한 날 하락했으며, 이와같은 원유시장의 반응은 원유가 인상에 대한 우려가 지나친 것임을 나타내고 있음

3. FRANK GAFFNEY (레이건 행정부 국방부차관보, 동연구소 선임연구원)

0 사담 후세인이 쿠웨이트에서 철수 한다면 전쟁을 종결할수 있다는것과 종전후 아랍, 이스라엘 평화증진을 위해 미.소 양국의 노력을 약속한 양국 외무장관 공동성명은 (1.29) 이락이 악용할수 있는 시나리오임.

0 동 성명서는 후세인이 미국과 전세계에 대항해서 승리를 거두었다고 주장할수 있는 여지를 주고있음. 후세인이 군비를 재건시키고 테러리스트와의 연계를 강화시켜 줄것임. 끝

경제국	1차보	2차보	미주국	중아국	정문국	안기부	공보처		

91.02.01   09:50 WG

외신 1과 통제관

0192

외 무 부

종 별 :

번 호 : UKW-0279   일 시 : 91 0131 1730

수 신 : 장 관(기협,중근동)

발 신 : 주 영 대사

제 목 : 유가 및 주식동향

1. 유가동향

- 1.31(목) 16:00 현재 BRENT 3월 인도분 가격이 20.15 BBL 로 거래되었으며, 전일 종가대비 0.2BBL 하락되었음.

- 다만, 미국 석유시장이 다소 상승세를 보이고 있어, 금후 BRENT 유가도 영향을 받을 것으로 봄.

2. 주식동향

- 1.31(목) 16:00 현재 FT-SE 100지수가 2,170.30 으로서 전일 막장대비 17.7포인트 하락세를 보임.

- 금일 오전장에서는 다소 상승 기운이 보였으나, 독일 금리 인상발표에 영향을 받아 오후에는 다소하락하고 있음.

3. 자원시장 동향

- 1.30. LME 장세는 연과 알미늄이 소폭으로 떨어져 계속 약세를 보였음.

. 알미늄: 1465 달러

. 동: 1229 파운드

. 연: 295 파운드 . 주석: 5567.5 달러

. 아연: 1140 파운드

- 금값은 온즈당 8.80 달러가 하락한 367.40 달러를 기록하였음.끝

(대사 오재희-국장)

| 경제국 | 2차보 | 중아국 | 안기부 | 보사부 |
동자부

PAGE 1   91.02.01   10:24 WG
                                        외신 1과   통제관

0193

외 무 부

종 별 :

번 호 : USW-0526   일 시 : 91 0131 1828

수 신 : 장 관(중근동,미북,기협,경일)

발 신 : 주 미 대사

제 목 : 유가 및 주식동향

1.31(목) 유가 및 주식동향을 아래 보고함.

1. 원유 및 석유제품 가격 (뉴욕상품시장)

가. 원 유(3월 인도가격): 배럴당 21.54 불 (전일대비 0.57 불 상승)

나. 휘발유 (2월 인도가격): 갤런당 68.80 센트

다. 난방유(2월 인도가격): 갤런당 71.30 센트

2. 주식 (DOW JONES INDUSTRIAL INDEX): 2,736.39 (전일대비 23.27 상승)

(대사 박동진-국장)

중아국   2차브   미주국   경제국   경제국   동자부

정 리 보 존 문 서 목 록

기록물종류	일반공문서철	등록번호	2021010199	등록일자	2021-01-27
분류번호	763.5	국가코드	XF	보존기간	영구
명 칭	걸프사태 : 국제원유 수급 동향, 1990-91. 전6권				
생 산 과	기술협력과	생산년도	1990~1991	담당그룹	
권 차 명	V.6 1991.2-3월				
내용목차	* 국제원유 수급 및 유가전망, 원유 안정확보를 위한 대산유국 외교활동 강화 등				

0001

외 무 부

종 별 :

번 호 : SGW-0068

일 시 : 91 0201 1600

수 신 : 장 관(중근동,아동,기협,대책반)

발 신 : 주 싱가폴 대사

제 목 : 걸프전

1.31. 당지 유가및 주가동향을 아래 보고함.

1. 유가

가. 두바이산원유

3월분은 배럴당 16.10 미불, 4월분은 15.85 미불을 유지함.

나. 벙커 C 유(HSFO)

2월분은 톤당 132미불, 3월분 114미불, 4월분101 미불에 폐장함.

2. 주가

STRAIT TIMES 지수는 전일보다 18.81 포인트 상승한1267.25 를 기록함.끝.

(대사-국장)

공람	국제경제국	91년 2월 4일	담 당	과 장	국 장	차관보	차 관	장 관
				초N				

중아국 대책반	1차보	2차보	아주국	경제국	정문국	정와대	총리실	안기부
동관부	광안	차건						

PAGE 1

91.02.01   21:05 BX

외신 1과   통제관

0002

외 무 부

종 별 :

번 호 : FRW-0392

일 시 : 91 0201 1820

수 신 : 장 관 (기협)

발 신 : 주 불 대사

제 목 : 유가 및 주식동향

1. 유가 변동 없음

2. 주가 지수

- 1578.08(1.31 지수대비 -0.16 퍼센트). 끝

(대사 노영찬- 국장)

공람 | 국제경제국 | 1담2국심 | 담 당 | 과 장 | 국 장 | 차관보 | 차 관 | 장 관 |
|---|---|---|---|---|---|---|---|
| | | | | | | | |

경제국

외 무 부

종 별 :

번 호 : UKW-0303   일 시 : 91 0201 1910

수 신 : 장 관 (기협,중근동)

발 신 : 주 영 대사

제 목 : 유가, 주식 및 자원시장 동향

1. 유가동향

-2.1(금) 16:30 현재 BRENT 산 3월분 가격은 20.15 BBL로서 전일 종가대비 0.1 BBL 인상됨.

-가격은 보합세임.

2. 주식동향

-2.1(금) 16:30 현재 FT-SE 100 지수는 2,165 로서 전일 막장대비 4.6포인트 하락함.

-금일 주가는 오전장이 다소 상승세를 보였으나 오후부터 PROFIT TAKING 현상으로 다소 내림.

3. 자원시장 동향

-1.31. LME 시장동향은 아연이 전일대비 15달러 상승하였으며 다른품목은 큰 변동 없이 전일시세에 비하여 보합세를 유지하였음. 금값은 전일비 0.65달러 하락하여 366.75 달러였음.끝

(대사 오재희-국장)

공람	국제경제국	기념일4인	담 당	곡 장	장	차관보	차 관	장 관

경제국   중아국   〔서명〕

외 무 부

종 별 :

번 호 : ITW-0197　　　　　　　　　　일　시 : 91 0201 1820

수 신 : 장 관(기협)

발 신 : 주 이태리 대사

제 목 : 걸프전쟁

　　　대:WIT-65

　　1. 대호, 걸프전쟁에 따른 주재국의 석유수급 대책 움직임 아래 보고함.

　　가. 원유확보 대책

　　원칙적으로 국제 에너지기구 (IEA) 의 지침 (비상시긴급융통등)을 따르고 있으며 현재로서 주재국의 독자적인 확보대책은 정하고 있지 않음.

　　나. 석유 수급조정 계획

　　0 현재로서는 전쟁발발후 석유가격 안정을 위해 IEA 가 채택한 합의에 따라 주재국은 90.2월부터 월간 총비축량을 90.1월의 평균비축량보다 1.2프로가 적은 수준에서 (월간 약30-50만톤 감소) 비축할 계획임.

　　0 기타 석유 정제시설 가동율 조정책은 채택하지않고 있음.

　　다. 비축유 방출 계획: 90일 법정량 포함 현재로서 비축율도 방출하고 있지 않음.

　　라. 석유소비 (수요) 절약 시책: 7프로 소비절약의 IEA합의 사항을 아래와 같이 시행중임.

　　0 비축량 감소 (매월 소비의 4프로)

　　0 발전소 연료를 메탄가스로 대체 (1.8프로 절약)

　　0 소비절약 (1.2프로) : 국민의 자발적 참여 홍보, 공공건물및 문화재의 전기절약 등의 방법을 사용하고 있으며 자동차 운행조정, 난방시기 단축방안등은 아직 채택치 않고 있음.

　　2. 상기 대책은 걸프전쟁의 확산여하에 따라 변동이 예상되는 바 특이사항 있을시 수시보고 예정이며 석유제품 가격표는 파편 송부예정임.끝

　　(대사 김석규-국장)

외 무 부

종 별 :

번 호 : SGW-0072   일 시 : 91 0202 1300

수 신 : 장 관(중근동,아동,기협,대책반)

발 신 : 주 싱가폴 대사

제 목 : 걸프전

2.1. 당지 유가및 주가동향을 아래 보고함.

1. 유가

가. 두바이산 원유

3월분은 배럴당 16.15 미불, 4월분은 15.95 미불을 유지함.

나. 벙커 C 유(HSFO)

3월분은 톤당 104.30 미불, 4월분 90 미불, 5월분 82 미불로 폐장함.

2. 주가

STRAIT TIMES 지수는 전일보다 0.47 포인트 상승한 1267.72 를 기록함.

끝.

(대사-국장)

공람	국제경제국	년 신 인	담 당	과 장	국 장	차관보	차 관	장 관

외 무 부

종 별 :

번 호 : HUW-0037 일 시 : 91 0204 1100

수 신 : 장 관(기협,중근동,미북,정일)사본:주미대사(필)

발 신 : 주 휴스턴 총영사

제 목 : 석유가 동향보고(49)

1. 지난 주간의 석유가는 소폭의 변동을 보였을뿐 2.1. 현재 서부텍사스 중질유 3월인도가격은 베럴당 20.97 불에 거래됨.

2. 당지전문가들은 이락이 국제적으로 유가인상을 시도할 것으로 보고있으며 당지에서는 유가상승 추세에 대비 새로운 유전개발 추진움직임을 보이고 있음.

3. G.A. GABRIEL YANTS 소련 지질장관이 인솔한 소련연방정부 및 지방정부 고위관리 및 국영 기업체 간부로 구성된 사절단이 현재 휴스턴 방문, 활동중임. 동사절단이 당지방문 목적은 소련내 석유광구를 외국 기업에 분양 하기위한 것이라하며 TEXACO, TXXON 등 당지 세계적 석유회사들을 접촉 하고있다함.

(총영사 최대화-국장)

경제국	1차보	2차보	미주국	중아국	정문국	동자부

91.02.05 09:19 WG

외신 1과 통제관

0007

외 무 부

종 별 :

번 호 : UKW-0316   일 시 : 91 0204 1700

수 신 : 장 관(중근동,기협)

발 신 : 주 영 대사

제 목 : 유가 및 주식동향

   1. 유가동향

   - 2.4(월) 16:00현재 BRENT 3월분 가격이 19.80BBL로서 2.1(금) 종가대비 0.3 BBL 하락한 시세로거래됨.

   - 시황에 특이사항은 없음.

   2. 주식동향

   - 2.4(월) 16:00현재 FT-SE 100지수가 2,172.40 로서 2.1(금) 막장대비 6.7포인트(0.31)하락함.

   - 금일 오전장은 다소 상승세를 보이다가 GULF전황과는 관계없이 단순한 PROFITTAKING영향으로 오후장이 하락세를 보임.끝

   (대사 오재희-국장)

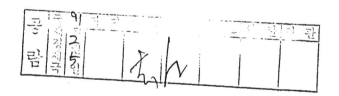

외 무 부

종 별 :

번 호 : MXW-0133   일 시 : 91 0204 1700

수 신 : 장 관(기협,미중)

발 신 : 주 멕시코 대사

제 목 : 걸프전쟁 관련 CONTINGENCY FUND 조성

1. 주재국 정부는 걸프전쟁 종결후 국제유가의 급락 가능성에 대비하기 위하여 우선 18억불로 CONTINGENCY FUND 를 조성한 것으로 알려짐.

2. 상기 긴급 대책자금은 세계적 공급과잉으로 인해 주재국 원유 수출가격이 하락할 경우 정부세출예산의 변경없이 이에 대처하기 위한것으로서 주재국 정부는 금년내 정부소유 18개 상업은행 및 국영전화국 (TELMEX), 국영제철소 (SIDERMEX) 민영화에 따른 매각 대금 70억 및 원유수출 추가수익 예상액 40억불등으로 동 긴급자금을 확충할 예정이라함.

(대사 이복형-국장)

경제국   1차보   2차보   미주국   중아국   안기부

PAGE 1   91.02.05   10:08 WG

외신 1과 통제관

0009

외 무 부

종 별 :

번 호 : USW-0592   일 시 : 91 0204 1928

수 신 : 장 관(중근동,미북,기협, 경일)

발 신 : 주 미 대사

제 목 : 유가 및 주식 동향

2.4(월) 유가 및 주식 동향을 아래 보고함.

1. 원유 및 석유제품 가격 (뉴욕 상품 시장, 3월인도 가격)

가. 원유: 배럴당 21.14불 (전이대비 0.2불 하락)

나. 휘발유: 갤런당 67.35 센트 (전일대비 0.25 센트하락)

다. 난방유: 갤런당 70.00센트 (전일대비 0.5 센트 하락)

2. 주식 (DOW JONES INDUSTRIAL INDEX) :2,772.28 (전일대비 41.59 상상)

(대사 박동진- 국장)

공람	국제경제국	년월일	담당	과장	국장	차관보	차 관	장 관

종아국	1차보	2차보	미주국	경제국	경제국	정문국	안기부	동자부

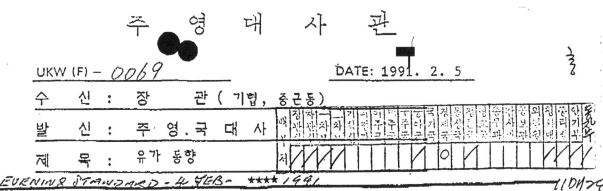

EVENING STANDARD - 4 FEB - ★★★★ 1991

EC threat to keep petrol prices high

by John Williams

MOTORISTS were threatened today with a special Euro petrol tax to keep fuel costs artificially high after the Gulf war is over.

The EC idea would slap a surcharge on oil products to prevent the cost to the customer coming down when the crisis—and the threat to supplies is over.

Proposals for a post-war energy tax were revealed in a confidential Brussels document leaked to Greenpeace.

It says the tax is needed as a curb on energy consumption in the fight against global warming.

The document says: "The oil price, which serves as a reference for setting all energy prices, should not, once the Gulf crisis is over, be allowed to fall as it did in 1988."

Moves to cut carbon dioxide emissions were already under way well before the Gulf crisis began.

Although there was widespread support amid growing concern over green issues, this was balanced by the difficulty of hitting motorists in the pocket.

Such a move could be even more controversial while troops are fighting in the oil-rich Middle East.

Greenpeace, though, said the document was "a welcome first step" towards reducing global warming.

The confidential document—still only a discussion paper—was drawn up by the EC Energy and Environment Commissioners.

Britain has clashed more than once with Environment Commissioner Ripa Di Meana for allegedly dragging its feet on green issues, like cutting carbon dioxide emissions.

The EC document proposes a two-part tax with the main component being a tax on energy from all sources apart from renewable sources such as wind power or solar power.

There would then be a further levy based on the carbon content of the fuel used.

It would hit not only motorists but industry at a time of deepening recession.

The EC is currently committed to stabilising carbon-dioxide emissions by the year 2000 and ministers are expected to consider concrete proposals from the Commission later this year as to how this can be achieved.

But Greenpeace said that further reductions in carbon-dioxide emissions would be needed.

The claim came as European foreign ministers met in Brussels to consider both the Gulf situation and the changes in the South African apartheid laws proposed by President de Klerk.

FINANCIAL TIMES - 5 FEB - 91

EC energy tax idea could add $10 to a barrel of oil

By John Hunt, Environment Correspondent

AN ENERGY tax which could add $10 a barrel to the price of oil after the Gulf war is proposed in a discussion paper now being considered by the European Commission. Such a tax would be "a central element" in the EC's commitment to stabilising carbon dioxide emissions – the main greenhouse gas – by the year 2000.

The paper says that the oil price, which serves as a reference for setting all energy prices, "should not be allowed to fall as it did in 1988" once the Gulf crisis is over.

The proposals, drawn up by Mr Carlo Ripa Di Meana, environment commissioner, and Mr Antonio Cardoso e Cunha, energy commissioner, were leaked yesterday by Greenpeace. They propose a combined tax and levy on energy and fuels measured in thermal units and carbon content.

A $10 a barrel increase in oil prices would depend on economic conditions in the energy sector at the time when the measure was to be introduced. It would also depend on "a relaxing of the tension" on energy markets.

The $10 level has been chosen as representing half the 1990-91 increase in oil prices.

The proposals have caused considerable dissent within the Commission, and their fate is uncertain.

TOTAL P.01

0011

외 무 부

종 별 :

번 호 : SGW-0074   일   시 : 91 0205 1000

수 신 : 장 관(중근동,아동,기협,대책반)

발 신 : 주 싱가폴 대사

제 목 : 걸프전

2.4. 당지 유가및 주가동향을 아래 보고함.

1. 유가

가. 두바이산 원유

3월분은 배럴당 15.85 미불, 4월분은 15.75 미불을 유지함.

나. 벙커 C 유(HSFO)

3월분은 톤당 98.50 미불, 4월분은 87미불, 5월분은 80 미불로 폐장함.

2. 주가 STRAIT TIMES 지수는 2.1. 보다 5.93 포인트 상승한 1273.65 를 기록함.끝

(대사-국장)

외 무 부

종 별 :

번 호 : FRW-0423

일 시 : 91 0205 0900

수 신 : 장 관 (기협)

발 신 : 주 불 대사

제 목 : 주식동향 (91.2.4)

연: FRW-0392

주가지수

-1581.73(2.1. 지수대비 0.23프로 상승).

끝.

(대사-국장)

경제국

91.02.05   19:33 FK

외신 1과 통제관

0013

외 무 부

종 별 :

번 호 : FRW-0435　　　　　　　　　　일 시 : 91 0205 1750

수 신 : 장 관 (기협)

발 신 : 주 불 대사

제 목 : 석유제품 가격 및 주식동향

　　1. 1.28-2.3.간 제품별 평균 시중가격 (100리터당) 아래와 같음.(괄호안은 유통마진이 포함된 과세이전 원가)

　　-고급 유연휘발유:524 (124)

　　-고급 무연휘발유(옥탄가 95):512 (150)

　　-디젤유:380 (157)

　　-가정용 연료:260.70 (177.60)

　　2.주재국 공업성 발표에 의하면, 1.28.자 평균가격은 전주에 비해 리터당 고급유연휘발유는 8 CENTIMES, 고급 무연휘발유는 6 CENTIMES 씩 각각 하락하였는 바 (ELF 의 경우 각각 12 CENTIMES 및 8 CENTIMES 씩 인하), 이는 국제원유시장에서 원유및 정유제품의 가격하락과 내수시장에서 판매회사간 가격경쟁에 기인한다함.

　　3.주가지수(2.5자)

　　-1606.38 (2.4 지수대비 1.56프로 상승).끝.

　　(대사 노영찬-국장)

공람	국제경제국	91.2.C일	담당	과장	국장	차관보	차 관	장 관

경제국　　2차보

PAGE 1

외   무   부

종   별 :

번   호 : UKW-0328   일   시 : 91 0205 1700

수   신 : 장관(중근동,기협)

발   신 : 주영대사

제   목 : 유가 및 주식 동향

1.유가동향

-2.5(화) 1600 현재 BRENT 산 3 월분 가격이 20.30 BBL 이며 전일 종가대비 0.15 BBL 하락한 시세임

-일부 TRADERS 는 개전이후 유가 수준이 비교적 약세를 유지하고 있는 것이 세계여론 약화를 의식한 선진국들의 MANIPULATION 에 의한 일시적 현상으로 보는 견해도있음

2.주식동향

-2.5 1630 현재 FT-SE 100 지수가 2,202.00 로서 전일막장대비 296 포인트 (1.36 프로) 상승세를 보임

-상기 주가 상승현상은 최근 미국의 금리인하에따른 미국시장 강세에 영향을 받은 것으로 보임.끝

(대사 오재희-국장)

중아국   1차보   2차보   중아국   경제국   정와대   안기부

PAGE 1   91.02.06   03:37 CG

외신 1과 통제관

0015

외   무   부

종   별 :

번   호 : USW-0622   일   시 : 91 0205 1950

수   신 : 장 관(중근동,미북,기협,경일)

발   신 : 주 미 대사

제   목 : 유가 및 주식동향

　　2.5(화) 유가 및 주식동향을 아래 보고함.

　　1. 원유가격 (뉴욕상품시장, 3월 인도가격): 배럴당 20.66 불 (전일대비 0.48
불하 락)

　　2. 주식 (DOW JONES INDUSTRIAL INDEX): 2,788.37 (전일대비 16.09 상승)

　　(대사 박동진 - 국장)

공 람	국제경제국	91 2 6 일	담 당	과 장	국 장	차관보	차 관	장 관

중아국　　　1차보　　　2차보　　　미주국　　　경제국　　　경제국　　　안기부　　　동자부

PAGE 1   91.02.06   11:46 WG

　　　　　　　　　　　　　　　　　　　　　　　　외신 1과 통제관

　　　　　　　　　　　　　　　　　　　　　　　　　　　　　　　0016

380　걸프 사태 국제원유 수급 동향 2

걸프戰에 끄떡없는 美경제

걸프戰 개전이후 美주가 추이

2,800
2,700
(2,772.28)
2,600
(2,623.51)
2,500
(2,508.91)

다운존스주가

1·16 1·17(전쟁개시일)   1·24   1·31   2·4일

油價·株價 안정세 유지

西方 戰費분담으로 인플레시름 덜어
短期戰예상 軍需산업 稼動率 제자리

0017

걸프전쟁은 당초예상과 전쟁의 영향을 거의 받지 않고 있는것으로 美국경제에 충격은 물론 美국경제의 다른 영향을 별다른 영향 는 달리 美국경제에 충격을 주고있다.

이처럼 美국경제가 예 면서 美국주도의 다국적 軍이 제공권을 장악하고 이라크의 공군력을 거의 무력화시킴에 따라 사우디의 유전수송로는 현재 美국은 엄청나게 비싼 에서 파손될 일부 전투

[뉴욕=朴義영特파원]

다보스 경제심포지엄 전망

"世界경제도 영향 별로 없었다"

原油價 폭등 안한것이 그 반증
戰後 中東지원 基金조성 거론

【다보스(스위스) AP=聯合】 걸프전쟁은 일부의 우려에도 불구, 세계경제에 별다른 영향을 미치지 않을 것이라고 경제전문가들은 걸프戰이 세계경제에 미치는 영향을 분석하는 가운데 걸프戰으로 세계油價가 배럴당60~70달러까지 치솟을 것이라는 일부 우려가 현실화되지 못한것은 이전비용과 걸프戰의 조기종결 기대감과 더불어 세계油

91.2.6.

中東사막의 폭풍이 아시아·태평양지역의 주식시장에서 "春風"으로 바뀌고 있다.

걸프전쟁의 발발한지 약 20일이 지난 지금 亞·太지역증시는 서서히 회복조짐을 보이고 있고, 인도네시아를 제외한 이지역의 모든 증시가 그동안 주가오름세를 탔다.

작년 8월2일 이라크의 쿠웨이트침공이후 크게 떨어졌던 주가는 지난 20일간 상당히 회복됐다. 이기간중 필리핀증시의 주가는 22.7%가 올라 이지역에서 가장 높은 주가상승률을 기록했다. 대만증시도 20%가 넘는 주가상승률을 보였고 태국증시의 주가는 16%안팎의 상승률을 나타냈다.

일본증시의 주가상승률은 높지 않았지만 전반적으로 오름세로 돌아서고 있다. 東京증시의 日經평균주가는 전쟁발발후 약 5%가 올랐다. 인도네시아만이 주가하락을 기록했으나 하락률은 극히 미미한 1.4%에 불과하다.

전쟁이후 亞·太지역의 주가상승률은 평균 10%가량에 이르고 있다.

이처럼 이지역의 주가가 크게 세지가 되고 있는 것은 우선 전쟁의 폭등에 상관는 것이다. 당초의 우려와기를 잠분위기를 살렸다. 전쟁전 배럴당 30~32달러이던 유가는 지금

걸프戰속 春風 회복세

油價 하향안정

資金 다시유입

세계證市 동조

걸프전쟁이 발발한이후 지난 20일동안 아시아·태평양지역 증시는 전반적으로 회복세를 보이고 있다. <사진은 東京증권거래소 내부전경>

19~21달러에서 움직이고 있다. 유가의 하향안정세가 우려됐던 세계경제의 침체를 불고오지는 않을것이라는 낙관론이 주식투자자들의 매입심리를 부추기고 있다는 증시 전문가들의 분석이다.

둘째요인은 작년8월이후 증시에서 빠져나갔던 자금이 증시로 되돌아오고 있는 것. 아직까지 증시의 유동성(은)이 풍부하지는 않지만 그래도 전쟁전에 비해서는 많아졌다고 전문가들은 평가한다.

걸프에서 포성이 울리면 증시자금은 급격히 줄어들것으로 우려됐으나 막상 전쟁이 터지자 우려와는 정반대

短期戰기대 발발후 10% 線上

의 현상이 일어나 주가상승후 견실한 주가오름세를 보이고 있어 이것이 亞·太증시의 주가를 끌어올리는데 큰

역할을 하고 있다고 전문가들은 말한다. 특히 세계증시흐름을 선도하고있는 미국증시의 완연한 상승세에서 亞·太증시는 직접적인 주가회복의 탄력을 얻고있다.

미국증시는 지금 급리인하 전쟁후 미국증시의 주가에다 경기후퇴상황이 지금 관적인 분위기

0018

외 무 부

종 별 :

번 호 : SGW-0080   일 시 : 91 0206 1700

수 신 : 장 관(중근동,아동,기협,대책반)

발 신 : 주 싱가폴 대사

제 목 : 걸프전

2.5. 당지 유가및 주가동향 아래보고함.

1. 유가

가. 두바이산 원유

3월분은 배럴당 15.15 미불, 4월분은 15미불을 유지함.

나. 벙커 C 유(HSFO)

3월분은 톤당 93.20 미불, 4월분은 83.50 미불, 5월분은 76.50 미불로 폐장함.

2. 주가

STRAITS TIMES 지수는 전일보다 13.34 포인트 상승한 1286.99 를 기록함.

끝.

(대사-국장)

공람	국제경제국	닌간인	당	당	곡	장	곡	장	차관보	차 관	장 관

중아국	장관	차관	1차보	2차보	아주국	미주국	경제국	정문국
정와대	총리실	안기부	대책반	동아북				

PAGE 1

Oil consumption in the west forecast to fall

By Deborah Hargreaves

WESTERN oil consumption is likely to average 38.3m barrels a day this quarter, 100,000 b/d, or 0.5 per cent lower than in 1990, the International Energy Agency estimates.

The drop in oil use follows a 5 per cent decline in demand in Organisation for Economic Co-operation and Development countries last quarter, largely because of slower economic growth, higher prices, mild weather, some stockbuilding and, in part to IEA government campaigns for oil saving. The reduction in commercial airline travel as a result of the Gulf war has depressed oil demand in the past two weeks.

Oil production has also fallen, according to the agency, with output down by about 1m b/d in January as Saudi Arabia and Iran reined back output at the outbreak of the war. In addition, there was a continuing gradual reduction in net oil exports from the Soviet Union and eastern Europe.

World supply fell to 53.5m b/d and production by Organisation of Petroleum Exporting Countries dropped by 800,000 b/d to 22.9m b/d.

At the same time, OECD stocks were used in January at a slower rate than in other years of 700,000 b/d. This leaves western stocks at historically high levels – 467m tonnes at the beginning of January, the highest for nine years.

Saudi Arabia and Iran continued to increase stocks held in floating storage throughout

Oil consumption in OECD countries

Year on year % change

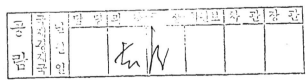

1989   1990   91
Source: International Energy Agency

January from 75m barrels in December to between 85m and 90m barrels. This oil is being held as a buffer to supply customers if the war disrupts production.

Tentative estimates suggest that the allied forces in the Gulf have consumed 500,000 to 700,000 b/d of mainly jet fuel in the first stages of the conflict.

The west's consumption of oil is estimated to remain flat this year at an average rate of 37.6m b/d, but the IEA forecasts a rise in demand from non-OECD countries of about 3.5 per cent to 15.8m b/d. This would bring world demand to 53.4m b/d for 1991, a rise of 500,000 b/d, or 1 per cent.

FT
2/4/91

0020

Extension of Export Control Law

By WILLIAM ARMBRUSTER
Journal of Commerce Staff

The U.S. Chamber of Commerce is urging Congress to extend export control legislation that expired last September for one year.

In a letter to every U.S. senator Monday, the chamber said that extending the Export Administration Act is "the wisest and most prudent course of action."

It noted that new legislation introduced last month by Sen. Donald Riegle, D-Mich, and four other senators would almost certainly be vetoed because it is identical to a bill that was vetoed last year.

If it became law, U.S. exporters would suffer because it mandates new unilateral controls aimed at halting the proliferation of missile technology and chemical and biological weapons, said Jeffrey Hallett, director of international trade policy at the chamber.

"Unilateral controls harm U.S. exporters because they're unilateral and other countries do not impose such controls," Mr. Hallett said in a telephone interview Tuesday.

Since the Export Administration Act expired last Sept. 30, the Bush administration has been using the International Economic Emergency Powers Act to enforce export controls. At the same time, it began implementing many of the reform provisions contained in last year's legislation.

Those reforms include plans to create a "license-free zone" for exports to other countries belonging to the Coordinating Committee for Multilateral Export Controls, or Cocom, by June 1 of this year. Cocom's membership consists of all NATO countries except Iceland, as well as Japan and Australia.

Last year's legislation was initiated by Rep. Sam Gejdenson, a Connecticut Democrat who chairs the international economic policy and trade subcommittee of the House Foreign Affairs Committee.

Mr. Gejdenson plans to introduce new export control legislation this year, but it will be different from last year's bill, a spokeswoman said. She did not elaborate.

President Bush vetoed the bill because of two provisions. One would have extended the embargo against doing business with Cuba to foreign subsidiaries of U.S. companies. Canada has enacted a law that would make it illegal for subsidiaries of U.S. companies there to comply with the proposed U.S. legislation.

The other reason for the veto was a provision that would have given the president no flexibility in applying sanctions against companies that violate restrictions against sales of chemical and biological weapons.

Mr. Hallett said the chamber will follow up the letter with an intensive lobbying effort directed at all senators. It's focusing on the Senate because there appears to be strong support there for the new bill, while there seems to be less of a consensus in the House on the measure.

The chamber's letter, signed by Donald J. Kroes, vice president for legislative and public affairs, said "a rancorous veto fight over export controls while we are at war" is not in the nation's best interests.

It also stated that any major revamping of U.S. export control law should await full consideration of a congressionally mandated study released last week by the National Academy of Sciences.

Furthermore, it argued that any significant changes should be delayed to allow completion of Cocom negotiations aimed at reducing and streamlining the list of controlled dual-use equipment.

Mr. Hallett said the chamber views extension of the Export Administration Act as a transitional measure pending the outcome of new Bush administration initiatives such as the effort to reduce and streamline the list of goods that can be exported to the Soviet Union and its former client states.

The chamber's support is contingent on the progress of these measures.

EC to Prepare To Lift Sanctions On S. Africa

Knight-Ridder Financial

The European Community will begin to prepare immediately for the lifting of sanctions against South Africa, British Broadcasting Corp. radio reported Tuesday.

And Japan may lift sanctions on South Africa following Friday's announcement by South African President F.W. de Klerk that the country's remaining apartheid laws will be scrapped, Taizo Watanabe, Foreign Ministry spokesman, said Tuesday.

The EC sanctions will be lifted once South Africa follows through with that promise and brings apartheid legislation to an end, said the BBC broadcast, monitored here. The EC imposed sanctions in 1986, banning the import of South African gold, iron and steel. EC ministers, meeting in Rome last December, agreed to lift sanctions once South Africa ended apartheid.

Japan is South Africa's second-biggest trading partner. However, the Japanese government bans imports of South African iron and steel, direct investment and direct air links as well as cultural, sports and educational exchanges.

Separately, Nelson Mandela's African National Congress has agreed in watershed talks with the rival Pan Africanist Congress to mount a common front against South African apartheid.

Mr. Mandela led an ANC delegation in the first talks in 30 years with leaders of the PAC, a breakaway political group that allows no role for whites in a post-apartheid government.

"We have to come up with a strategy to confront the enemy with one voice," Clarence Makwethu, PAC president, said after the meeting in a Johannesburg hotel late Monday.

Mr. Mandela told reporters:"The meeting should not be seen as a ganging up against whites. We have been given a mandate to explore avenues and formulate strategies for action."

Banks' Meetings With Republics Send a Signal to Gorbachev

By MICHAEL S. LELYVELD
Journal of Commerce Staff

News that world lenders have met with Soviet republics that are seeking separate bank membership surprised Soviet experts, who said it will greatly increase pressure on President Mikhail S. Gorbachev.

The disclosure that World Bank and International Monetary Fund officials met last year with delegations from the dissident republics is seen as raising the economic stakes for Mr. Gorbachev, who has been harshly criticized for his political crackdown and failure to implement reforms.

Analysts also reacted sharply to comments by a World Bank official in The Journal of Commerce that membership could be considered favorably if constitutional issues are resolved with the central government because the republics are "more prone to engage in reform."

"It does send a message. It must be a rather uncomfortable one for Gorbachev. I would imagine he would be alarmed," said Abraham Becker, senior economist at Rand Corp., a Santa Clara, Calif.-based think tank.

"I would not be surprised if there were some nasty contacts between (Soviet Foreign Minister Alexander) Bessmertnykh and the State Department asking what the hell does this mean," Mr. Becker said.

Adam Shube, a State Department spokesman, said, "We would not react to the comments of an unnamed official."

A spokesman for the World Bank said Tuesday that the republics have not official-

Sentiment within the World Bank is seen as a sign of the growing importance placed upon economic reform.

ly asked for separate membership but confirmed that they have sent letters requesting technical assistance.

Tim Cullen, chief spokesman for the bank, said that when the subject of membership was raised in meetings last year, "our people did refer the matter to the union government." He said the views of the unnamed World Bank official "do not represent bank policy or bank management." He didn't deny The Journal of Commerce's report.

Barber B. Conable, World Bank president, addressed the institution's board on Tuesday to clarify its policy on the Soviet Union, which has so far failed to gain either membership or technical assistance from the bank.

But most analysts agreed that a clear signal had been sent, both to Mr. Gorbachev and the republics.

"There's a tremendous amount of ammunition this gives to republic-minded leaders," said David Scheffer, senior associate at the Carnegie Endowment for International Peace.

"What it really does is send a signal to

the republics that they should press all the harder for independence," said Michael E. Mandelbaum, East-West studies project director at the Council on Foreign Relations.

Some observers saw the sentiment within the World Bank as a sign of the growing importance placed upon economic reform, with or without Mr. Gorbachev.

"It sends a very clear message...that reform is a precondition for economic development in the Soviet Union and that's how we should be viewing it," said Blair Ruble, director of the Kennan Institute for Advanced Russian Studies at the Woodrow Wilson Center for Scholars.

Others saw the disclosure as a frank assessment of Soviet realities.

"The fact of life is that people who want to get things done in the economic realm don't get things done by dealing with the central authorities," said Helmut Sonnenfeldt, guest scholar at the Brookings Institution and a former senior member of the National Security Council.

Few doubted the importance of the signal to the Soviet government, however.

"This membership really matters to them. They have to pay attention, or at least they think they have to pay attention," said Susan Woodward, a Brookings specialist in socialist economies.

"It vastly complicates the Soviet effort to participate in these two institutions," said Mr. Scheffer. "Gorbachev wants a lot from the institutions for the Soviet Union as a whole. He wants to draw on their resources but he also wants to be a major player."

JOC
2/6/91

0480 —3

0022

외 무 부

종   별 :

번   호 : FRW-0451

일   시 : 91 0206 1750

수   신 : 장 관 (기협)

발   신 : 주 불 대사

제   목 : 주식동향(91.2.6)

0 주가지수

- 1598.11 (2.5. 지수대비 0.51프로 하락).끝.

(대사-국장)

경제국

91.02.07   09:10 WG

외신 1과 통제관

0023

외 무 부

종 별 :

번 호 : UKW-0340   일 시 : 91 0206 1830

수 신 : 장 관(중근동,기협)

발 신 : 주 영 대사

제 목 : 유가 및 주식동향

　　1.유가동향

　- 2.6(수) 1700 현재 BRENT 산 3월분 가격은 20.75 BBL 로서 전일 종가대비 0.55
인상됨

　- 유가에 특별한 변동은 없으나 유럽대륙의 기온이 급강하여 유가가 다소
오른다는 설도 있음

　　2.주식동향

　- 2.6. 1700 현재 FT-SE 100 지수는 2,194.80 로서 전일 막장대비 7.2 포인트내림

　- 금일 오전중에는 이식매물이 출회하여 내림세를 보였으나 오후중 뉴욕 증시와
비슷한 양상을 보이면서 회복세를 보임.끝

　(대사 오재희-국장)

중아국　　1차보　　2차보　　경제국　　안기부　　동자부

PAGE 1   91.02.07   09:20 WG

외신 1과 통제관

0024

388 걸프 사태 국제원유 수급 동향 2

외　무　부

종　별 :

번　호 : USW-0640　　　　　　　　　　일　시 : 91 0206 1807

수　신 : 장　관(중근동,미북,기협,경일)

발　신 : 주　미　대사

제　목 : 유가 및 주식동향

2.6(수) 유가 및 주식동향을 아래 보고함.

1. 원유가격 (뉴욕상품시장,3월 인도가격): 배럴당 21.49 불 (전일대비 0.83 불 상승)

2. 주식 (DOW JONES INDUSTRIAL INDEX): 2,830.94 (전일대비 42.57 불상승)

(대사 박동진-국장)

종람	국제상학국	에2국191인	담당	과장	국장심의관	차관	장관

종아국　　　1차보　　　2차보　　　미주국　　　경제국　　　경제국　　　동자부

PAGE 1

외 무 부

종 별 :

번 호 : FRW-0460   일 시 : 91 0207 1430

수 신 : 장관(기협)

발 신 : 주불 대사

제 목 : OECD/ IEA 의 석유 동향

  1. 산유국과 소비국

  STEEG, IEA 집행위원장은 2.5 DAVOS 세계경제 FORUM 에서 걸프전쟁이 종식되면 전후 석유 공급의 안정과 안전을 확보키 위해 산유국 (OPEC 를 포함한 모든산유국) 과 소비국(산업계 및 금융계 포함) 간에 협의를 해 나가겠다고 선언함. 동인은 석유 가격 결정 및 생산 봉제를 위해 정부가 개입 하는데는 반대 한다는 단서를 추가 했지만 동 선언은 산유국과 소비국간의 개별 접촉은 인정하되 OPEC 와의 공식 협의를 반대해 온 종래의 IEA 의 입장의 획기적 변화로 평가되고 있음.

  2. 석유 생산, 소비 동향 (IEA 월례 보고서)

  가. 1월중 세계 (소련등 동구권 제외) 원유공급은 지난 12월 대비 1 M B/D 감소, 53.5 M B/D 를 유지 했음. OPEC 의 1월중 생산은 0.8 M B/D 감소, 22.9 MB/D 에 그쳤는바 (사우디 생산:12월 - 8.6 M B/D) 동 생산 감소는 흑한기 이후 OPEC 에 대한 석유 수요 감소 및 걸프전 발발후 이락,사우디의 생산 억제에 기인함.

  나. 91.1/4 분기중 OECD 의 석유 소비는 경제 성장둔화, 고유가 및 IEA 의 소비 억제조치로 인해 90년 동기 대비 0.1 M B/D 감소하여 38.3 M B/D 에 그칠것임.

  91년도중 OECD 회원국 평균 소비는 37.6 MB/D 로 안정을 유지하는 반면에 비회원국의 수요는15.8 M B/D 로 증가하여, 세계 전체 수요는 전년대비 0.5 M B/D증가한 53.4 M B/D 에 달할것으로 전망함.끝

  (대사 노영찬- 국장)

경제국

외 무 부

종 별 :

번 호 : UKW-0356   일 시 : 91 0207 1730

수 신 : 장 관(기협, 중근동)

발 신 : 주 영 대사

제 목 : 유가 및 주식동향

　　1. 유가동향

　　- 2.7(목) 16:00 현재 BRENT 원유 3월분 가격은 20.65 BBL로서 전일종가 대비 0.3BBL 하락된 가격임.

　　- 작일 유가는 유럽의 악천후 관계로 소폭의 오름세를 보이다가 금일 다시 하향 조정되었음.

　　2. 주식동향

　　- 2.7(목) 16:00 현재 FT-SE 100 지수는 2,243.7로서 전일 막장대비 48.9 포인트상승되었음.

　　- 상기 주가상승 현상은 주재국의 금리 인하설에 영향을 입은 것으로 보고있음.

　　끝.

　　(대사 오재희-국장)

공람	국제경제국 91.2.8인	담 당	과 장	국 장	차관보	차 관	장 관

경제국　중아국　　결재　동지부

외 무 부

종 별 :

번 호 : USW-0657   일 시 : 91 0207 1810

수 신 : 장 관(중근동,미북,기협, 경일)

발 신 : 주 미 대사

제 목 : 유가 및 주식 동향

2.7(목) 유가 및 주식 동향을 아래 보고함.

1.원유가격(뉴욕 상품시장, 3월 인도가격): 배럴당 21.22불 (전일 대비 0.27불 하락)

난방유 가격: 갤런당 65.55 센트 (전일 대비 8센트하락)

휘발유가격: 갤런당 60.54 센트 (전일 대비 1.2 센트하락)

2.주식 (DOW JONES INDUSTRIAL INDEX): 2,810.64 (전일 대비 20.30 하락)

(대사 박동진- 국장)

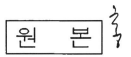

외   무   부

종   별 :

번   호 : FRW-0471   일   시 : 91 0208 0910

수   신 : 장관(기협)

발   신 : 주불 대사

제   목 : 주식 동향 (91.2.7)

　　-주가지수 : 1598.22 (2.6 지수대비 0.01 퍼센트 상승).

　　끝

　　(대사 노영찬- 국장)

공람	국제경제국	년월일	담당	과장	국장	차관보	차관	장관

경제국

외 무 부

종 별 :

번 호 : FRW-0492

일 시 : 91 0208 1730

수 신 : 장 관 (기협)

발 신 : 주 불 대사

제 목 : 주식동향(91.2.8)

-주가지수:1622.75 (2.7일 지수대비 1.5프로 증가).끝.

(대사-국장)

<table>
<tr><td rowspan="2">공
람</td><td rowspan="2">국
제
경
제
국</td><td rowspan="2">민
원
인</td><td>담 당</td><td>과 장</td><td>국 장</td><td>차관보</td><td>차 관</td><td>장 관</td></tr>
<tr><td></td><td></td><td></td><td></td><td></td><td></td></tr>
</table>

경제국

PAGE 1

91.02.09   07:43 DN

외신 1과 통제관

0030

외 무 부

종   별 :

번   호 : UKW-0370   일   시 : 91 0208 1800

수   신 : 장 관(중근동,기협)

발   신 : 주 영 대사

제   목 : 유가 및 주식동향

1. 유가동향

- 금 2.8(금) 16:00 현재 BRENT 산 3월 인도분가격은 19.95 BBL 로서 전일 종가대비 0.2 BBL내림세를 보임.

- 유럽 기후관계로 석유제품가는 다소 상승세를 보이고 있으나 원유가에는 별영향이 없음.

2. 주식동향

- 금 2.8(금) 16:00 현재 FT-SE 100 지수는 2,245.70로서 전일 막장대비 1.5 포인트 상승함.끝

(대사 오재희-국장)

공람	국제경제국	년인월일	담 당	과 장	국 장	차관보	차 관	장 관

중아국   1차보   2차보   경제국   안기부   동자부

외 무 부

종 별 :

번 호 : HUW-0043   일 시 : 91 0208 1600

수 신 : 장 관(기협,중근동,미북,정일)

발 신 : 주 휴스턴 총영사

제 목 : 석유가동향(50)

연: HUW-37

1. 지난 한주간의 석유가난 베럴당 21-22 불선을 유지하였으며 2.7.현재 서부 텍사스 중질유 3월 인도가격은 베럴당 21.22 불로 형성됨

2. 당지 석유전문가들은 전쟁이 현재와 같이 부진하게 계속될 경우 석유가격도 큰폭의 등락은 없을 것으로 보고있음.

(총영사 최대화-국장)

공람	국제경제국	년 월 일	담당	과 장	국 장	차관보	차 관	장 관

경제국   1차보   2차보   미주국   중아국   정문국   동자부

PAGE 1   91.02.09   09:31 WG

외신 1과 통제관

0032

외 무 부

종 별 :

번 호 : USW-0676

일 시 : 91 0208 1720

수 신 : 장 관(중근동,미북,기협,경일)

발 신 : 주 미 대사

제 목 : 유가 및 주식 동향

2.8(금) 유가 및 주식 동향을 아래 보고함.

1. 원유 가격 (뉴욕 상품 시장, 3월 인도 가격): 배럴당 21.92불 (전일 대비 0.70 불 상승)

난방유 가격: 갤런당 67.22 센트 (전일대비 1.7 센트 상상)

휘발유 가격: 갤런당 61.18 센트 (전일대비 0.6 센트상상)

2. 주식 (DOW JONES INDUSTRIAL INDEX) :2,830.69 (전일 대비 20.05 상상)

(대사 박동진- 국장)

공람	국제경제국	년인인	담당	과 장	국 장	차관보	차 관	장 관

중아국	1차보	2차보	미주국	경제국	경제국	안기부	동자부

PAGE 1

91.02.09   09:46 WG

외신 1과 통제관

0033

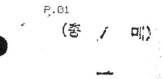

(총 / 매)

주 영 대 사 관

UKW (F) - 0077　　　　　　　　DATE: 1991. 2. 8

수 신 : 장 관 (중근동, 기협)

발 신 : 주 영.국 대 사

제 목 : 유가 동향

LOMBARD

Oil agency in search of a role

By Deborah Hargreaves

Three weeks into the Gulf war, the most surprising background fact remains the oil price: it has been stuck at about $20 a barrel since the aerial bombardment of Baghdad began. This raises a question about the International Energy Agency which will be there to answer when the war is over.

The west's creation of the IEA in 1974 was a purely political move. With the economic and political damage wrought by the 1973 oil crisis uppermost in the minds of western nations that founded it, the IEA was to ensure security of energy supply.

It has remained a political body with all the inevitable bureaucracy of an organisation that tries to find a consensus among nations with interests as diverse as those of the US and Turkey.

But the oil market within which the IEA operates has changed considerably since 1974. No longer are oil cargoes sold by fixed producer prices; the value of oil is determined in the world's highly-strung futures markets. In these markets, psychology plays as much of a role in determining price as does physical supply.

When Iraq invaded Kuwait and the price of oil raged upwards, the IEA stuck hard by its policy of not acting until it could see a physical shortage of oil. Oil prices, however, reached $40 a barrel because markets were worried about a possible shortfall, not because there was an actual physical shortage.

By the time the IEA had digested this response and produced an emergency plan to calm world markets by making an extra 2.5m barrels of oil a day available, market psychology had already shifted.

Virtually no one predicted that a record drop in oil prices would follow the allied air attack on Iraq, but the market was a lot calmer than it had been in August. The fall in price was partly attributed to the IEA's action, but was mainly caused by the initial euphoria over allied bombing successes and the realisation that the chances of substantial damage to Saudi oil installations were probably minimal.

The problem now is that the agency is ready to sell its oil just when world markets are well supplied. Probably nobody with the IEA's membership and constitution could have done better. But it does raise the question of whether the agency is capable of playing a useful role in a crisis.

Its emergency plan was made largely at the urging of the US, which has the most to lose from a higher oil price. But it took five months of diplomatic persuasion to convince others such as Germany and Switzerland, and to counter opposition from oil producers within the body such as Norway and Turkey.

The measures have already achieved whatever potential they had to calm volatility in the oil market. Actually to release the oil would only add to downward pressure on already soft prices. It is not clear in whose interest this would be.

The IEA seems to have acknowledged this fact, by suggesting that the member governments which actually control the release of oil from the reserve adopt a flexible attitude. Likewise, the US sold only half the amount of strategic oil it had earmarked for auction last week. But the agency's continuing reluctance to withdraw its overall contingency plan looks more like resistance to reversing a hard-won bureaucratic advance than a cogent response to continued uncertainty in the oil market.

Mrs Helga Steeg, the IEA executive director, has been hinting recently at a more rapid response to the next crisis; she says member countries now have a better understanding of the way the oil market works.

But in a world of 24-hour markets, it is fanciful to believe that the IEA really can do better. The IEA may be a valuable information-sharing forum, but its political diversity does not make it a credible market animal. To the extent that officialdom has a role at all in the oil market, the task should be left to national governments.

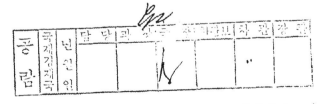

0034

번호 : USW(F) 야:0

수신 : 장 곤 (기획, 경업)

발신 : 주미대사

제목 : 미국의 에너지 절약 정책 (기사)

Emerging Plans Aim to Cut US Oil Imports

New bills seek mileage standards, research in alternative energy; Bush's rhetoric assailed

By John Dillin
Staff writer of The Christian Science Monitor

═══════ WASHINGTON ═══════

AMERICA'S energy policy can be summed up in two words: "import oil," says Sen. J. Bennett Johnston (D) of Louisiana.

Prodded by war in the oil rich Persian Gulf, Senator Johnston, President Bush, and other Washington politicians now are crafting new strategies that may wean the United States from foreign petroleum.

On Capitol Hill, about two dozen energy-related bills are making the rounds, including a 264-page document from Johnston. At the White House, officials are debating a national energy strategy that could have a dramatic impact on everyone from Detroit automakers to suburban commuters, from coal miners to manufacturers of windmills.

The challenge is clear. During the past two decades, the world has experienced three severe oil shocks. All were related to political instability in the Middle East.

Yet US dependence on Gulf energy supplies is growing.

Although Americans briefly reduced their use of imported oil during the 1970s and 1980s, the federal Department of Energy (DOE) predicts that US reliance on foreign petroleum will rise from 42 percent of consumption in 1989 to 62 percent in the year 2000, and to 70 percent in 2010.

And now, despite the fact that Americans are fighting in Iraq, national leaders still are not ready to deal with energy problems, critics charge.

Joan Claybrook, president of Public Citizen, says President Bush's "short, vague" reference to energy in his State of the Union address was discouraging. She predicts Mr. Bush will offer "little more than the same mix of policies that has now embroiled us in an oil war."

Johnston, who represents a leading oil state, calls the lack of a national energy strategy "a colossal failure of will.... Why it's taken this long, I don't know."

But Sen. Malcolm Wallop (R) of Wyoming says it's not really puzzling. US energy policy is overseen by 44 committees and subcommittees of Congress, nine Cabinet secretaries, seven offices of the president, and three or four independent agencies.

"All are more interested in their turf than in policy," he says.

Energy issues are also highly controversial. Few topics can turn out more lobbyists or stir up more politicians than proposals that would raise prices for gasoline or reduce tax breaks for the oil industry.

When Johnston and Senator Wallop jointly announced an energy strategy this week, an army of special-interest representatives

See **ENERGY** next page

Economic Up
09 Feb 91

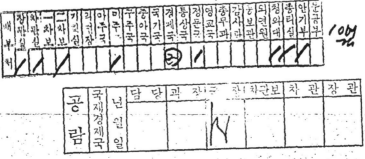

ENERGY from page 1

lined up for hours outside the meeting room at the Dirksen office building. Led by lobbyists like Charles DiBona (annual salary, $468,405, according to National Journal) of the American Petroleum Institute, special interests watch over every comma and semicolon of federal energy policy, and vigorously protect their pocketbooks.

Looking for new answers

For years, federal policy has catered to these interests. Billions of dollars in subsidies for research and tax preferences have gone to the petroleum, coal and nuclear industries.

But as oil fields like Prudhoe Bay, Alaska, begin to run dry, energy experts are looking for new answers.

Energy Secretary James Watkins makes it clear that the two top priorities of a new federal energy strategy should be conservation and renewable energy.

Admiral Watkins spent 18 months developing an energy strategy. He held 18 hearings, listened to 400 witnesses, and received more than 25,000 pages of written comments.

In the 1992 energy budget, Admiral Watkins says: "Improvement in US energy security requires efforts on several broad fronts, including supporting the environmentally responsible de-

velopment of oil production capacity...; increasing strategic reserves worldwide; and reducing the use of oil in the US economy through increased efficiency, fuel switching, and development of alternative fuels."

The admiral reportedly wanted to push efficiency and alternate fuels to establish the department's credibility with conservationists – and perhaps to clear the way for oil drilling in the Arctic National Wildlife Refuge.

Administration infighting

But the Watkins strategy could be derailed by White House opposition, which analysts say is being led by chief of staff John Sununu. The resulting proposals could be too wishy-washy to satisfy critics or Congress.

For example, Johnston now predicts that because of White House intervention, the Watkins proposals, due in two weeks, probably will include no new standards for auto mileage.

If so, that could give Johnston and others on Capitol Hill, like Sen. Richard Bryan (D) of Nevada, an opportunity to seize leadership from the president.

Senator Bryan, for example, is apparently making significant headway with S279, a bill that would mandate a 20 percent improvement in auto mileage by 1996, and a 40 percent improvement by 2001. He has already picked up 34 cosponsors.

As the bill notes, a 40 percent improvement in mileage would save 2.5 million barrels of oil a day by 2005. "This is over eight times the amount of oil expected to be available through drilling in the Arctic National Wildlife Refuge, and almost four times the amount of oil imported from Iraq and Kuwait prior to the Iraqi invasion of Kuwait," the bill declares.

The Johnston-Wallop bill also calls for improved mileage, though not as stringently as the Bryan bill.

Meanwhile, hints about the eventual shape of the White House bill emerged in the new 1992 budget.

Budget for alternatives

Outlays for research on wind energy would rise from $11 million in 1991 to $13.0 million in 1992. Research on photovoltaic energy would rise from $46.3 million to $50.8 million. Biofuels research would rise from $33.1 million to $36.8 million. Some research budgets would drop, however; ocean energy would fall from $2.7 million to zero.

Critics argue that the DOE still has its priorities skewed. Jill Lancelot of the National Taxpayers Union complains that Watkins is increasing funds for a multibillion-dollar nuclear-processing facility at a time when "we cannot afford lavish subsidies for the nuclear industry."

0500 - 2. End

번호 : USW(F) - 0517
수신 : 장   관 (기획, 중근동) 발신 : 주미대사
제목 : 걸프전쟁의 OPEC에 대한 영향 (2 매)

Assessing the Damage to OPEC

An Oil Glut Is Likely After the Gulf War

By MATTHEW L. WALD

OPEC, founded in 1960 in Baghdad, may now be withering there.

The Persian Gulf war may do long-lasting damage to the Organization of Petroleum Exporting Countries, experts in the international oil market say, because it has stimulated oil-producing countries to add capacity, to replace oil that came from the wells of Iraq and Kuwait. At the same time, the war has increased prices and depressed global demand.

Oil from Iraq and Kuwait has been embargoed since the Aug. 2 invasion of Kuwait by Iraq. But the other 11 members of OPEC are producing at least as much oil as all 13 did before the war, and when Kuwaiti and Iraqi oil returns to the market a glut is likely, depressing prices.

Likelihood of Raising Production

And to raise money for reconstruction, Iraq and Kuwait may well want to produce far more than the prewar quotas assigned to them by OPEC. Saudi Arabia will also need more revenue, having pledged billions of dollars to countries hurt by the war.

On the one hand, a postwar effort to demonstrate Arab solidarity might reinforce OPEC's ties. But such a movement would presumably involve sharing oil wealth among Arab nations — and that would also raise the revenue requirements of Saudi Arabia and other Persian Gulf countries with large production capacity. They might try to raise money by raising oil prices, but in the past they have sought more revenue by simply pumping more oil.

And when all the hungry players sit down to slice up the market, they will find the pie has shrunk. The higher oil prices of the last six months have stifled demand by one million to two million barrels a day.

There have been previous rifts within OPEC, including those reflecting the eight-year war between Iran

The New York Times

and Iraq that ended in 1988. And there is always tension between the interests of Saudi Arabia, which has huge reserves and wants a low price so the world stays reliant on oil, and countries like Iraq and Iran that want high revenues to spur development.

But many analysts say OPEC's task is tougher than ever.

"Organizationally, how are these people going to get together?" said Thomas McHale, an economist and international oil expert at Goldman, Sachs & Company. "I don't think anybody's going to be able to sit down and have an effective quota that lasts more than a week or two."

Charles T. Maxwell, the chief

NYT ½
2/11/91

0037

energy strategist at C. J. Lawrence predicted that a new OPEC agreement on quotas for oil production would be impossible.

The war and diplomatic efforts to end it may take unforeseen turns, but most analysts expect Iraq and Kuwait to resume pumping oil as soon as they can after the shooting stops.

"As soon as they are able to produce, they are going to produce with a vengeance," said Karen Kramer, an analyst at Mideast Report, a New York-based newsletter. She and others do not assume that the United States, which could still have troops in the region, will have much effect on pumping decisions.

War Damage Estimates

OPEC Listener, a newsletter distributed by telecopier, recently estimated the damage to Kuwaiti oil installations at $40 billion; other war damage to the country will presumably run billions of dollars more. Iraq is also certain to sustain billions in damage, and if Saddam Hussein's presidency does not survive the war, that country will have an even stronger case to be allowed to pump oil to promote recovery.

In the month before the war, the two countries together produced nearly five million barrels of oil a day of OPEC's total of 23.7 million barrels. The void had been more than filled by late last year, but production fell when the war began; in January, according to the International Energy Agency, the other 11 members were producing 22.9 million barrels a day. Even in the relative calm of the prewar days, the organization's quota was more of a goal than a limit. In July, actual production was more than one million barrels a day above the quota of 22.8 million barrels.

In a way, the damage to wells, pipelines and loading terminals in Iraq and Kuwait is an antidote to the scramble to produce, giving OPEC some breathing room because repairs will take months.

Price Plunge Expected

If they resume pumping, and compensating cuts are not made by other countries, the price of oil will sink sharply, said Geoffrey M. Heal, a professor at the Columbia University Business School and a specialist in resource economics. "I think we will see oil prices at an absolute all-time low," he said. "I'd be willing to bet some money on oil prices getting down toward $10 a barrel by the end of summer of this year."

Not everyone agrees. Some analysts point out that Kuwait was often a cause of falling oil prices in the past, because it ignored the wishes of OPEC partners and violated quotas. "They thought they didn't have to worry about their neighbors," said John H. Lichtblau of the Petroleum Industry Research Foundation. "They won't do that again."

The United Arab Emirates, another exporter with a small population, large reserves and a reputation for exceeding its quota, will likewise be chastened by the war, oil analysts predict.

Output May Be Cut

Should prices plunge, Mr. Lichtblau and others said, the OPEC nations might be inspired to agree to raise their incomes by reducing production. That is what happened after the price crash of 1986.

OPEC agreed in December that after the war it would return to the quotas set in July, just before the Iraqi invasion. That called for total production of 22.5 million barrels a day, and that goal may be reaffirmed at the OPEC meeting scheduled for March 11. The other OPEC members are Qatar, Venezuela, Nigeria, Indonesia, Libya, Algeria, Gabon and Ecuador.

But the pledge to return to prewar production will be difficult for many countries, including Saudi Arabia, which at one point had raised production to 8.5 million barrels a day from 5.5 million before the war.

"Everyone will be looking at the Saudis to cut back," said Mr. Maxwell of C. J. Lawrence. And the first million barrels a day that they cut production could be seen as making room for production by their friends the Kuwaitis, he added.

"But the next two million barrels a day is very close to the production of Iraq, 2.5 million," he said. "They feel they'd be doing it for their archenemy."

Costs Have Grown

In addition, the Saudis are believed to have money troubles. Despite a windfall for the few months last year when oil prices were sharply higher and a continuing augmentation of income because their production rose, expenses are up, too.

Even before the war, outside analysts expected the kingdom to run a deficit in 1990; now they think it will be larger. Ms. Kramer said her deficit estimate had jumped to $16 billion, from $8 billion.

Venezuela is another question. Its quota is 1.95 million barrels a day, but since August it has spent a substantial sum to raise capacity to 2.8 million barrels a day. In a speech last month in Dallas, Frank Alcock, vice president of the national oil company, Petróleos de Venezuela S.A., said Venezuela would increase capacity to 3.3 million barrels a day by 1996, at a cost of $12 billion. The task is expected to require 20,000 to 30,000 new workers.

Whether such expansion is consistent with OPEC quotas is not clear. Mr. Lichtblau said Venezuela might quit the organization, of which it is a founding member. OPEC membership has long been a matter of debate

in Venezuela.

Other nations are also raising capacity. Iran announced last month that it would increase its capacity by 50 percent, to five million barrels a day. No timetable was given, but during the Shah's reign, Iranian production reached six million barrels a day, so with adequate investment the potential is there.

And even those OPEC countries not adding to capacity are likely to be an obstacle to reducing production. A year-end study by the Washington International Energy Group, a consulting firm, said, "It is hard to imagine countries like Libya and Nigeria accepting smaller quotas to assist the Kuwaitis."

Libya is at the opposite end of the political spectrum from the conservative Kuwaiti Government; Nigeria is at the opposite end of the demographic spectrum, with a huge, needy population.

Yet some factors are working in OPEC's favor. One is the turmoil in the Soviet Union, the world's largest oil producer. Oil is the nation's biggest generator of hard currency, so Moscow will try hard to maintain exports. But experts say a decline in Soviet exports will probably continue.

OPEC has also had some help in recent years from other oil-producing countries, like Norway and Mexico, which cut output to help bolster prices. Norway is now expanding its capacity; Mexico's plans are less certain.

Some analysts think that if Saddam Hussein is not an influence, postwar OPEC might be more cohesive.

Saudi Price Effort Expected

New alliances are forming, said Mehdi Varzi, an oil analyst at Kleinwort Grieveson in London. In December, for example, the Saudis invited Iran, a longtime antagonist, to consult with the Gulf Cooperation Council, a group formed 10 years ago by Arab countries as a bulwark against Iran. With a postwar Iraq in a weak position, he said, a Saudi-Iranian agreement would be powerful.

Mr. Varzi predicted that the Saudis would try to reassert the OPEC goal of $21 a barrel. The United States should not see that as a disadvantage, he said, because the 1986 price crash was a two-sided coin. It cut import bills but also made the United States oil industry uncompetitive, choking off domestic production, increasing demand for oil and thus greatly increasing American dependence on imports.

And in the long run, the recovery by OPEC or the emergence of a comparable organization is likely, predicted Daniel Yergin, the oil historian and author of "The Prize: The Epic Quest for Oil, Money and Power."

"Ever since the 1860's, those people who have large amounts of oil try to find a framework for getting together to deal with volatilities and pursue their diverse and common interests," he said.

0514-2

외 무 부

종 별 :

번 호 : FRW-0517   일 시 : 91 0211 1800

수 신 : 장 관(기협)

발 신 : 주 불 대사

제 목 : 주식동향(91.2.11)

　-주가지수: 1637.29 (2.8. 지수대비 0.90프로 상승).끝.

　(대사 - 국장)

공람	국제경제국	91 2.12 인	담당	과장	국장	차관보	차관	장관
					ん			

경제국

PAGE 1   91.02.12   04:46 DQ

외신 1과 통제관

0039

외 무 부

종   별 :

번   호 : UKW-0390   일   시 : 91 0211 1800

수   신 : 장 관(중근동,기협)

발   신 : 주 영 대사

제   목 : 유가 및 주식동향

1. 유가동향

  - 2.11(월) 1600 현재 BRENT 산 3 월분 가격은 21,08BBL 2.8 (금) 종가대비 0.43
BBL 상승한

  - 유가는 보합세임

2. 주식동향

  - 2.11(월) 1600 현재 FT-SE 100 지수는 2,279.00 로서 2.8(금) 막장대비
33.8프인트 상승함

  - 당지 증시에 특별한 변동은 없으나 뉴욕증시의 영향으로 오후장에서 다소
상승세를 보임.끝

  (대사 오재희-국장)

중아국   1차보   2차보   경제국   동자부

외   무   부

2.11 (월) 유가 및 주식동향을 아래 보고함.

1. 원유가격 (뉴욕상품시장,3월 인도가격): 배럴당22.47 불 (전일대비 0.55 불상승)

난방유 가격: 갤런당 71.12 센트 (전일대비 3.9센트 상승)

휘발유 가격: 갤런당 62.52 센트 (전일대비 1.3센트 상승)

2. 주식 (DOW JONES INDUSTRIAL INDEX): 2,902.23 (전일대비 71.54 상승)

(대사 박동진-국장)

중아국   1차보   2차보   미주국   경제국   정문국   동자부

PAGE 1   91.02.12   09:32 WG

외신 1과   통제관

0041

외 무 부

종 별 :

번 호 : FRW-0536 일 시 : 91 0212 1810

수 신 : 장 관 (기협)

발 신 : 주 불 대사

제 목 : 유가및 주식동향(91.2.12)

연:FRW-0517

1. 91.2.4-10 간 평균유가 (100L 당) 아래와 같음. (괄호안은 유통 마진이 포함된 과세 이전 원가)

-고급 유연휘발유: 524 (124)

-고급 무연휘발유 (AL탄가 95): 510.2 (148)

A디젤유:389.1 (165)

-가정용 연료: 289.9 (189.9)

2.주가지수

- 1626.24 (2.11. 지수대비 0.67프로 하락)

끝.

(대사 노영찬-국장)

경제국

91.02.13   06:16 DA

외신 1과 통제관

0042

외 무 부

종 별 :

번 호 : UKW-0398   일 시 : 91 0212 1600

수 신 : 장관(중근동,기협)

발 신 : 주 영대사

제 목 : 유가 및 주식동향

　　1. 유가동향

　　-2.12(화) 16:00 현재 BRENT산 (3월분) 가격은 21.40 BBL로서 전일 종가대비
0.15BBL 상승됨.

　　-유가는 보합세임.

　　2. 주식동향,

　　-2.12(화) 16:0 현재 FT-SE 100 지수는 2,265.20 로서 전일 막장대비 13.8 포인트
하락함.

　　-증시 북이사항은 없음.

　　끝

　　(대사 오재희-국장)

종아국　　경제국

PAGE 1   91.02.13   06:30 DA
                                              외신 1과 통제관

                                                        0043

걸프사태 : 국제원유 수급 동향, 1990-91. 전6권 (V.6 1991.2-3월) 407

종   별 :

번   호 : USW-0727   일   시 : 91 0212 1846

수   신 : 장   관(중근동,미북,기협,경일)

발   신 : 주 미 대사

제   목 : 유가 및 주식 동향

　　2.12(화) 유가 및 주식 동향을 아래 보고함.

　　1. 원유 가격 (뉴욕 상품 시장,3월 인도 가격):배럴당 22.93불 (전일 대비 0.46불

상승)

　　난방유 가격: 갤런당 69.82 센트(전일 대비0.3 센트 하락)

　　휘발유 가격: 갤런당 63.42 센트(전일 대비 0.9센트 상승)

　　2. 주식 (DOW JONES INDUSTRIAL INDEX): 2,874.75 (전일 대비 27.48 하락)

　　(대사 박동진 - 국장)

중아국   2차보   미주국   경제국   경제국   동자부

중앙경제 신문

91.2.13.

에너지수입 올 百38억弗 전망

작년보다 27%늘어

海外의존 90·6%로 높아져

걸프사태에도 불구, 국내 에너지소비는 지난해에 이어 올해에도 두자리수의 높은 증가율을 기록할 전망이다.

이에 따라 석유의존도와 에너지 해외의존도는 더 높아지고 에너지수입도 크게 늘게 됐다.

동자부가 발표한 「91년 에너지수급전망」에 따르면 올 1차에너지소비는 석유환산 1억3천66만6천t으로 전년도보다 11·9% 증가율 13·5%보다는 다소 떨어졌으나 여전히 크게 높은 수준이다.

에너지수요증가세가 이처럼 계속되는 것은 경기위축과 걸프사태에도 불구, 제조업의 설비증설과 발전용 석유소비증가 등 에너지다소비산업의 에너지소비급증세로 인해 석유의존도는 90년 53·6%에서 올해는 56·9%등것으로 유수요급증때문인 것으로 분석됐다.

에너지원별로는 석유소비가 18·3%늘어 전체 에너지소비증가를 주도할전망이다.

90년 1백9억달러로 이어 올 1백38억7천만달러로 26·8%늘것으로 예측됐다. 에너지수입의존도도 87·6%에서 90·6%로 각각 높아질 전망이다.

에너지수입에 쓰는 돈은 90년 1백94% 증가한데 이어 올 45·에너지수입의존도는 90·6%로 높아져 에너지수입의존도는 1백38억7천만달러로 예측됐다. 지난해 에너지소비

東南亞이 原油시장 블가덩

油井개발붐…油價도 中東産보다 토하저

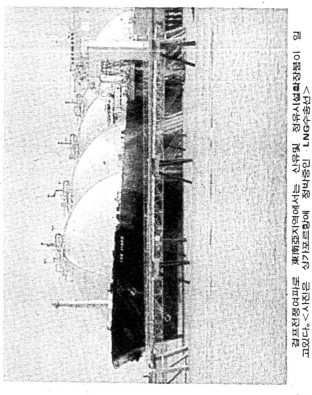

걸프전쟁여파로 東南亞産지역에서는 신유물 정유시설화장붐이 일고있다. <사진은 싱가포르항에 정박중인 LNG수송선>

0046

외 무 부

종   별 :

번   호 : UKW-0409   일   시 : 91 0213 1930

수   신 : 장관(중근동,기협)

발   신 : 주영대사

제   목 : 유가및주식동향

1. 유가동향
   - 2.13(수) 1600 현재 BRENT 산 3월분 가격은 20.30 BBL 로서 전일 종가대비 0.5BBL 하락함
   - 유가는 별 변동 없음
2. 주식동향
   - 2.13(수) 1600 현재 FT-SE 100 지수는 2,267.80 로서전일 막장대비 3.3 포인트상승됨
   - 주가는 보합세임.끝
   (대사.오재희-국장)

중아국   경제국

외 무 부

종   별 :

번   호 : USW-0742   일   시 : 91 0213 1823

수   신 : 장관(중근동,미북,기협,경일)

발   신 : 주미대사

제   목 : 유가 및 주식 동향

2.13(수) 유가 및 주식동향 을 아래보고함.

1. 원유가격(뉴욕상품시장,3월 인도가격):배럴당22.56 불 (전일대비 0.37 불 하락)

난방유가격: 갤런당 67.10 센트 (전일대비 3.7센트 하락)

휘발유가격:갤런당 62.42 센트 (전일대비 1센트하락)

2. 주식(DOW JONES INDUSTRIAL INDEX):2,909.16(전일대비 34.41 상승)

(대사 박동 진-국장)

중아국   미주국   경제국   경제국   정문국

외 무 부

종 별 :

번 호 : FRW-0564

일 시 : 91 0214 1810

수 신 : 장 관 (기협)

발 신 : 주 불 대사

제 목 : 주식동향 (91.2.14)

- 주가지수: 1652.68 (2.13. 지수대비 1.03프로 상승).끝.

(대사 노영찬-국장)

경제국

PAGE 1

외 무 부

종 별 :

번 호 : UKW-0419

수 신 : 장 관(기협,중근동)

발 신 : 주 영대사

제 목 : 유가 및 주식동향

일 시 : 91 0214 1800

1.유가동향

-2.14(목) 1600 현재 BRENT 산 3월분 가격은 19.82 BBL 로서 전일 종가대비 0.43 BBL 하락함

-유가 특이동향 없음

2.주식동향

-2.14 1600 현재 FT-SE 100 지수는 2,294.4 로서 전일 막장대비 26.6 포인트 오름

-금일 오전장은 2.13 주재국 금리 인하조치(0.5프로)로 다소 상승세를 보였으나금리 인하폭이 미미하다는 이유로 오후에는 하향 조정됨.끝

(대사 오재희-국장)

경제국   구주국   동자부

91.02.15   10:51 CT
외신 1과 통제관

0050

외 무 부

종   별 :

번   호 : USW-0754   일   시 : 91 0214 1835

수   신 : 장 관(중근동,미북,기협,경일)

발   신 : 주 미대사

제   목 : 유가 및 주식 동향

2.14(목) 유가 및 주식 동향을 아래 보고함.

1.원유가격(뉴욕 상품 시장, 3월 인도 가격):배럴당 22.32불(전일 대비 0.24 불하락)

난방유 가격: 갤런당 65.91센트(전일 대비 1.2센트 하락)

휘발유 가격: 갤런당 61.58 센트(전일 대비 0.8서니트 하락)

2.주식 (DOW JONES INDUSTRIAL INDEX): 2,877.23(전일 대비 31.93 하락)

(대사 박동진-국장)

중아국   미주국   경제국   경제국 동과부

주 미 대 사 관

번호 : USW(F) - 0584

수신 : 장 관 (기획 · 중근동)

발신 : 주미대사

제목 : 유가동향 (.1104)

Low Heating Fuel Demand Pushes Down Price of Oil

by The Associated Press

Oil prices retreated yesterday in trading driven by a decline in demand for home heating oil.

Light sweet crude oil for delivery in March settled at $22.32 a barrel, down 24 cents, on the New York Mercantile Exchange.

Despite the drop, some petroleum analysts said the current world oil glut was lessening, partly because of the enormous demands for fuel by the allied nations fighting Iraq in the Persian Gulf war.

"The surplus has abated enough to take downward pressure off prices, and yet it hasn't gone far enough to support much of a recovery," said Philip L. Dodge, an oil analyst with Dillon, Read & Company.

'Backing Away'

"There's just no volume in the market," said Ed Kevelson, an oil trader with Dean Witter Reynolds. "People are backing away, waiting for more news."

Crude oil has remained above $22 a barrel this week, after not being able to remain above that level for more than two weeks.

The gulf war has played practically no role in the movement of oil prices since shortly after the allied air strikes began on Jan. 17.

For several trading sessions, energy prices moved in response to the demand for home heating oil. Cold weather in Europe had strengthened heating oil prices, but the rally was broken on Tuesday, and home heating oil has been moving lower since then.

The price fell toward 65 cents a gallon yesterday, then recovered a bit as traders who had been waiting for good deals began to buy.

Heating oil for delivery in March settled at 65.95 cents a gallon, down 1.16 cents, in New York. Unleaded gasoline for delivery next month closed at 61.59 cents a gallon, down 0.79 cent.

Natural gas for delivery in March closed at $1.357 per 1,000 cubic feet, up 1.7 cents.

2/15 NYT

0052

외 무 부

종 별 :

번 호 : FRW-0580

일 시 : 91 0215 1820

수 신 : 장 관 (기협)

발 신 : 주 불 대사

제 목 : 주식동향 (91.2.15)

- 주가지수: 1670.39 (2.14 지수대비 1.07프로 상승).

끝.

(대사 노영찬-국장)

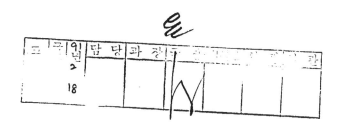

경제국

PAGE 1

91.02.16   03:31 FK

외신 1과 통제관

0053

외 무 부

종 별 :

번 호 : HUW-0052   일 시 : 91 0215 1145

수 신 : 장관(기협,중근동,미북,정일)

발 신 : 주휴스턴총영사

제 목 : 석유가 동향(51)

　1.지난 주간의 석유가는 전주보다 소폭상승 2.14.현재 3월 인도가격 베럴당 22.32불에 거래됨.

　2.석유가는 걸프전 초기의 상승을 제외하고는 계속 베럴당 20.22 불선을 유지하고 있으며 걸프전은 석유각계에 사실상 별영향을 미치지 않고 있음.

　3.당지 전문가들은 걸프전이 종료될 경우 석유가는 공급확대로 좀더 하락할 것으로 보고있음.

　4.그러난 당지 석유상들의 작년도 수익은 작년도 석유가 대폭 인상에 기인 예년보다 77프로 상승하였다함.

　(총영사 최대화-국장)

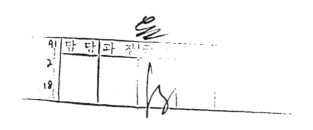

경제국   2차보   미주국   중아국   정문국

PAGE 1   91.02.16   06:30 DQ

외신 1과 통제관

0054

외 무 부

종 별 :

번 호 : UKW-0424   일 시 : 91 0215 1710

수 신 : 장 관(기협,중근동)

발 신 : 주영대사

제 목 : 유가,주식 및 주요자원 시장동향

1.유가동향

-2.15(금) 16:00현재 BRENT산 3월분 가격은 18.40 BBL로서 전일 종가대비 1.40 하락함.

-금일 걸프전 관련 사담후세인의 새로운 제의로 유가가 다소 하락세를 보임.

2.주식동향

-2.15(금) 16:00현재 FT-SE 100 지수는 2,296.90로서 전일 막장대비 2.5포인트 상승함.

-쿠웨이트 철수와 관련 이락측 제의와 미국등 연합국측의 반응으로 초기 상당히상승세를 보이다가 미측의 부정적 반응에 따라 다시 하향조정됨.

3.주요자원 시장동향

-2.14. 런던시장에서는 멕시코 최대규모의 은광근로자들이 파업할 것이라는 풍문에 따라 은, 연,아연 가격이 상승하였으며, 기타 금속가는 전장과큰 변동없이 아래종가를 기록하였음.(현금거래가 , 본당)

-금: 368.25(온스당)

-은: 376.90센트(온스당)

-알미늄: 1506

-동: 1225 파운드

-연: 306.5 파운드

-아연: 1222

-주석: 5550. 끝

(대사 오재희-국장)

경제국 안기부	장관	차관	1차보	2차보	중아국	정문국	청와대	종리실
PAGE 1		2						
		18						

91.02.16   22:56 BX
외신 1과 통제관
0055

외 무 부

종   별 :

번   호 : JAW-0812   일   시 : 91 0216 0926

수   신 : 장관(경일,통일,중동일,아일,기협)

발   신 : 주일대사(경제)

제   목 : 이라크의 조건부 철수 발표 관련 경제관계사항

1.표제 관련, 향후 시장동향 및 경제전망에관한 주재국 보도내용을 하기 요약 보고함.

　가.경기동향

　0 철수가 이루어지면 경기의 장애요인이 소멸, 전후부흥 수요등으로 경기에 활력이 생길 것으로관측되나, 하기 요인등으로 인해 경기 감속경향은 당분간 지속될 것으로 보는 관측이유력함.

　- 미국의 신속한 경기 회보 가능성 희박

　- 고도의 설비 투자 유지 곤란

　- 일본의 금융완화 가능성 희박

　나.외환시장

　0 이라크의 조건부 쿠웨이트 철수 발표후에도외환시장은 당분간 사태 추이에 따라 불안정한반응을 보일 것임.

　0 전쟁이 종결될 경우, 미국경기 및 원유가격동향등에 영향을 받을 것임.

　다.주식시장

　0 시장 불안요인의 상당분 소멸 및 결산기를맞이하여 주가의 상승 국면은 당분간계속될것으로 보임.

　0 이라크군이 쿠웨이트로 부터 철수할 경우,원유가상승 가능성은 거의 없어져서주가는상승할 것으로 보임.

　라.원유시장

　0 이라크의 쿠웨이트 철수시 유가 하락은 확실하며,일부에서 예측되는 바렐당 10불까지는급락하지는 않을 것이나 단기적으로 대폭 하락이예상됨.

　-현재 사우디등의 증산으로 OPEC 의 산유량은일일 2,300만 바렐로 90.7.결정한

경제국   아주국   중아국   경제국   통상국   2차보   경제국

PAGE 1   [stamp]   차관보 | 차 관 | 장 관   91.02.16   10:57 FA

　　　　　　　　　　　　　　　　　　　　　　　　　　　　　　　의신 1과 통제관

　　　　　　　　　　　　　　　　　　　　　　　　　　　　　　　　　　0056

생산량을 50만바렐 상회하고 있는 상황

2. 일본정부는 단기간에 사태가 종결되더라도다국적군에 대한 추가지원 90억불을예정대로지원할 것이며, 전쟁이 종결될 경우에는 동금액내에서 쿠웨이트 전후 복구등을 지원할것으로 보도되고 있음.

3. 한편 뉴욕시장(현지시간 2.15. 15:00 현재)의동향은 아래와 같음.

0 원유가(WTI): 바렐당 20.88불(전일비 1.44불하락)

0 환율: 1불당 130엔45전(전일비 달러화 소폭상승중)

0 주가동향: DOW 지수 2,934.65(전일비 57.42상승).끝.

(공사 이한춘-국장)

PAGE 2

외 무 부

종 별 :

번 호 : UKW-0441

일 시 : 91 0218 1800

수 신 : 장 관(기협,중근동)

발 신 : 주 영 대사

제 목 : 유가 및 주식 동향

1. 유가동향

- 2.18(월) 1600 현재 BRENT 산 3 월분 가격은 17.45 BBL 로서 2.15(금) 종가대비 0.45 하락함

- 유가는 걸프전 종식에 대한 새로운 기대치로 지난주말 이후 비교적 약보합세를 보이고 있음

2. 주식동향

- 2.18(월) 1600 현재 FT-SE 100 지수는 2318.30 로서 2.15.(금) 막장대 비 22.4포인트 상승함

- 주가에 특별한 동향은 없으나 다소 상승세를 보이고 있음. 끝

(대사 오재희-국장)

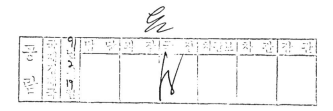

경제국   2차보   중아국   동자부

PAGE 1

91.02.19   09:16 WG

외신 1과 통제관

0058

외 무 부

원 본

종 별 :

번 호 : UKW-0456

일 시 : 91 0219 1600

수 신 : 장관(기협,중근동)

발 신 : 주영대사

제 목 : 유가 및 주식동향

  1. 유가동향

  -2.19(화) 16:00현재 BRENT 산 3월분 가격은17.65 BBL 로서 전일 종가대비 0.40 BBL 이상 됨.

  -걸프전 관련 쏘련측 중재노력을 위요, 유가는 다소 상세를 보임.

  2. 주식동향

  -2.19(화) 16:00현재 FT-SE 100 지수는 2,313.4로서 전일 막장대비 4.9포인트 하락함.

  -뉴욕시장이 전일대비 보합세를 보이고 있음에 따라 런던시장도 소강 상태임.끝

  (대사 오재희-국장)

경제국   2차보   중아국

PAGE 1

91.02.20   06:30 CG

외신 1과 통제관

0059

외 무 부

종 별 :

번 호 : FRW-0616   일 시 : 91 0219 1850

수 신 : 장 관 (기협)

발 신 : 주 불 대사

제 목 : 유가 및 주식동향(91.2.19)

연:FRW-0592

1. 91.2.11-17 간 평균유가 (100L 당) 아래와 같음.

(괄호안은 유통마진이 포함된 과세 이전 원가)

- 고급 유연휘발유: 522(122)

- 고급 무연휘발유(옥탄가 95): 510(147)

- 디젤유: 391(166)

- 가정용 연료: 262.6(179.3)

2. 주가지수

- 1700.93 (2.18 지수대비 0.35프로 상승).끝.

(대사 노영찬-국장)

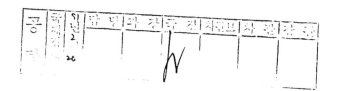

경제국   중아국   동자부   2차보

PAGE 1   91.02.20   09:03 WG

외신 1과 통제관

0060

외 무 부

종 별 :

번 호 : MXW-0188   일 시 : 91 0219 1740

수 신 : 장 관(미중,기협)

발 신 : 주 멕시코 대사

제 목 : 에너지성 장관 면담

본직은 금 2.19. FERNANDO HIRIART 주재국 에너지광업성 장관을 예방하고 (김홍락 서기관, JAVIER VEGA 국제업무담당국장 배석), 최근 걸프사태를 위요한 국제원유 공급동 향 및 90.9.극동정유와 주재국 국영 석유회사 PEMEX 간 체결된 원유 공급계약등과 관련한 아국의 원유도입선 다원화 방침에 대한 폭넓은 의견을 교환하였는바, 특히 HIRIART 장관은 에너지 분야 협력에 대한 모든 지원을 아끼지않겠다고 언급하였음.

(대사 이복형-국장)

미주국   2차보   경제국   안기부

PAGE 1   91.02.20   10:02 WG

외신 1과 통제관

원 본

외 무 부

종 별 :

번 호 : FRW-0636　　　　　　　　　　　　일 시 : 91 0220 1810

수 신 : 장 관 (기협)

발 신 : 주 불 대사

제 목 : 주식동향(91.2.20)

연:FRW-616

- 주가지수: 1693.07 (2.19 지수대비 0.45프로 하락).끝.

(대사 노영찬-국장)

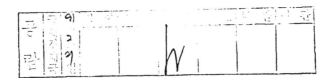

─────

경제국

PAGE 1　　　　　　　　　　　　　　　　　　91.02.21　　09:21 WG

외신 1과 통제관

0062

외 무 부

종 별 :

번 호 : UKW-0467   일 시 : 91 0220 1700

수 신 : 장 관(기협,중근동)

발 신 : 주 영 대사

제 목 : 유가 및 주식동향

　　1. 유가동향

　　- 2.20(수) 16:30현재 BRENT산 3월분은 18.05 BBL로서 전일 종가대비 0.25 BBL
상승함.

　　- 걸프전에 대한 쏘련등의 개입이 긍정적인 방향으로 진척되지 않는데 대한
반사작용으로 유가가 다소 상승국면을 보이고 있음.

　　2. 주식동향

　　- 2.20(수) 16:30현재 FT-SE 100 지수는 2,296.8로서 전일 막장대비 15.6 포인트
하락함.끝

　　(대사 오재희-국장)

경제국　　2차보　　중아국　　동자부

석유危機 사라질것인가 <3>

경제成長비례 소비급증

걸프戰 精油시설파괴따라 값不安

0064

需要와 供給

세계적인 석유수요는 가격이 급등하거나 갑자기 공급량이 큰 폭의 충격을 받은 이후에는 급격히 위축되나 반대의 상황이 되면 급증하곤 한다. 어떤 면으로 볼때 석유의 수요는 국제가격의 최대 최저사이를 왕복하는 시계추의 움직임을 보이고 있는 것이다.

석유가격이 떨어지자 석유수요는 또다시 늘기시작했다. 경제학이론상으로는 가격에 대한 수요의 변화는 결코 이상한 일이 아니다. 하지만 70년대말에 나타난 추세를 보이고 있는 것으로 밝혀졌다.

국제에너지기구(IEA)의 세계석유수급전망을 보면 개발도상국들의 석유소비가 매우 빠른 속도로 늘어날 것임을 짐작하게 해준다. 개도국들의 하루 석유소비량은 지난 88년의 OPEC석유에 대한 수요증가에도 불구, 생산능력이 이에 미치지 못할수도 있기 때문이다.

국민생활의 향상에 따라 전자기기의 확대되고 ▲냉난방및 溫水시설수요가 증가하며 ▲여가선용의 사회진출및 고령화로 각종 전자기기류의 확대되고 성의 사회진출및 고령화로 각종 석유소비같은 지난 88년 하루 평균 1천3백40만배럴이었던 것이 95년에는 1천7백만배럴로 2005년에는 2천1백60만배럴로 95년대비 27%가 각각 늘어날 것으로 전망됐다.

<세계석유수급>	(백만배럴/하루)		
지 역	1988	1995	2005
수요　OECD권	36.7	38.8	41.1
공산권	13.1	15.4	18.4
산유국	13.4	15.4	21.6
개도계	63.3	71.2	81.1
공급　OECD권	16.6	14.8	12.4
공산권	15.1	15.8	17.2
OPEC중동	15.1	20.8	27.2
비중동	15.1	18.6	23.2
기타	1.1	1.2	1.3
계	63.6	71.2	81.8
〈자료 : I E A〉			

<李廷訓기자>

외 무 부

원 본

종 별 :

번 호 : FRW-0650

일 시 : 91 0221 1800

수 신 : 장 관(기협)

발 신 : 주 불 대사

제 목 : 주식 동향 (91.2.21)

- 주가 지수: 1709.72 (2.20 지수대비 0.98 퍼센트 상승)끝

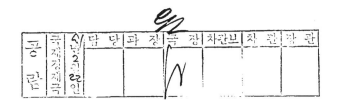

경제국

91.02.22   09:05 WG

외신 1과 통제관

0065

주 프 랑 크 푸 르 트 총 영 사 관

주프(경) 20524-111   1991. 2 . 21.

수신 : <u>장관</u>, 재무부장관

참조 : <u>국제경제국장</u>, 구주국장, 국제금융국장

제목 : 걸프전쟁이 독일 경제에 미치는 영향 분석 보고

       당지 유력 일간지인 FRANKFURTER ALLGEMEINE ZEITUNG 지 발행
GERMAN BRIEF에 게재된 표제 분석 보고를 요약, 별첨과 같이 보고합니다.

   첨부 : 걸프전쟁이 독일 경제에 미치는 영향 1부.   끝.

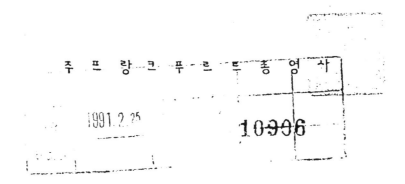

0066

걸프전쟁이 독일경제에 미치는 영향

- 걸프전쟁이 독일경제에 미치는 직접적인 충격은 미국과 영국에서의 경기후퇴와
  같은 위협적인 전개와는 달리 매우 적은 것으로 보이기는 하나, 그 간접적인 충격은
  아직 대부분 수량화 할수는 없지만 대단히 큰것일 수도 있음.

- 독일은 지난해 8월, UN금수조치에 따라 Iraq과 무역을 단절하였음. 이락·독일간
  무역은 88년에 20억DM, 89년에는 22억DM, 90.1-8월간에는 13억DM에 달하였고, Iraq
  는 주로 기계, 금속제품, 차량, 반제품 및 전기제품등을 독일로 부터 구입하였음.
  반면, 독일의 Kuwait와의 무역규모는 Iraq와의 무역규모의 절반이하(88: 약 9억
  DM)로 미미한 정도임.
  유가상승은 OPEC 회원국이나 여타 산유국들의 수입을 증가시킴에 따라 독일 수출수
  요를 진작시켜 Iraq 및 Kuwait와의 무역중단에 따른 gap을 메우는데 기여하는 면도
  있음.

- 대독 원유공급자로서 Iraq는 영국,리비아,소련과 같은 주요공급자가 아니고, 예멘이
  나 시리아와 같은 수준의 소규모에 불과함.
  서독은 년간 원유 약 70백만톤의 원유를 수입해 왔고, 특히 embargo 이전인 90년도
  1-9월간 석유수입중 대 Iraq수입은 0.4%인 219천톤으로 대독 원유공급자중 17위이
  고, Kuwait는 0.7%인 393천톤을 공급하여 14위 수준이므로 걸프전쟁에 따른 석유수
  급에는 문제 없을 것임.

- 현재 연 1조DM에 달하는 독일의 상품교역중 대Iraq 및 Kuwait와의 교역은 0.5%
  미만에 불과함.(전 OPEC국가에 대한 수출이 독일 수출에서 차지하는 비중은 3.1%
  정도임.)

0067

독일산업계의 대 Iraq 직접투자 금액은 Iran.Iraq 전쟁기간중인 83년의 경우 55백만 DM 에서 88년에는 5백만 DM로 감소되었는바, 이는 이웃 Iran과 Saudi Arabia에 대한 투자액과 비교할때 소액에 불과함.

- 독일 유력일간지인 Frankfurt Allgemeine Zeitung지는 91년도 서독지역의 경제성장 율은 원유 평균수입가격이 배럴당 $20 수준인 경우 약 3.0%에 달할것으로 전망했 고, 원유가격이 $28 수준을 최악의 경우로 가정(the worst-case assumption)하여 경 제성장율은 2.5%로 축소 전망하였음.
  GNP가 24,000억DM인 독일의 경우 0.5%P의 GNP 감소는 120억DM 상당 비용을 과하는 것과 같음.

  ○ 유가상승에 따라 이미 독일화학산업과 국영 항공사인 Lufthansa는 고통을 겪고 있으며, 지난 11월 Bagdad 에서 개최예정이었던 독일무역박람회가 취소되었고 독일회사 및 독일정부의 수출 재보험회사인 Hermes는 약 10억DM의 대 Iraq 미 지급 수출 송장(trade invoice)을 갖게 되었음.

- 고유가의 성장 억제효과 - 인플레 및 고금리와 동반된 - 는 대미 전비 지원을 위한 새로운 독일의 소비세 도입에 따라 더욱 강화 예상됨.
  가장 가능성 있는 조세인상 접근방법은 석유류세의 인상이 될것이고, 1리터당 0.15 DM 인상으로 약 120억 DM의 조세 수입 증대를 가져올 것임.
  그러한 조세인상은 독일의 중요한 자동차 산업과 수천의 소규모 부품공급자들에게 희생을 요구하게 됨.

  ○ 한 전문가는 동조세 인상으로 실질 개인소비증가가 종전 예상 3.0%에서 2.3%로 낮아지고, 수입증가도 8.5%에서 8.1%로 각각 감소 될것으로 전망하고있음.

0068

"질서지켜 밝은 사회 예의지켜 명랑 사회"

주 이 태 리 대 사 관

1991. 2. 21.

주이(경)760-78

수 신 : 장 관

참 조 : 국제경제국장

제 목 : 걸프 전쟁

연 : ITW-0197

연호, 이태리 석유 제품별 가격 동향 자료 별첨 송부합니다.

첨 부 : 자료 1부. 끝.

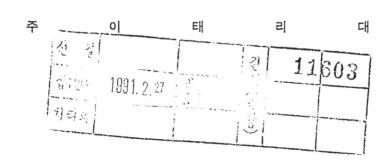

주   이   태   리   대

선 결				결	11603
접 수	1991. 2. 27				
처리과					

0069

이태리 석유 제품별 가격동향

가. 슈퍼휘발유(괄호는 보통휘발유)

시행일자	리터당소비가격(세포함)	제 조 세	부가가치세(19%)
90.10.25	1,555(1,505)	842.59(842.59)	248.28(240.29)
11. 2	1,535(1,485)	857.14(857.14)	245.08(237.10)
11. 7	1,550(1,500)	〃 (〃)	247.48(239.50)
11.22	1,510(1,460)	〃 (〃)	241.09(233.11)
11.29	1,510(1,460)	878.59(878.59)	〃 (〃)
12.13	1,510(1,460)	892.92(892.92)	〃 (〃)
12.20	1,510(1,460)	914.97(914.97)	〃 (〃)
91. 1. 1	1,515(1,465)	919.58(919.58)	241.89(233.91)
1.17	1,535(1,485)	919.58(919.58)	245.08(237.10)
1.31	〃 (〃)	935.32(935.32)	〃 (〃)

0070

나. 자동차 디젤유 (괄호는 난방디젤유)

시행일자	리터당소비가격	제 조 세	부가가치세
90.10.10	1,112(1,070)	503.95(503.95)	177.55(170.84)
10.18	1,136(1,092)	" (")	181.38(174.35)
10.25	1,104(1,060)	" (")	176.27(169.24)
11. 2	" (1,042)	528.89(528.89)	" (166.37)
11. 7	1,125(1,075)	" (")	179.62(171.64)
11.22	1,115(1,057)	" (")	178.03(168.76)
11.29	" (1,062)	545.15(545.15)	" (169.56)
12. 6	" (1,085)	" (")	" (173.24)
12.13	" (1,054)	" (")	" (168.29)
12.20	" (1,048)	557.94(557.94)	" (167.33)
91. 1. 1	1,120(1,051)	560.14(560.14)	178.82(167.81)
1.10	" (1,074)	" (560.14)	" (171.48)
1.17	" (1,093)	" (")	" (174.51)
1.24	1,130(1,142)	" (")	180.42(182.34)
2. 6	1,110(1,101)	" (")	177.23(175.79)

0071

다. 난방석유 (괄호는 fluid 유)

시행일자	리터당소비가격	제 조 세	부가가치세
90.10.10	795(639)	222.89(244.06)	126.93(102.03)
10.18	817(654)	″ (″)	130.45(104.42)
10.25	785(638)	″ (″)	125.34(101.87)
11. 2	767(630)	247.83(253.02)	122.46(100.59)
11. 7	800(641)	″ (″)	127.73(102.34)
11.22	782(629)	″ (″)	124.86(100.43)
11.29	787(636)	264.09(258.86)	125.66(101.55)
12. 6	810(″)	″ (″)	129.33(″)
12.13	779(″)	″ (″)	124.38(″)
12.20	773(630)	276.88(263.46)	123.42(100.59)
91. 1. 1	776(″)	279.08(″)	123.90(″)
1.10	799(647)	″ (″)	127.57(103.30)
1.17	818(659)	279.08(263.46)	130.61(105.22)
1.24	867(672)	″ (″)	138.43(107.29)
1.31	″ (″)	″ (″)	″ (″)
2. 6	826(639)	″ (″)	131.88(102.02)

0072

석유危機 사라질것인가

<4>

日의「脫석유정책」事例

地熱·風力등 代替에너지개발 활기

태양光 발전위성

태양 · 受光部(태양전지) · 송전안테나 · 마이크로파 · 지상受電局

太陽光이용 우주發電도 추진

0073

외 무 부

종 별 :

번 호 : HUW-0057   일   시 : 91 0222 1200

수 신 : 장관(기협,중근동,미북,정일)사본:주미대사(필)

발 신 : 주휴스턴총영사

제 목 : 석유가 동향(52)

　　1.2.22.현재 서부텍사스 중질유 4월 인도가격은 베럴당 18.5불로 형성됨

　　2.지난주간의 석유가격은 걸프전 이후 최초로 베럴당 20 불선 이하로 하락추세를보였는바 이는 걸프 지상전 우려 때문이라함. 석유업계에서는 지상전이 개시될 경우대이락 공급직후와 같이 석유가격은 하락할것으로 전망 매도물량이 증가된데 기인한다함.

　　3.부시대통령은 2.21.백악관 브리핑에서 2010년까지 1일 3.8백만 베럴 증산,수입을 1일 7.2백만 베럴로 감량등 내용의 국가 에너지전략을 발표함. 동에너지 증산계획은 18개월간의 공청기간을 가졌으며 최초안은 금년말경 확정될 것이라함.

　　4.동에너지 전략의 골자는 알라스카 CHUKCHI 해안주 저지-죠지아주 해안등의 대륙붕 원유개발인바 에너지성은 대륙붕 원유시추를 위해 약 2억 5천만 에이커를 민간부문에 임대할 것을 검토중이라함. 그러나 과거의 예를볼때 환경관계자및 개발대상지역 각주는 동계획에 반대할 것이라함.

　　(과거 에너지 개발 5개년 계획중 상당수의 사업이 상금 의회에서 유보되고 있다함.)

　　(총영사 최대화-국장)

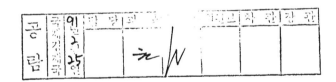

경제국　　2차보　　미주국　　중아국　　정문국

PAGE 1   91.02.23   03:33 DQ

외신 1과 통제관

0074

외 무 부

원 본

종 별 :

번 호 : FRW-0664   일 시 : 91 0222 1750

수 신 : 장 관 (기협)

발 신 : 주 불 대사

제 목 : 주식동향 (91.2.22)

- 주가지수: 1716.88 (2.21. 지수대비 0.42프로 상승).끝.

(대사 노영찬-국장)

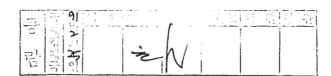

경제국

PAGE 1   91.02.23   06:36 DQ

외신 1과 통제관

0075

외 무 부

종 별 :

번 호 : UKW-0490   일 시 : 91 0222 1730

수 신 : 장관(중근동,기협)

발 신 : 주영대사

제 목 : 유가및 주식동향

　　1.유가동향

　　- 2.22.(금) 1600 현재 BRENT산 3월분 가격은17.65 BBL로서 전일 종가대비 0.90BBL 하락됨

　　- 걸프전 수습관련 소련등의 중재노력에 대한 기대가 약간의 유가 하락 요인으로 보고있음

　　2.주식동향

　　-2.22(금) 1600 현재 FT-SE 100 지수는 2,314.0 로서 전일 막장대비 1.6 포인트상승함

　　-걸프전 수습전망으로 주가는 약간 상승 기운을보임.끝

　　(대사 오재희-국장)

공람	국제경제국	기 안 자	담 당	과 장	심 의 관	국 장	차관보	차 관	장 관

중아국　　경제국

PAGE 1   91.02.23   09:30 ER

발 신 전 보

분류번호	보존기간

번   호 : WUS-0699   910223 1248 DP종별 :

수   신 : 주   ~~수신처참조~~   대사. 총영사

발   신 : 장   관   (기협)

WJA -0803	WUK -0342
WGE -0302	WFR -0364
WCN -0172	WSB -0407
WIR -0187	

제   목 : 걸프사태

  귀주재국 정부기관및 연구소등이 분석하는 걸프전쟁 종료 이후의 아래

사항에 대해 지급 보고 바람.

  o 국제원유 및 석유제품가격 전망

  o 전쟁시 파괴된 중동지역 석유 정제시설복구 전망

  o 쿠웨이트, 이락산 원유의 수출가능시기 ~~및 정제시설복구~~

  o 전후 OPEC 총회운영과 영향력 변화 전망.   끝.

                        (국제경제국장 이종무)

수신처 : 주미, 일본, 영국, 독일, 불란서, 카나다, 사우디, 이란대사

중동아국장 :   제2차관보 :

보안	
통제	

		기안자 성명		과 장		국 장		차 관	장 관
앙고재	91년2월23일 최종결재국과	홍성화		강석		전결			

외신과통제

0077

외 무 부

종 별 : 지 급

번 호 : SBW-0569

수 신 : 장관(기협,중일)

발 신 : 주사우디대사대리

제 목 : 걸프 사태

일 시 : 91 0224 1800

대:WSB-407

대호 지상전개시로 주재국 정부기관이나 연구소등과의 접촉이 용이치 않는바,우선 그간 당지언론의 관련 분석내용을 하기보고함

1.국제원유 가격 전망

-공급과잉으로 인해 하락이 확실시되며,단기적으로는 북해산 원유기준,베럴당 15불 이하까지 떨어질 것으로 예상됨

2.전쟁시 파괴된 석유시설 복구 전망

-쿠웨이트의 경우 최근 이락의 유정시설 대량 파괴에도 불구하고 1년정도면 익일100만베럴까지의 생산은 가능할것으로 봄

-이락의 경우는 파괴 규모를 전혀 예측할수 없어 현재까지는 전망이 어려움

3.전후 OPEC 총회 운영과 영향력 변화 전망

-90.12.13 OPEC 총회에서는 걸프위기 종식후 모든 회원국들이 사태 이전의 OPEC쿼타로 돌아가기로 약속한바 있으나,쿠웨이트및 이락의 석유시설 파괴및 그동안 사우디,UAE,베네주엘라등 일부회원국의 생산량 증대등을 고려할때 국별 쿼타 조정은 불가피할 것으로 보이며,특히사우디,UAE등의 쿼타는 크게 증대될것으로 보임

-OPEC 내에서 고유가를 주장하는 강경세력의 주도국이었던 이락의 영향력이 크게줄게될것으로 예상됨에 비추어,사우디등 걸프지역 온건 산유국의 영향력이 대폭 강화될것이 확실시됨

경제국   2차보   중아국   [차] 장관 차관 경문국 미주국 대책반 반기부 권대[ ]

총리실

PAGE 1

국제油價 단기上昇後 곧 하락

전문가들 전망
地上戰불구 安定勢 유지

WTI 배럴당 16~18弗 中東産 13~15弗 예상

【런던=외신종합】국제원유가격은 전면적인 지상전개시에 곧 한락세로 돌아설것이라고 국제석유시장전문가들이 24일 전망했다.

전문가들은 국제유가는 배럴당 1~2달러가량 오를 것이라고 말했다.

다시 하향안정세를 나타낼 것이라고 말했다. 뉴욕시장의 WTI(美서부 텍사스中質油)를 기준으로 유가는 배럴당 20달러까지 오른후 곧 한락세로 돌아서 전쟁이 끝날때까지 16~18달러의 WTI4월인도분가격은 배럴당 17.91달러였다.

전문가들은 세계원유공급 시장에서 배럴당 13.30달러수준을 기록할 것으로 예상됐다.

이 전문가들은 중동아시아로 주로 수출되는 中東産유가격은 WTI보다 2~3달러정도 낮은 배럴당 13~15달러에서 움직일것으로 관측되고 있다.

지난주말에 中東産원유의 기준가격으로 활용되는 두바이油는 3월인도분이 아시아시장에서 배럴당 13.30달러를 기록했다.

이 충분한데다 이라크軍의 러력을 기록했다.

쿠웨이트油전파괴가 세계원유공급에 별다른 영향을 주지않을 것이라고 분석했다.

따라서 유가는 중장기적으로 걸프사태이전수준인 배럴당 15~20달러에서 형성될 것이라고 전문가들은 진단했다.

한국 일본등 극동아시아로 수출되는 中東産유가격은 WTI보다 2~3달러정도 낮은 배럴당 13~15달러에서 움직일것으로 관측되고 있다.

쿠웨이트침공이후엔도 세계석유시장의 원유수급상태는 공급이 수요보다 하루50만~1백만배럴 초과돼왔다.

이같은 석유수급상황에서 지상전개시는 걸프전쟁 앞으로 비교적 짧은 시일내에 끝날수 있을 것이고 국제석유시장은 받아들이고 있어 유가는 중장기적으로 떨어질 수밖에 없다고 전문가들은 분석하고 있다.

현재 OPEC(석유수출국기구)원유생산량은 하루평균 약 2천3백 60만배럴로 이는 걸프사태이전과 거의 같은 양이다.

작년8월2일 이라크의 쿠웨이트침공이후엔도 세계석유시장의 원유수급상태는 공급이 수요보다 하루50만~1백만배럴 초과돼왔다.

한경 경제신문

焦土化되는 쿠웨이트油田

精油시설·油井 50% 손상

정상復元까지엔 엄청난 經費·시간필요

석유需給불안정·油製品가격 上昇예상

【東京＝金容澈특파원】

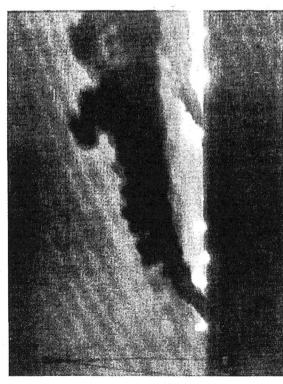

불타는 油井 이라크군은 쿠웨이트의 촌토화작전의 일환으로 쿠웨이트내 유정 190여개소를 방화, 파괴하고 있다.

長 官 報 告 事 項

報 告 畢

1991. 2 .25 .
國 際 經 濟 局
(技協 -   )

題目 : 國際 原油需給 및 油價 展望

---

1. 原油需給

o 전면 地上戰 개시 불구, 國際原油需給에 대한 영향 별무 전망

   - 사우디등 주변 産油國의 油田施設 破壞 可能性 미미

   - 사우디·UAE 등 어타 産油國 增産으로 供給過剩 狀態

   - 消費國들의 충분한 戰略備蓄原油 및 産油國들의 販賣 在庫量 尙存

o 이라크의 쿠웨이트 油井破壞도 世界原油供給에 영향 별무 전망

   - 유엔 制裁措置로 쿠웨이트산 原油, 世界 市場에서 旣除外

o 終戰後, OPEC 의 減産措置가 豫想되나 國際需給은 安定 持續 展望

   - 비수기도래 및 需要減少

   - 産油國의 戰後復舊 資金 必要 및 旣增産體制 突入으로 급격한 減産 難望

2. 油價

o 1.17 美國의 이라크 攻擊 開始 以後, 油價는 걸프사태이전 水準보다 下落

	90.7.31	8.1	10.9	91.1.15	1.17	1.18	2.21	2.22
Dubai	17.20	18.27	35.41	24.20	15.50	14.12	13.15	12.90
WTI	20.75	21.65	40.76	30.05	21.11	19.55	18.50	17.59

o 전면 地上戰 開始에 따른 心理的 影響으로 배럴당 1-2불정도 上昇勢를 보이다가 곧 下落勢 反轉 展望

o 終戰以後 油價는 일시적으로 $10/B 선까지도 下落할 可能性이 있으나, 中長期的으로 걸프사태 이전 水準에서 安定 전망

   - 美國, 中東地域에 대한 利害關係上 油價急落 持續 不願 및 OPEC 의 産油量 調整

   - 두바이산 原油의 경우 $18-20/B, WTI 의 경우 $20-22/B 선 展望

양고개	기술인력과	91년	담 당	과 장	국 장	차관브	차 관	장 관
			홍성태					

0081

長 官 報 告 事 項

報告畢

1991. 2. 25.
國際經濟局
(技協 - 28)

題目 : 國際 原油需給 및 油價 展望

1. 原油需給

o 全面 地上戰 개시 불구, 國際原油需給에 대한 影響 별무 전망

- 사우디등 주변 産油國의 油田施設 破壞 可能性 미미

- 사우디·UAE 등 여타 産油國 增産으로 供給過剩 狀態

- 消費國들의 충분한 戰略備蓄原油 및 産油國들의 販賣 在庫量 尙存

o 이라크의 쿠웨이트 油井破壞도 世界原油供給에 영향 별무 전망

- 유엔 制裁措置로 쿠웨이트산 原油, 世界 市場에서 旣除外

o 終戰後, OPEC 의 減産措置가 豫想되나 國際需給은 安定 持續 展望

- 非需期到來 및 需要減少

- 産油國의 戰後復舊 資金 必要 및 旣增産體制 突入으로 급격한 減産 難望

2. 油價

o 1.17 美國의 이라크 攻擊 開始 以後, 油價는 걸프사태이전 水準보다 下落

	90.7.31	8.1	10.9	91.1.15	1.17	1.18	2.21	2.22
Dubai	17.20	18.27	35.41	24.20	15.50	14.12	13.15	12.90
WTI	20.75	21.65	40.76	30.05	21.11	19.55	18.50	17.59

o 全面 地上戰 開始에 따른 心理的 影響으로 배럴당 1-2불정도 上昇勢를 보이다가 곧 下落勢 反轉 展望

o 終戰以後 油價는 일시적으로 $10/B 선까지도 下落할 可能性이 있으나, 中長期 的으로 걸프사태 이전 水準에서 安定 전망

- 美國, 中東地域에 대한 利害關係上 油價急落 持續 不願 및 OPEC 의 産油量 調整

- 두바이산 原油의 경우 $18-20/B, WTI 의 경우 $20-22/B 선 展望

0082

외 무 부

종 별 :

번 호 : JAW-1060　　　　　　　　　　　일 시 : 91 0225 1757

수 신 : 장관(기협,중동일,봉이,아일)

발 신 : 주 일대사(경제)

제 목 : 걸프사태

　　　대: WJA-0803

　　　대호관련, 주재국 업계 및 언론등이 분석하는 원유가 전망등을 하기 보고함.

　　　1. 국제 원유가

　　　0 지상전 발발에 따라, 향후 유가전망은 지상전의 소요기간과 사우디, 쿠웨이트의 석유관련 피해상황을 고려할 필요가 있으며, OPEC 의 감산 여부가 향후 유가결정의 중요 요인임.

　　　0 원유가격은 지상전 발발에 따라 소폭 상승할 것이나, 4월부터의 석유 비수기에 따라 일일 약 250만바럴 정도 수요 감축으로, 현재 수준인 바렐당 13불정도 (두바이산 원유기준)가 될 것으로 보임.

　　　0 중.장기 원유가 전망은, 전쟁이 단기종결될 경우 바렐당 20불대로 예상되나, 전쟁 장기화의 경우에는 석유관련 시설의 피해 상황에 따라 유가가 좌우될 것인바, 최악의 경우에도 바렐당 40-50불 까지는 원유가가 상승되지는 않을것임.

　　　- OPEC 의 주도권이 고가격을 주장하는 이라크로 부터 안정가격을 추진하는 사우디로 이전

　　　- 전쟁 종료후, OPEC 의 석유생산은 90.7. 총회 결의사항 (생산한도 2,249.1만 바렐, 최저 권장가 21불) 수준으로 환원전망

　　　2. 석유 관련시설 복구전망

　　　0 이라크군의 쿠웨이트내 석유시설 파괴로 세계원유 매장량의 약 10를 점유하는쿠웨이트의 원유, 제품 생산능력에 상당한 타격

　　　0 주재국 석유연맹에 의하면 90.8. 걸프사태 발발 이전의 쿠웨이트의 원유시추공은 약 360개가 있었으나, 금번 이라크군에 의하여 약 50이상에 달하는 190개가 파괴된 것으로 추정됨.

경제국 정문국	장관 청와대	차관 총리실	1차보 안기부	2차보 대책반	아주국	미주국	중아국	통상국

PAGE 1　　　　　　　　　　　　　　　　　　　　　　　91.02.26　　01:01 DA

　　　　　　　　　　　　　　　　　　　　　　　　　　외신 1과 통제관

　　　　　　　　　　　　　　　　　　　　　　　　　　　　　　　0083

- 1개의 시추공의 생산량을 약 5천 바렐로 가정시, 90만바렐 이상의 생산시설이 파괴

0 쿠웨이트의 원유 생산 시설 복구에는 최소한 1년 이상의 기간 소요

0 한편 쿠웨이트의 3개 주요 정유시설인 압둘라 (정유능력 일일 20만 바렐)의 상황에 관한 상세한 정보는 없으나, 제반상황을 고려할때 향후 정유소 신설의 필요가 있다고 보임.

- 정유소 신설에는 10만 바렐 규모시 10-15억불의 비용 및 3년 이상 소요

0 상기 감안시 쿠웨이트의 완전한 원유, 석유제품 수출에는 상당한 기간이 필요할 것임. 끝

(공사 이한춘-국장)

외 무 부

종 별 :

번 호 : UKW-0515

일 시 : 91 0225 1730

수 신 : 장 관(중근동,기협)

발 신 : 주 영 대사

제 목 : 유가 및 주식동향

1. 유가동향

- 2.25(월) 16:00 현재 BRENT산 3월분 가격은 17.50 BBL로서 2.22(금) 종가대비

0.25 BBL하락함.

- 연합군의 지상전이 순조롭게 진행되어 유가도안정 보합세를 보임.

2. 주식동향

- 2.25(금) 16:00 현재 FT-SE 100 지수는 2,335.50로서 2.22(금) 막장대비 21.20

포인트 올라감.

-걸프전의 조기종료 기대감으로 주가가 다소 상승세를 보임.끝

(대사 오재희-국장)

중아국   1자보   2차보   경제국   안기부   등자부

PAGE 1

91.02.26   09:40 WG

외신 1과 통제관 ·

0085

외 무 부

종 별 :

번 호 : FRW-0688   일 시 : 91 0225 1830

수 신 : 장 관(기협)

발 신 : 주 불 대사

제 목 : 주식 동향(91.2.25)

- 주가지수: 1745 (2.22 PPU수 대비 1.65 퍼센트 상승)

(대사 노영찬- 국장)

경제국

PAGE 1   91.02.26   09:44 WG

외신 1과 통제관

0086

외 무 부

종 별 :

번 호 : FRW-0699

일 시 : 91 0226 1840

수 신 : 장 관(기협)

발 신 : 주 불 대사

제 목 : 유가 및 주식 동향(91.2.26)

연: FRW-0688

1. 91.2.18-24 간 평균 유가 (100 L) 당) 아래와같음 (괄호안은 유통 마진이 포함된 과세이전 원가)

- 고급 유연 휘발유: 518(119)

- 고급 무연 휘발유(옥탄가 95: 507(146)

-디젤유: 383(159)

-가PTKK용연료:252.70(170.90)

2. 주가 지수

-1712.31(2.25 지수 대비 1.88 퍼센트 하락).끝

(대사 노영찬- 국장)

공람	국제경제국	인 2.4 안	담 당	과 장	국 장	차관보	차 관	장 관

경제국

91.02.27   09:41 WG

외신 1과   통제관

0087

외 무 부

종 별 :

번 호 : UKW-0530   일 시 : 90 1226 1810

수 신 : 장 관(기협,중근동)

발 신 : 주 영 대사

제 목 : 걸프사태

    대: WUK-0342

    대호, 당관 이참사관은 금 2.26(화) 외무성 J.THORNTON 에너지 담당관과 접촉,
파악한내용을 아래 보고함.

    1. 유가전망

    - 현 유가수준 (17-18 BBL)이 약 40-50일 계속된다는 가정하 걸프전에 의한 영향을
모두 수용한 가격이기 때문에 전쟁종결 후에도 특별히 큰 폭의 유가변동은 없을것으로
봄. (특히 2/4분기 이후에는 비수기로 유가안정 예상)

    - 다만 사우디의 현 생산능력 (8.5M B/D)을 OPEC 쿠타 수준에 따라 다시 축소
조정하는 경우에는 약간 상회 (420-21 BBL)할 것으로 보고있음.

    2. 석유 정제시설 복구전망

    - 이락의 경우는 약 6개월이면 걸프전쟁 수준으로 복구될 것으로 보고있으나,
쿠웨이트는 이락군의 본격적인 유전파괴 (1,300개 유전중 500개이상)로 상당한
복구기간이 필요할 것으로 보나 금년말까지는 상당부분이 회복될 것으로봄 (N.SULTAN
쿠웨이트 석유회사 (KPC)사장은 약2년예상)

    3. 쿠웨이트, 이락산 원유수출 가능시기

    - 이락측의 쿠웨이트 철수로 유엔결의안을 충족할경우 서방측의 경제재제
조치해제가 예상되나 정상적인 원유수출은 상기 2항 유전시설의 복구이후에나 가능할
것으로봄.

    4. 전후 OPEC 영향력 변화전망

    - 리비아등 OPEC 6개국 대표들이 2.25(목)비엔나에서 걸프전후 OPEC 운영문제에
대해 비공식 협의를 가졌으나 종전후 전승국으로서의 사우디의 태도
(생산능력조정등)에 따라 OPEC의운영 및 영향력은 재조명될 것으로봄.

경제국 안기부	장관	차관	1차보	2차보	중아국	정문국	청와대	종리실

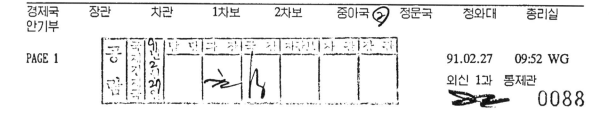

PAGE 1   91.02.27   09:52 WG
                                                         외신 1과 통제관
                                                                      0088

- 이락 패전의 경우, OPEC내 강경노선인 이락의 역할을 이란등이 대신할 것으로 보나, 결국 석유생산국과 소비국 사이의 관계를 총체적으로 조정하는 움직임이 있을 것으로봄.

5. 관련기사 FAX 송부함.끝

(대사 오재희-국장)

외 무 부

종 별 :

번 호 : CNW-0258   일 시 : 91 0226 1400

수 신 : 장 관(기협,봉일,미북,정일,동자부) 사본:박건우 대사

발 신 : 주 카나다 대사대리

제 목 : 걸프 사태(자료응신 제 22호)

  1. 안참사관은 2.26.(화) 주재국 외무무역부 에너지.환 경과장 DE HOOG 을 면담, 걸프전쟁종료 이후의 국제 원유 동향에 관해 파악한바를 아래와 같이 보고함.

  가. 국제원유 가격 전망

  O 지상전이 시작된 2.25. 현재 원유 가격이 배럴당약 18 미불 (WTI 기준) 로 걸프전 초기에 비해하락한 것에 비추어 보더라도 앞으로 국제원유가는 상승하는 상황은 없을 것으로 보며, 종전후 원유공급 초과 현상이 초래되어 현재의 18 불에서 추가 하락할 것으로 전망됨.

  나. 쿠웨이트. 이락 원유 시설 복구 및 수출 가능시기전망

  O 쿠웨이트 경우 일부시설 복구에는 1 년 이상 소요될 것이나 수개월후에는 원유 수출이 가능할것으로 봄.

  O 이락 경우는 시설의 파괴정도, 전쟁 종료의 양상이 붙분명하여 시설 복구 및 원유수출 재개시기를 예측하기가 현재로서는 곤란하며 쿠웨이트보다는 훨씬 더 많은 시일이 소요될 것으로 보임.

  다. 전후 OPEC 총회 변화 전망

  O 종전후 전후 복구를 위해 원유 초과 공급 현상이 심화될 것으로 예상되므로 산유량 감축을 둘러싼 OPEC 회원국간의 대립이 커질것으로 보이며 최악의 경우에는 OPEC 이 산유량.가격조정 기능을 당분간 제대로 발휘못할 것으로 전망됨.

  O 그러나 중동국가의 감정대립은 이란.이락간의관계에서와 같이 수년간의 전쟁을 겪고 나서도 의외로 빠른 시일내 해소되듯이 예측하기가 어려운면이 있음.

  2. 한편, 당지 유력 민간 경제연구소 CONFERENCEBOARD OF CANADA 의 원유 관계 전문가 HALL 과 2.26. 접촉, 파악한바는 아래와 같음.

  가. 가격전망

경제국   2차보   의전장   미주국   통상국   정문국   동자부

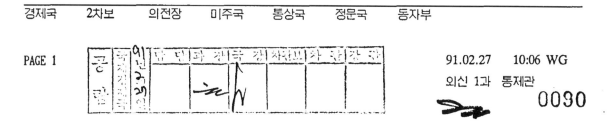

PAGE 1   91.02.27   10:06 WG
                                                    외신 1과 통제관
                                                              0090

0 쿠웨이트.이락산 원유의 수출재개까지 최소 수개월이 소요될 것으로 보며 현재 18 미불 (WTI기준)까지 하락한 원유가는 2/4 분기에 17 불까지 하락하였다가 3/4분기에 20 미불, 4/4 분기에 21 미불수준으로 다소 상승할 것으로 봄.

나. 쿠.이락의 원유시설 복구 및 수출 가능시기

0 시설 파괴의 정도가 불분명하나 선적시설 및 송유관은 수개월내 복구가 가능할 것이나 정유시설 복구는 더 오랜 시일이 소요될 것이며, 따라서 원유 수출은 수개월내 가능하나 정제품 수출에는 수개월이 더 소요될 것으로 봄.

다. OPEC 전망

0 현재의 국제원유시장은 이미 공급 과잉 상태를 보이고 있는바, OPEC 쿼타량 이상 생산해온 사우디 및 베네주엘라가 종전후 과연 감산할수있을 것인지 불확실한 가운데 산유량 감축을 위한 OPEC 회원국간의 대립이 심화될 것으로봄.

0 90백만 배럴을 해상 비축한 것으로 알려진 사우디를 비롯 세계가 소비국이 걸프사태를 계기로 증가시킨 원유 비축량을 어느수준으로 내릴 것인지 여부등 적정 비축수준 결정문제도 종전후 주요관심사가 될 것으로 보임.

3. 주재국 에너지.광업 자원부 국제원유과장과 2.27. 면담 예정인바, 결과 추보예정임.끝

(대사대리 조원일 - 국장)

외   무   부

종   별 :

번   호 : FRW-0703

수   신 : 장관(기협,중근동)

발   신 : 주 불 대사

제   목 : 걸프사태

일   시 : 91 0226 1900

원 본

관리번호 91-175

대:WFR-0364

연:FRW-0067,0068

주재국 정부및 연구소등이 분석한 전후 석유시장 전망 아래 보고함.

1. 국제원유및 석유제품 가격전망

가. 원유가

. 지상전 발발에도 불구하고 유가는 런던시장의 BRENT 가 17 미불, 뉴욕시장의 W.T.I. 가 18 불 정도의 안정세를 유지하고 있는바, 이는 이라크가 일주일전 철군 의향을 발표함으로써 지상전의 전개 양상을 시장이 충분히 예측할수 있었기 때문임.

. 상금 원유시황은 물량공급은 충분하나 가격은 다소 불안한 상태이며 종전전후 1-2 불 정도 추가 하락 가능성이 있음.(일부는 12 불 선까지 하락 예측)

. 상반기중에는 가격이 비교적 안정된 가운데 완만한 하락 추세를 보일것이나 하반기에는 전후 이라크 장래등 정치적 변수, OPEC 의 새로운 쿼타 합의 여부,세계경제 침체 전망등에 비추어 시황이 상당히 불안정해질 가능성이 있음.

나. 석유 제품가

. 석유제품 시장도 전쟁으로 별다른 영향이 없으며 비축분이 여유있음에 비추어 향후 별다른 변동은 예상되지 않음.

. 다만 각국 정유시설의 가동율이 대부분 걸프만사태 이후 최고조에 달해 있어 시설점검 및 보수 필요성, 상당기간 쿠웨이트, 이라크 정유시설의 복구 어려움에 비추어 석유제품 시장은 원유시장에 비하여 다소 TENSION 이 있다고 볼수있음.

2. 쿠웨이트, 이라크 석유 정제시설 복구 및 재수출

. 쿠웨이트내 거의 모든 정유시설을 포함한 상당수준의 석유생산 SYSTEM 이파괴 또는 약탈되었으며 특히 심각한 문제는 현재까지 폭발된 약 200 개 유정에 대한 화재

경제국   장관   차관   1차보   2차보   중아국   정와대   안기부

PAGE 1

91.02.27   22:45

외신 2과 통제관 CH
0092

456 걸프 사태 국제원유 수급 동향 2

진압임.여사한 유정 폭발은 사상 유례가 없으며 화재진압 및 보구에 최소 6 개월에서 1 년이 소요될 것임.

. 이라크의 경우 남부 유전지대 석유시설은 상당부분 파괴되었으나 "키르쿠크"등 북부 유전시설은 DAMAGE 가 적어 쿠웨이트에 비해 원유수출시기는 빠를것임. 다만 현재 이라크가 석유배급제를 실시하고 있음에 비추어 생산량의 상당부분은 국내소비에 충당이 될것이며 원유 재수출 시기는 항만시설 및 송유관 복구진척과 이라크에 대한 경제제재 해제등에 달려있음.

3. 전후 OPEC 관련사항

. 걸프만 사태이전에는 OPEC 회원국중 2 개국(사우디, 쿠웨이트)만이 과잉 생산을 하였으나, 현재는 쿠웨이트와 이라크의 물량이 없는 상태에서도 무려 7 개국이 초과생산하고 있어 전후 OPEC 는 창립 이후 최대의 어려움에 봉착할 것임.

. 사우디는 미국의 후원하에 OPEC 내 보다확고한 영향력을 행사할 것이며, 생산량은 단기적으로는 현 수준을 유지하다가 SLOWLY BUT STEADILY 감소할것임.

. 새로운 OPEC 쿼타합의가 이라크, 쿠웨이트의 재수출시기 까지 확정되지 않을경우 유가폭락 우려가 있으나, 과거 OPEC 는 최악의 사태에 직면할 경우 자체합의를 이루어낸 전례가 수차있음.

. 사실상 금번 전쟁이 석유문제에서 발생했다고도 볼수 있으므로 전후에는 생산국(OPEC)과 소비국간 BETTER COORDINATION 이 이루어질 것으로 보며, 전후 유가는 사우디, 쿠웨이트등의 재정수요를 감안한 미국의 유가정책이 큰 변수로 등장할 것임.

4. 기타

. 소련의 생산량 감소도 국제유가에 영향을 줄수는 있으나 이미 서방 석유회사에의한 시설 현대화 사업이 추진되고 있으므로 중기적으로 보아 석유시장에 큰변수로 등장키는 어려움.끝.

(대사 노영찬-국장)

예고:91.12.31. 까지

"美·사우디 배럴當 20弗 묵시합의"

전문가, 걸프戰후의 油價 전망

OPEC 값重視派 입지 "흔들"

産油量감산 반대…暴落사태 올수도

유가변동 추이
(WTI, 배럴당달러)

이라크 쿠웨이트 침공(8월2일)

다국적군 공습 개시(1월17일)

지상전 돌입(2월24일)

7 8 9 10 11 12 1 2 (월)
1990년   1991년

전문가들은 終戰이후 국제유가를 배럴당 20달러정도로 묵시적으로는 미국과 사우디사이에 이루어졌을것으로 보고있다. 배럴당 20달러의 가격은 지난해 8월이후 OPEC의 전체산유량이 현재 하루 2천3백50만배럴에 달한

걸프전쟁의 또다른 敗者는 석유수출국기구(OPEC)가 될것인가.

지난 25일 OPEC 6개회원국들이 오스트리아 빈에서 긴급 비공식회담을 가졌다. 오는 3월11일 전회원국이 참여하는 시장감시위원회의를 앞두고 전격회동한 것이다.

<로 끝난다는 것은 OPEC 內에서 高油價를 위해 생산량조절을 주장해온 이란이 라크 인도네시아 등 「가격중 시派」의 입지약화를 의미한 다. 동시에 안정적 석유공급으로 안정적 석유수요를 확 정적자를 기록한데다 이를해 국제자금시장에 처음으로 自국의 가후퇴의 터널에서 빠져나오

産油量감산 반대…暴落사태 올수도

<金靜雅기자>

0094

지난73년11월 아랍產油國이 석유禁輸를 단행한지 불과 수주후 당시 닉슨대통령은 「프로젝트인디펜스」를 발표했다. 이것은 대규모의 투자로서 80년대까지 美國이 해외에너지源 의존에서 탈출한다는 것이었다. 고문들은 이다. 미국의 에너지경제는 거대하고 복잡하다. 지역이나 생산자 소비자의 입장이 달라 이해가 대립하는 경우가 많다.

따라서 미국에서는 단일의 수법으로 전체문제에 대처하는것은 불가능하다. 지난20 끝자는 무엇인가. 몇개의 例를 들어보자.

▲천연가스利用촉진. 北美에는 천연가스자원이 풍부하다. 파이프라인설치를 조속히 진척시킨다면 수요는 늘어난다.

▲省에너지에 다시 주력해 적인 에너지투자를 한다.

이상 5개의 포인트를 고려한 정책은 결코 화려하고 거액의 자금을 필요로 하는것은 아니다.

에너지정책에 관한 컨센서스를 얻는과정에서 야기되는 장애는 다른대목에서도 튀어나온다. 70년대의 최대대립점은 가격으로서 그대립은 생산자와 소비자및 관리시장 신봉자와 자유시장신봉자간에 일어났다.

90년대는 경제상 필요한양의 에너지공급확보와 환경보호와의 공방이다.

문제는 정치나 일시적인 감정에 흐르지 않고 포괄적인테두리를 찾아내야하는점이다.

교훈은 70년대석유위기 훨씬이전에 있었던 사실에서 배우지 않으면 안된다.

87년전 처칠이 선택한 석유전략이다. 1차대전 전야 당시 해군상이었던 처칠은 영국군함의 스피드를 독일보다 4노트 빠르게하기위해 연료를 석탄에서 중유로 전환했다.

당시 영국은 산유국이 아니었기때문에 이것이 커다란 리스크를 수반할수 있음을 처칠은 알고있었다. 그런데도 영국해군은 공급이 안정하고 확실한 웨쎅스석탄을 버리고 페르시아灣석유를 선택했다. 당시 걸프지역은 이슬람교지도자와 근대주의자, 여기에 족장들이가세, 3파의 분열상태가 극심했다.

국가의안보가 걸린 이문제에 처칠은 어떤 대답을 했는가.

그것은 공급의 다양화이다. 『우리들은 하나의 품질 하나의 方法 하나의 油田에 의존해서는 안된다. 석유확보에서의 안정성과 확실성은 다양성에서야말로 존재 한다』고 그는 말했다.

에너지 공급을 다양화하는 것의 중요성은 20세기초에 이미 인식돼왔다. 21세기를 바로앞둔 현재 그것이 더욱 死活的인 문제로 되고 있는 사실을 걸프위기는 보여주고 있다.

新에너지戰略에의 提言

──── 대 니 얼 야 긴 <캠브리지에너지研究所·이사장>

이러한 계획은 비현실적이라고 닉슨에게 진언했지만 결과는 그대로였다.

가솔린스탠드 앞의 긴행렬에 국민의 분노가 비등했던 79년 카터정권은 과감히 代替에너지 개발계획을 발표했다.

그러나 결국 이것역시 석유가격의 하락과 함께 자취를 감추고 말았다.

어쨌든 에너지정책을 모색해온 과거 20년간의 노력은 몇가닥의 귀중한 교훈을 남겼다.

우선 첫째는 아폴로계획이나 맨해턴계획과 같은 화려함을 찾는게 아니라 프래그

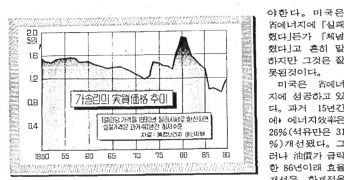

가솔린의 實質価格 추이

1갈런당 가격을 1990년 달러시세로 환산하면 실질가격은 과거 40년간 최저수준
자료: 美컴브리지 에너지硏

야 한다. 미국은 省에너지에 「실패했다」든가 「체념했다」고 흔히 말하지만 그것은 잘못된것이다.

미국은 省에너지에 성공하고 있다. 과거 15년간에 에너지效率은 26%(석유만은 31%)개선됐다. 그러나 油價가 급락한 86년이래 효율개선은 한계점을 맞았다. 에너지의 효율적이용에 관한 기술적개선의 여지는 많으며 전력회사가 소비자에대해 현재 벌이고 있는 「불필요한 사용은 삼갑시다」캠페인등도기대할만하다.

▲자금면이나 稅制面에서 우대조치를 강구하고 국내생산량의 감소에 제동을 걸어야 한다.

▲태양열등 再生가능한 에너지에서 「제2세대」원자로에 이르기까지 다양한 분야에서의 연구개발을 추진한다.

▲에너지뿐만아니라 환경보호의 면에서도 정책적인 일관성을 기해야한다. 그럴 경우 기업은 안심하고 장기

년간 생산이 우선인가, 환경보호가 우선인가, 재래에너지重視인가, 재생가능에너지의 개발이 우선인가 따위의 정책을 놓고 神學논쟁을 전개했지만 결과는 아무런것도 도출해내지 못했다.

70년대에서 80년대전반에 美에너지문제가 해결을 향해

輸入확대 止揚…공급선 多變化를

머리급에 철저하지 않으면 안된다.

둘째는 계획의 實行에 즈음하여 과도한 규제를 배제하고 가능한한 시장의 힘에 맡겨야 한다는 것이다.

가장 귀중한 교훈은 광범위한 지지를 얻는 「多角的」 에너지정책이 필요하다는 점 조금씩이나마 진전한것이 있다면 그것은 정책의 多樣化 때문이다. 알래스카州 노드슬로프 油田의 개발로 하루 200만배럴증산을 실현했으며 한편으로는 자동차 연비향상에의해 하루 2백만배럴의 석유를 절약할수 있게 됐다.

그렇다면 다각적인 정책의

油價폭락 방지책 논의
OPEC 6개 회원국

[빈佛=聯合] 석유수출기구(OPEC)의 6개 회원국 석유장관들은 25일 걸프전쟁 종전이후 세계원유시장의 공급과잉으로 인한 유가폭락을 방지하기 위한 방안을 논의했다.

알제리·나이지리아·베네수엘라·인도네시아·리비아및 가봉등 6개국 석유장관들이 참석한 이날 비공개회담이 끝난후 OPEC의 장인 사데크 부세나알제리 관업장관은 「시장상황」에 관해 논의했다고만 말하고 구체적인 회담내용은 밝히기를 거부했다.

외 무 부

종 별 :

번 호 : UKW-0539

일 시 : 91 0227 1700

수 신 : 장 관(중근동,기협)

발 신 : 주 영 대사

제 목 : 유가및 주식동향

1. 유가동향:

- 2.27.(수) 1600 현재 BRENT 산 3월분 가격은 18.45 BBL 로서 전일 종가대비 0.50 BBL 인상됨

- 현 유가동향을 걸프전 영향 보다는 수급상황에 따라 보합세를 유지하고 있음

2. 주식동향

- 2.27.(수) 1600 현재 FT-SE 100 지수는 2,348 로서 전일 막장대비 25.8 포인트 상승함

- 금일 영국정부의 추가 은행 기준 이자율 인하조치 (13.5 프로에서 13 프로로)에 따른 영향으로 봄.끝

(대사 오재희-국장)

중아국   1차보   2차보   경제국   안기부   동자부

PAGE 1

91.02.28   09:41 WG

외신 1과   통제관

0097

외 무 부

종 별 :

번 호 : NYW-0319   일 시 : 91 0227 1700

수 신 : 장 관(경일,봉일,중근동)

발 신 : 주 뉴욕 총영사

제 목 : 자원시장 동향대

대:WNY-78,94

1.대호 유가동향 (3.27종가및 전일대비)을 아래보고함(/BL,WTI)

4월:18.86(+0.49)

5월:18.50(+0.49)

6월:18.19(+0.40)

7월:18.05(+0.35)

8월:18.03(+0.33)

2.석유제품에 대한 수요가 공급보다 상대적으로 늘어날것이라는 예상및 OPEC 측의 3.11.뷔엔나 개최예정인 회의를 계기로 단합, 산유량 규제움직임이 예상되어 NYMEX 내에 매수세확산으로 유가가 약간 상승함.

(총영사-국장)

경제국   1차보   2차보   중아국   통상국   안기부   동자부

PAGE 1   91.02.28   09:50 WG

외신 1과 통제관

0098

외 무 부

종 별 :

번 호 : CNW-0263   일 시 : 91 0227 1900

수 신 : 장 관(기협,통일,미북,정일,동자부) 사본 :박건우 대사

발 신 : 주 카나다 대사대리

제 목 : 걸프사태 (자료응신 제 23호)

연 : CNW-0258

대 : WCN-0172

안참사관이 2.27.(수) 에너지 광업자원부 BOOTH국제 원유과장을 면담, 추가 파악한 바를 아래보고함.

1. 국제 원유가격 전망

0 OECD 국가에 대한 높은 수준의 원유 비축량및 미국 경제의 불황은 이락 공격으로부터 사우디 원유시설이 완벽하게 보호된 것과 함께 국제원유가격 하락 요인으로 작용, 걸프전 초기의 배럴당 21 미불 (WTI 기준) 에서 2.27. 현재 18미불선 까지 하락하였으며, 당분간 18 - 19미불선을 유지하다가 단기적으로는 15 - 16 미불선까지도 하락 가능할 것으로 봄.

0 3.11. 개최 예정인 OPEC 의 MONITORING위원회 회의에 이어서 2/4 분기에는 각료급 회의가 개최되어 OPEC 쿼타를 재조정할 것으로 관측되는바, OPEC 쿼타량 조정이 무난시되고 또금년내 미국을 비롯한 일부 선진국의 경제 불황국면이 종료되어 원유 수요가 다시 증가될 경우에는 년말까지 20 - 22 미불로 상승할 것으로 봄.

0 한편 소련의 산유량이 종전의 11.6 백만 B/D에서 최근 10 - 10.5 백만 B/D 로 감산된것으로 추정되며 소련의 원유 수출이 89 년 1.9백만 B/D 로 더욱 감소된 것으로 보이는바, 소련 원유수출 감소는 국제원유가 상승 요인으로 작용할 것으로 평가됨.

2. 원유시설 복구 및 쿠.이락산 원유수출 재개 시기

0 쿠웨이트의 파괴된 정유시설 및 이락측에 의해 발화된 500 - 600 개의 유정 복구 계획은 자세히 조사한 후에야 윤곽이 들어날 것으로 보이나, 1 개유정을 진화하는데 1 - 4 주 소요되는 점과 파괴된 송유관 및 선적시설 복구에 상당한 시일이 소요되는 점을 감안할때 쿠웨이트의 원유가 수개월내 재 수출 되더라도 종전의 1.5 백만 B/D수준

경제국   1차보   2차보   ＿＿＿   미주국 ⓥ 통상국   정문국   정와대   안기부
동자부

PAGE 1   91.02.28   10:24
                                                           외신 1과 통제관
                                                                    0099

에는 미치지 못할 것으로 봄.

   0 이락의 원유시설 피해는 크지 않은것으로 보이므로 종전후 제반여건이
허용한다면 3 백만 B/D의 이락산 원유가 국제원유시장에 재등장 할수있을 것으로 봄.

   3. OPEC 변현전망

   0 OPEC 회원국간 대립에도 불구하고 사우디는 OPEC 의 DRIVER 로서의 위치를
유지할 것으로보며 OPEC 영향력은 지속될 것으로 봄.끝

   (대사대리 조원일 - 국장) WG

PAGE 2

0100

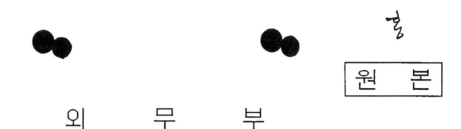

외 무 부

원 본

종 별 :

번 호 : FRW-0729　　　　　　　　　　일 시 : 91 0228 1750

수 신 : 장 관 (기협)

발 신 : 주 불 대사

제 목 : 주식동향(91.2.28)

　　-주가지수: 1757.95 (2.27일 지수대비 1.56프로 상승).끝.

　　(대사 노영찬-국장)

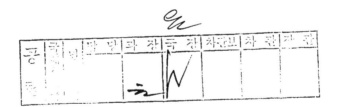

───────────────────────────────

경제국

PAGE 1　　　　　　　　　　　　　　　　　91.03.01　　10:36 DP
　　　　　　　　　　　　　　　　　　외신 1과 통제관

원 본

외 무 부

```
종  별 :

번  호 : HUW-0067              일  시 : 91 0228 1750

수  신 : 장 관(기협,중근동,미북,정일) 사본:주미대사

발  신 : 주 휴스턴 총영사

제  목 : 석유가격 동향(53)
```

연:HUW-0057

1. 2.27(수) 현재 ST 중질원유 4월 인도가격은 바레당 18.86불로 형성됨.

2. 당지 전문가들은 3.11 제네바에서 개최되는 OPEC 회의에서 회원국들은 걸프전 종식으로 이라크 및 쿠웨이트의 석유 수출이 재개될 것이므로 석유가격을 종전과같이 바렐당 21불선으로 유지하려고 시도할 것으로보며 이락 및 쿠웨이트의 석유 관련 시설복구에는 6-9 개월이 소요될 것이므로 석유가격은 상당기간 바렐당 20-21불선을 유지할것으로 전망하고 있음.

3. 한편 당지 석유 관련 업게에서는 전후 복구사업 참여럴 위해 노력중임. 전후복구사업 (특히 석유관련 시설 (0에는 당지의 시설장비, 전문인력 및 기술의 참여가 필수적이므로, 당지 경기는 향후 2-3년간 계속 부양될것으로 전망하고있음.

(총영사 최대화-국장)

```
경제국    1차보    2차보    미주국    중아국    정문국    동자부
```

PAGE 1   91.03.01   12:05 WG

외신 1과 통제관

0102

포스트 걸프戰

油價안정 國內경제 일단 숨통

국제收支·GNP 올전망치 다소 웃돌듯
中東복구 特需 침체탈출 새돌파구 기대
구조적 결함 빠른回復은 어려워

0103

◇걸프戰後 국내경제전망(91년기준)
〈단위=%, 억달러〉

구 분	KDI		三星경제연구	
	전쟁전	전쟁후	전쟁전	전쟁후
실질GNP성장률	7.0	7.6	6.6	7.0
민간소비	8.0	8.2	7.0	7.2
고정투자	9.5	11.4	13.7	14.4
소비자물가	9.7	9.0	9.5	8.5
경상수지	▽40	▽25	▽55	▽35
수출	687	692	680	695
(증가율)	(8.4)	(9.2)	(4.6)	(6.9)
수입	725	716	772	763
(증가율)	(11.4)	(10.0)	(10.8)	(9.5)
무역수지	▽38	▽24	▽92	▽68

※註①KDI의 소비자물가는 연평균치
　②三星경제연구소의 수출·수입은 통관 기준임.

◇中東 예상 복구사업내용

내 용	예상사업규모(억달러)	비 고
쿠웨이트 공항·항만 복구 건설	7.5	미육군 공병대 주요시설 긴급 복구 계획
통신	10.0	
주택·차량·건물	30.0	3천1백80억달러 쿠웨이트 복구비용 최소
자가발전용 통신, 컴퓨터 설비	200.0	6천억달러이상
	100.0	
사우디 전투부기, 탱크	40.0	최소 73억달러 추정
국경 보안 시스템	30.0	
전화선 확장	3.3	

걸프사태 : 국제원유 수급 동향, 1990-91. 전6권 (V.6 1991.2-3월)　467

〈金世鎔기자〉
〈표 참조〉

외 무 부

종 별 :

번 호 : IRW-0208   일 시 : 91 0303 1530

수 신 : 장관(기협,중근동)

발 신 : 주 이란대사

제 목 : 걸프사태 이후 원유동향

대:WIR-0187

1.대호, 아래 보고함.

가. OPEC 총회운영

2-3 주내에 OPEC 의 MARKET MONITORING COMMITTEE 가 개최될 것인바, 동회의에는 원래 8개 구성국회에 여타 5개국도 참가, 일종의 OPEC총회가 될것임.

-이라크 (SALMAN 석유차관)및 쿠웨이트도 참가할 전망임.

-동회의에서는 이라크의 쿠웨이트 침공이후 각국에 재분배된 원유생산 쿼타의처리문제가 협의될 것이나, 이라크, 쿠웨이트의 원유생산 시설파괴 상황이 확인되지 않는 현시점에는 당분간 현행 배분쿼타를 잠정적으로 그대로 유지할 가능성이 큼

나.원유가 동향

-예년에 비추어 2/4분기는 원유가가 약세를 보여왔는바, 최근의 상황을 감안시, 유가하락 요인이 더 큰것으로 평가됨.

-주요소비국들이 비축원유를 증대 또는 방출하느냐가 단기적으로 유가결정 요인으로 크게 작용할것인바, 소폭 햐향추세를 보일것으로 예상함.

-장기적으로는 생산자, 소비자 공히 급격한 가격변화를 희망하지 않을 것이므로, 유가는 걸프사태 이전의 가격인 미불 18-20 선에서 안정될것임.

다.생산동향

-우선 쿠웨이트및 이란의 생산능력이 파악 되어야할 것임. 동국가들의 석유시설 복구시기는 피해상황을 알수없는 현재로서는 전망키 어려움.

-쿠웨이트는 재원조달, 기술도입이 가능하여 비교적 빠른 시일내에 복구가 가능할것임. 이라크의 경우 전쟁도발에 따른 정치적 책임문제, 많은 외채부담을 감안시

경제국   중아국   동자부   대책반   2차보   1차보   차관   장관

상당한 시일이 소요될 것인바, 전후 중동지역의 질서개편 방향이 주요변수가 될것임.

-사우디는 금번사태로 인한 전비부담, 파괴시설의 복구등 상당한 자금이 소요될 것이나, 경제적, 기술적 이유에서 최적의 생산량을 초과한 현재의 생산량을계속 유지할수는 없을것임. 다만 서구국가의 증산압력등 정치적 요인이 있을경우, 상당기간 현재의 생산량을 유지할 가능성을 배제할수 없음.

-쿠웨이트 석유산업이 황폐화된 상황에서 사우디의 ARAMCO 사가 쿠웨이트와 협의하에 활동영역을 쿠웨이트로 확장할 가능성이 큼.

2.상기는 주재국 석유부 ALIPOUR OPEC 및 국제담당 국장의 발언인바, 여타관계자와 면담시, 수시보고 하겠음.

끝

(대사 정경일-국장)

PAGE 2

0105

관리 번호 91-205

원 본

외 무 부

종 별 :

번 호 : GEW-0567
일 시 : 91 0306 1600

수 신 : 장관(기협,경이,경기,봉이,중동일,구일)

발 신 : 주 독 대사

제 목 : 걸프전쟁과 원유관계 전망

대:WGE-0302

대호 당관 이상완 참사관은 3.5. 연방 경제부 DR.DOMASCH 에너지 부국장을 면담 아래 보고함.

1. 전쟁시 파괴된 중동지역 석유 정제시설 복구전망

가. 쿠웨이트는 약 800 개의 유정 파괴, 그중 550 개의 유정이 불에 따고 있으며, 1 개 유정의 진화에 약 6 일이 소요됨. 진화작업을 행할수 있는 회사는 세계적으로 약 8 개(미국및 카나다 회사)에 불과하고 역사상 유례없는 대규모 유정 발화임으로 진화경험이 없으며, 따라서 진화에 상당한 어려움이 뒤따르고 있음. 유정및 시설의 진화에만 6 개월 내지 1 년 이상이 소요될 것이 예상됨

나. 이락은 대부분 정제시설이 파괴됨으로 종전후 복구사업이 원활히 진행된다면 정유시설 복구에 3 개월 내지 6 개월 정도 소요될 것으로 전망됨

2. 쿠웨이트, 이락산 원유의 수출가능시기

가. 쿠웨이트의 경우 유정진화와 더불어 원유생산 시설을 복구하여야 함으로 <u>1 년내지 2 년이 지나야 전쟁전 수준의 생산이 가능하나</u> 파괴된 유정이 복구되거나 새로운 유정을 개발하여도 압력이 낮은 현상태문에 생산에 상당한 어려움이 뒤따를 것이며 생산대체 방법도 강구되어야 함으로 생산비도 급등할 것으로 전망됨.

나. 이락의 경우 정유시설이 복구되면 <u>약 1 년후 원유수출이 시행될 것으로전망됨</u>

3. 국제 원유및 석유제품 가격 전망

3.5. 현재 BRAND OIL DATED 공급은 21.10 불, 3 월인도 20.50 불, 4 월 인도 19.55 불, 5 월 인도 18.65 불로 원유가격이 결정된바, 전후 중동국가의 복구사업 지원조달을 위하여 사우디등은 원유증산을 도모, 원유의 세계적 공급은 원할할 것이므로 특별한 사정이 발생하지 않는한 16-20 불 선으로 계속 유지될 것으로 전망됨

경제국 경제국	장관 통상국	차관 청와대	1차보 안기부	2차보 동자부	미주국	구주국	중아국	경제국
PAGE 1								

91.03.07   08:14

외신 2과 통제관 BW

0106

4. 전후 OPEC 총회 운영과 영향력 변화전망

가. 다음주 개최예정인 OPEC 총회(3.11. 비엔나)는 전후 산유국의 이해대립으로 특히 생산쿼타량 배정문제등으로 OPEC 구성 이래 최대의 대립과 위기가 조성될 것임. 세계 산유의 14 프로를 차지하는 사우디는 OPEC 기구의 주도권을 장악할 것이하려 OPEC 구성국중 알제리아등 빈국과 사우디등의 전후복구자금 소요국들과 기타국들간의 증산. 감산문제가 첨예화되고 OPEC 의 목표가격 유지는 어려울 것임

나.3.6. IEA 관계관 회의가 파리에서 개최할 예정인바, 이번 회의에서는 IEA 각료회담준비와 더불어 IEA 및 OPEC 의 대화유도및 회담개최를 추진할 것임

다. 전후 IEA 의 석유소비국의 발언권이 강화될 것이고 OPEC 은 자체내의 대립격화로 콘센서스와 결속이 해이하게되어 원유 공급과 가격결정과 관련한 영향력은 상당기간 약화될 것이며 전승국인 미국은 사우디를 조정, 세계유가 결정에 막강한 영향력을 발휘할 것으로 전망됨. 끝

(대사-국장)

예고:91.12.31. 까지

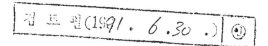

외 무 부

종   별 :

번   호 : FRW-0776   일   시 : 91 0306 1850

수   신 : 장 관(기협)

발   신 : 주 불 대사

제   목 : 유가 동향

연: FRW-0699

91.2.25- 3.3. 간 평균 유가 (100 L 당) 아래 보고함

(괄호안은 유통 마진이 포함된 과세 이전 원가)

- 고급 유연 휘발유 : 518(119)

-고급 무연 휘발유(옥탄가 95): 505(144)

-디젤유: 374(152)

-가정용 연료: 236.40(157.20)

끝

(대사 노영찬-국장)

경제국

PAGE 1   91.03.07   09:59 WG

외신 1과 통제관

0108

報告畢

1991. 3. 7.
國際經濟局
(技協 - 39)

長 官 報 告 事 項

題目 : 걸프戰後 油價動向

---

1. 現況

o 地上戰 勃發前 최하한가 기록유가는 終戰後 OPEC 減産說로 약간의 上昇勢 持續

(Platt's Crude Oil Market Wire)

	90.7.31	8.1	10.9	91.1.15	1.17	2.22	2.28	3.4	3.5
Dubai	17.20	18.27	35.41	24.20	15.50	12.90	14.65	15.40	15.41
WTI	20.75	21.65	40.76	30.05	21.11	17.59	19.23	20.32	20.33

o 原油需給上으로는 아직도 價格下落要因 尙存

- 현재 작년 7월 OPEC 合意 生産量 (2,250B/D)을 약 50만B/D 超過供給

- 2/4 분기 非需期 需要(약2,100만B/D) 감안시, 供給過剩

2. 展望

o 3.11 開催 豫定 OPEC 會議에서 減産 合意與否가 向後 油價의 關鍵

- 특히, 걸프事態 以前대비 300만B/D 이상 超過 生産國인 사우디의 減産
  與否가 決定的

o 油價의 急騰을 招來할 급격한 生産量 減少는 없을 것으로 展望

- 美國의 걸프전 勝利로 인한 影響力 强化

- OPEC內 사우디, 베네주엘라, U.A.E 등 安定的 石油 供給派의 發言權 强化

- 非中東 OPEC國家, 걸프事態로 인한 增産分을 자국쿼타 擴大 契機로 連結希望

o 供給過剩의 持續으로 인한 油價의 急落 防止 분위기도 지배적

o 따라서, 産油國과 消費國의 利害를 동시 充足시키는 $18-22/B 선에서 油價
  形成 展望

- 美國과 사우디, $18-22/B을 적정 油價로 評價

(NYT 報道 및 사우디 企劃部 企劃次官 發言)

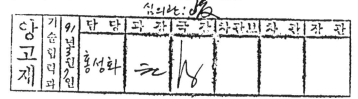

0109

長官報告事項

報告畢

1991. 3. 7.
國際經濟局
(技協 - 39)

題目 : 걸프戰後 油價動向

1. 現況

o 地上戰 勃發前 최하한가 기록유가는 終戰後 OPEC 減産說로 약간의 上昇勢 持續

(Platt's Crude Oil Market Wire)

	90.7.31	8.1	10.9	91.1.15	1.17	2.22	2.28	3.4	3.5
Dubai	17.20	18.27	35.41	24.20	15.50	12.90	14.65	15.40	15.41
WTI	20.75	21.65	40.76	30.05	21.11	17.59	19.23	20.32	20.33

o 原油需給上으로는 아직도 價格下落要因 尙存

- 현재 작년 7월 OPEC 合意 生産量 (2,250만B/D)을 약 50만B/D 超過供給

- 2/4 분기 非需期 需要(약2,100만B/D) 감안시, 供給過剩

2. 展望

o 3.11 開催 豫定 OPEC 會議에서 減産 合意與否가 向後 油價의 關鍵

- 특히, 걸프事態 以前대비 300만B/D 이상 超過 生産國인 사우디의 減産
  與否가 決定的

o 油價의 急騰을 招來할 급격한 生産量 減少는 없을 것으로 展望

- 美國의 걸프전 勝利로 인한 影響力 强化

- OPEC內 사우디, 베네주엘라, U.A.E 등 安定的 石油 供給派의 發言權 强化

- 非中東 OPEC國家, 걸프事態로 인한 增産分을 자국쿼타 擴大 契機로 連結希望

o 供給過剩의 持續으로 인한 油價의 急落 防止 분위기도 지배적

o 따라서, 産油國과 消費國의 利害를 동시 充足시키는 $18-22/B 선에서 油價
  形成 展望

- 美國과 사우디, $18-22/B을 적정 油價로 評價

  (NYT 報道 및 사우디 企劃部 企劃次官 發言)

0110

외 무 부

종 별 :

번 호 : FRW-0785   일 시 : 91 0307 1850

수 신 : 장 관(기협, 중근동, 경일)

발 신 : 주 불 대사

제 목 : IEA 비축유 방출 조치 중단

1. 3.6 개최된 IEA 이사회는 91.1.17 자로 시행된 비축유 긴급 방출 조치가 걸프전 기간중 석유 시장안정 및 회원국간 단합력 과시등 성공적 이었다고 자평하고 걸프전 종료에 따라 동 조치를 중단키로 결정함

2. IEA 측은 현재 비축유 방출 조치에 대한 내부평가 작업을 진행중인바, 우선'' 석유 시장에 영향을 줄수 있는 조치를 취하였으며 또한 동 조치가 어느정도 효과 가 있었다'' 는 측면에서 이를 긍정적으로 평가 한다함.

3. 한편 불정부 (IEA 가입 신청중) 는 걸프전을 계기로 석유 생산국과 소비국간 좀더 긴밀한 관계유지 필요성을 주장하고 있으며, 이에 따라 동건 내부협의를 위한

    IEA 회원국간 비공식 모임이 금 3.7 당지에서 개최될 예정임.

4. 이와 관련 3.11 비엔나 개최 OPEC 석유 감시위원회를 앞두고 GHOLAMREZE AGHAZADEH 이란 석유장관도 3.6 국제 유가 안정을 위해 '' 생산국, 소비국 및 주요 석유 회사 대표, OPEC 및 비 OPEC회원국 석유 장관'' 등이 참가한 국제회의를 5.27- 29 간 이단 ISPAHAN 에서 개최할 것을 제의함으로써 IEA 와 OPEC 를 중심으로한 석유 생산국, 소비국 대화 실현 움직임이 향후보다 구체화될 것으로 보임.끝

    (대사 노영찬- 국장)

경제국   2차보   중아국   경제국   동 관

PAGE 1   91.03.08   10:02 WG

외신 1과 통제관

0111

걸프사태 : 국제원유 수급 동향, 1990-91. 전6권 (V.6 1991.2-3월) 475

외 무 부

종 별 :

번 호 : FRW-0799   일 시 : 91 0308

수 신 : 장 관(기협, 중근동)

발 신 : 주 불 대사

제 목 : 전후 유가 전망

연: WFR-0364

대: FRW-0703

YAMANI 전 사우디 석유상의 주재국 LE FIGARO지와 3.8 자 기자 회견 요지 아래보고함.

1. 향후 중동 정세와 석유 시장- 석유는 여타 원자재와는 다른 정치적 성격의 전략 물자이며 중동 정세와 유가는 동전의 양면으로 과거 모든 석유 위기 이면에서 역내정치적 변혁이 있었음

- 이락의 정세 변동 양상 (친이란 SHIITE 정권수립 또는 군부 집권등) 이 전후 국제석유 시장에 또다른 변수로 등장 할 것이며 이락이 내부 붕괴되어 이락 북부와 해당 유전 지역이 터키로 넘어가는 최악의 시나리오까지도 가정 할수 있음.

- 향후 석유의 정치 무기화를 방지하기 위하여는 무엇보다도 아랍

- 이스라엘 분쟁 해결, 역내 후진국경제 지원, 역내 국가 관계의 안정등 걸프 지역안전이 절대적으로 긴요 하며 이를 위해 새로운 세계 질서가 수립 되어야 함.

2. 전후 유가 전망

- 생산. 소비국에 모두 합리적 수준은 18 불이며, 실질가치 유지를 위해 수시로 조정 할 필요가 있음

- 연이나 현재 최고도에 달한 비축분 및 수요 감소추세에 비추어 단기적으로 가격 하락이 예상되며 추후아래 변수등을 고려시 12불 까지 하락 할수도 있음.

. 이락의 수출 재개시기와 생산 수준 (6월이전 수출가능 예상)

. 석유 회사가 비축 물량 유지에 따른 재정 부담으로 감축 가능성

(서방측이 비축 물량 1일분 감축시 OPEC 로 부터의 수요는 40만 B-/D, 4일분 감축시 200만 B/D 감축되어 유가 하락 초래)

경제국   중아국

PAGE 1   91.03.09   09:02 WG

외신 1과 통제관

0112

- 다만, 상기에도 불구하고 현재 23.5백만 B/D 인 OPEC 생산량을 21백만 B/D 로 감축 합의 실현시 유가는 상징적 수준인 2-3불 정도 하락예상 (2/4분기중 OPEC 로부터의 수요는 20.5백만 B/D 추정)

3.생산.소비국 회의

- 양측은 모두 과거 유가불안으로 인한 심각한 경험을 겪었으며, 그간 국제정치 환경도 크게 변하였음에 비추어 상기 국제회의 개최 여건이 성숙되었음.

- 다만 동 회의가 실질적 유가안정 조치를 실현하기 위하여는 1년정도의 충분한 준비기간이 필요하므로 향후 빠른시일내 회의 개최는 바람직하지 않음.

- 동 회의는 일부 선정된 국가와 석유회사 대표로만 참여가 제한되어야 실질성과를 기대할수있음.

4.향후 OPEC 전망

- 향후 OPEC 는 사우디등 6개국 (이란, 이락, 쿠웨이트, 베네수엘라, UAE) 이 운영을 주도할 것이나, 이락의장래, 아랍국가간 관계, 아랍국가와 동.서진영과의 관계등에 따른 정치적 영향을 크게 받게될것임.

- 또한, 냉전의 종결에도 불구하고, 쏘련이 이란, 이락을 업고 중동지역에 복귀하여 영향력을 행사할 것임.

5.미국의 유가정책

- 최대 에너지 소비국인 미국의 정책은 전세계에 큰영향을 주고있음에도, 현재까지는 시장기능에 방임하는 소극적 태도를 유지하여 큰피해를 초래하였음.

- 미국은 각지역마다 유가변동에 따른 이해관계가 상이하므로 BUSH 대통령으로서는 정치적으로 처신하기가 쉽지 않을것인바, 국내외 상황변동에 따라 직접적으로 주장키 어려운 자국의 이해를 국제회의를 통해 간접적으로 반영시킬수도 있을것임.끝.

(대사 노영찬-국장)

0113

석유 大수요처 「비축」 義務

30日分 검토 精油5社·韓電·수입 代行社

動資部 곧 立法예고

정부는 석유비축의무를 민간에게도 확대한다는 방침에 따라 비축대상을 석유정제·판매·수입업체 및 대수요처등으로 정하고 의무비축량을 30일 소요량으로 하는 방안을 마련중이다.

9일 동력자원부는 이같은 내용을 골자로한 석유사업법시행령 개정안을 이달중으로 확정 입법예고한 뒤 국무회의 의결을 거쳐 곧 시행에 들어갈 계획이다.

정부가 고려중인 민간석유의무비축대상자는 油公·湖油등 정유5사와 鮮京·럭키金星·三星·大宇등 석유수입대행사, 韓電·大林산업소비자, LPG(액화천연가스)수입회사등이다.

정부는 이들에 대해 ▲석유판매업자는 전년도 판매량의 30日分에 해당하는 ▲석유수입업자는 의무를 위반할 경우 위반량에 대한 금액의 10~30%를 과징금으로 부과하고 있다.

다만 정부는 현재 정유업자를 제외하고는 석유저장시설을 갖추고 있지 못하며 한꺼번에 30日分을 갖추기에는 부담이 크다는 점등을 감안, 비축의무초치는 내년부터 단계적으로 시행할 방침으로 있다.

정부의 비축방안에 대해 원칙적으로는 찬성하나 ▲자금부담을 고려, 실시시킬 다소 유예해 주고 ▲비축의무량도 성수기와 비수기를 고려해 신축적으로 부과, 운영해줄 것을을 건의하고 있다.

석유수입업자는 전년도 수입량의 60일분 ▲석유수입업자는 전년도 수입량의 60일분 ▲석유저장시설을 보유토록 한다.

이시설량의 50% 내에서 의무비축토록 한다는 법석유수위(30일분)으로 비축토록 한다.

민간도 석유를 비축하게 되면, 비축물량은 정부비축 30일분, 총 60일분, 민간비축 30일분이 된다.

관련업계는 이같은 석유저장시설을 보유토록 하며 이시설량의 50% 뒤 이시설량의 50%를 과징금으로 부과하고 있는 방안이 검토되고 있다.

0114

걸프戰 석유메이저 "떼돈"

美 6大社만 작년수익 10조원
國內 정유社는 33% 순익감소

걸프사태로 美國의 6대 메이저(국제석유자본)들이 큰 이익을 챙겼다.

권위있는 국제석유정보誌 PIW가 최근 분석한 바에 따르면 엑슨·모빌·세 메이저들이 특히 원유가가 가장 크게 올랐던 10~12월에는 전년 同期에 비해 수익이 무려 3백58%나 늘었다.

美國의 6대 메이저들은 7억4천1백만달러로 전년比 78%나 증가, 석유부문은 전체 수익의 74·2%를 차지했으며 석유제품등 판매에서 에너지·휘발유등의 가격인상억제등으로 89년보다 크게 줄었던 영향이 없었던 것으로 나타났다.

한편 정부의 가격규제를 받는 油公·雙龍·湖南精油·極東精油등 국내 5개 정유사들의 경우 지난해 걸프사태에 따른 이틈에 큰 影響이 없었던 것으로 나타났다.

5개사의 총매출액은 7조7천32억원으로 전년보다 27·3%가 늘었으나 순이익(稅前)은 1천2백83억원으로 89년(1천9백2억원)보다 오히려 33% 줄어든 것으로 집계됐다.

이처럼 이익이 감소한 것은 신규설비투자에 따른 대폭적인 감가상각의 실시와 그동안 이익률이 컸던 석유화학부문의 실적이 좋지 않았던 때문으로 분석되고 있다.

브론·텍사코·아모코·유에 스셀등 6대 메이저가 지난해 석유부문에서 올린 수익은 1백44억7천1백만달러(약 10조4천2백억원)로 전년보다 54%나 늘어난 것으로 나타났다.

89년 17·7%의 수익감소를 비롯, 그동안 매년 수익이 줄어든 이들의 부진을 면치못해왔다.

6대 메이저는 지난해 부문별로는 원유 1달러로 전년보다 54%나 늘어난 것 판매에 따른 수익이 1백 늘어났다.

6대 메이저 평균 2·8 판매수익은 원유 배럴당 (총37억3천만달러) 중에 그쳤다. 11%

日産 100만배럴 축소 OPEC 합의 할듯

UAE장관 밝혀

[마나마·제네바 外信綜合=] 석유수출국기구(OPEC)는 11일부터 제네바에서 열리는 각료급 시위원회에서 현재 2천3백만배럴에 달하는 하루산유량을 1백만배럴 줄이기로 합의할 것이라고 아랍에미리트연합(UAE) 석유·광물자원 장관이 9일 예상했다.

이번 OPEC 회의에서는 걸프사태로 사실상 붕괴된 석유생산 쿼타를 재조정하는 문제가 최대 쟁점으로 부각돼 있다.

OPEC 의장인 사데크 부셰나 알제리 석유장관은 제네바 도착후 가진 기자회견에서 13개 회원국이 감산할 것인지의 질문에 대해서도 장기적으로는 감산증대등이 중요하기 위해 저축증대등이 중요하지만 단기적으로는 크게 문제되지 않는다는 결론을 내렸다.

OECD 景氣 2분기엔 회복

[日本經濟新聞=本社特約]

선진국 경제는 빠르면 올 2·4분기부터 회복세로 돌아설 것이라고 경제협력개발기구(OECD)가 8일 전망했다.

OECD 10개국 재무차관및 중앙은행 부총재들이 이 참석한 7,8일 양일간의 실무회의에서 이들은 판단에 일치하고 현재의 세계적인 잠재부족현상에 대해서도 장기적으로

문에 대해 「최저기준가격을 배럴당 21달러로 회복시키는데 충분한 만큼」이라고 말했다.

7개 원유 유종의 바스킷 형태로 산출되는 기준가격은 1월의 22.34달러에서 2월에는 17.55달러로 떨어졌다.

외 무 부

종 별 :

번 호 : USW-1153　　　　　　　　　　　일 시 : 91 0311 1957

수 신 : 장 관(기협,중동일,미북)

발 신 : 주 미 대사

제 목 : 전후 유가 및 OPEC 운영 전망

대: WUS-0699

1. 대호,당지 연구 기관및 언론등에서 분석하고있는 걸프 전후 유가및 OPEC 운영 전망을 하기 보고함.

가. 현황

0 걸프 사태 이전인 90.7 월 이라크의 주도하에 OPEC가 합의한 OPEC 석유 생산량은 일산 22.5백만 배럴, 유가는 배럴당 21 불이었음.

- 이중 쿠웨이트에 대한 생산 쿼타는 1.5백만배럴, 이라크에 대한 쿼타는 3백만배럴 (양국의 생산량은 전세계 생산량의 9 프로)

0 걸프 사태 이후 이라크, 쿠웨이트의 석유 수출 전면정지에 따라 사우디를 비롯한 OPEC 국가들의 생산량 증대로 90.3 월 현재 일산 22.6 백만 배럴, 유가 17-20 불 수준을 유지하고 있음.

- 사우디의 경우 전쟁전 5.4 백만 배럴에서 현재 8.4 백만 배럴로 생산량 증대

0 OPEC 회원국들은 생산량 과잉에 따른유가 폭락 방지를 위해 3.11 부터 제네바에서 각료회의를 개최중임.

나. 유가 및 OPEC 동향

0 사우디는 3.11 OPEC 회의에서 유가 대폭 인상을 요구하는 OPEC 내 강경파를 위무하고, 미국등 석유 수입국의 경제 안정을 도모하려는 목적으로 90.7월 OPEC 목표인 21불선으로 소폭 인상 (현재보다 약 3.5 불 인상)을 꾀하고 있음.

0 이를 위해서는 OPEC 회원국의 감산이 불가피하나, 인도네시아, 알제리아등은 경제 개발 자금수요 충당을 위해 자국 생산량 감축에는 반대하고 사우디의 대폭 감산을 주장하고 있음.

0 또한, 쿠웨이트, 이라크의 석유 생산 시설이 복구, 수출을 재개할 경우 타

경제국　　2차보　　미주국　　중아국　　안기부　　동자부

PAGE 1　　　　　　　　　　　　　　　　　　　91.03.12　　11:04 WG

외신 1과 통제관

0117

회원국의 추가 감산이 불가피함.

- 쿠웨이트의 경우, 금년 9-12월 부터 수출 재개가능시

- 이라크의 경우 금년 6월경 걸프 사태 이전의 25프로 수준인 85 만배럴, 92년말경 사태 이전 수준으로 회복 전망

0 다만, 이라크의 수출 재개를 위해서는 금수 조치해제, 이라크 송유관이 통과하는 사우디, 터어키와의 관계 개선등 정치적 현안의 해결이 선결되어야함.

0 부쉬 행정부는 태양열, 지열등 신에너지원의개발, 알라스카 유정 개발 등을 통해 에너지 생산증대를 꾀하고 있으므로 지나친 저유가는 동 정책수행에 배치되는 면이 있고, 또 장기적 유가 안정이 경제 정책 수립에 긴요하다고 판단, 사우디의 소폭인상 계획 (21불 수준)을 묵인 하는 자세를 보이고 있음.

다. 평가 및 전망

0 걸프전을 통해, OPEC 내 주도권은 이라크에서 사우디로 넘어가게되었고, 금번 각료회의는 사우디의 OPEC 내 영향력 행사 성공 여부의 시금석이될것임.

0 사우디는 금번 OPEC 각료회의 이어서 걸프전에 참전했던 미,영,불 등 주요 석유 수입 선진국의 경제 회복을 위해서는 유가 안정이 긴요하다는 판단하에 대폭 인상을 고려치 않는것으로보임.

21 불로의 소폭 인상을 위해서도 일산 1-2 백만배럴의 감산이 불가피한 것으로 전망되며, 대부분 OPEC 국이 사우디가 감축분을 흡수하라고 요구 하고있으나, 사우디는 일산 7 백만 배럴 이하로는 감축할수 없다는 강경 자세를 보이며 모든 회원국의 협조를 요청하고 있음.

0 또한, 이라크, 쿠웨이트의 수출 재개에 따른 추가감축 문제도 금번 회의에서 합의 도달을 어렵게하고 있는바, 일부 전문가들은 이 경우 유가 폭락 (12-16 불수준)을 예상하기도 하고 있음.

0 연이나, 금번 회의시 감산에 합이 되지 않는 경우의 유가 폭락 가능성과 걸프 사태 이전 사우디의 쿼타가 5.4 백만 배럴인점을 감안, 사우디의 양보를 통해 어느 정도의 합의 도달이 전망됨.

2. 관련 사항 추보 예정임.

(대사 대리 김봉규 국장)

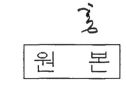

외 무 부

종   별 :

번   호 : OMW-0064   일   시 : 90 0311 1010

수   신 : 장 관(기협)

발   신 : 주 오만 대사

제   목 : 90′ 아국의 국별 원유도입 현황

    당관업무에 참고코자하니, 90년도 아국의 각산유국별 원유도입현황 (도입량 및 금액, 비중등)자료를 파편 송부바람.끝

    (대사 강종원-국장)

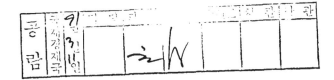

경제국

PAGE 1   91.03.11   15:30 WG

                                   외신 1과 통제관

0119

외 무 부

종 별 :

번 호 : DJW-0479
일 시 : 91 0311 1620

수 신 : 장 관(기협,동자부)

발 신 : 주 인니대사

제 목 : 주재국 원유정책

1. 당관에서 파악된 바에 의하면 주재국 국영 PERTAMINA 석유공사는 일산 120천 바렐을 정유하는 TANJUNG UBAN 정유공장을 BRITISHPETROLEUM 및 C. ITOH AND CO.LTD(일본)와 합작으로 15억불을 부입하여 싱가폴 남동 45 KM 지점의 BINTAN 섬에건설키로 함.

1994 년 가동 예정인 동 공장은 중동산 원유를 수입정제하여 재수출할 예정으로 일부 인니산 원유도 사용할 계획이며, LPG, 납사, 등유, 경유, 아프팔트 등을 주로 생산할 계획임. 특히 아스팔트는 년간 40만본을 생산하여 국내 수요에 충당할 계획임.

2. 주재국은 1988 년후 정유산업에 대한 민간부자를 허용하고 있으며, 외국회사의 경우 80 프로까지 부자가 가능하되 PERTAMINA 가 반드시 참여하도록 되어있음.

PERTAMINA 는 WEST JAVA 의 BALONGAN 에 수출용 정유공장 (125천 B/D) 설립을계획 중에 있고, IRIAN JAYA 의 SORONG 에도 수출용 정유공장을 설립키 위해 외국부자가와 협상중에 있음.

3. 한편, IEA 는 1.17. 걸프전 발발시 시행했던 석유절약 계획을 취소하였음.

이 계획은 21개 회원국의 석유수요 감소와 비상시 1일 2백만 바렐을 방출하는 내용이었음.

4. OPEC 는 내주 GENEVA 에서 회의를 갖고 걸프전쟁후의 석유 가격과 생산 정책에 대해 논의할 예정이며, IEA 는 금년 2월 이래 유지하고 있는 23 백만 BPD 의생산규모를 하반기에는 20 백만 BPD 로 줄여야 한다는 의견을 최근 OPEC 에 제출한바 있음.

끝.

(대사 김재춘-국장)

경제국   동자부   그차보

PAGE 1

91.3.12
한국 경제 신문

사우디, 産油量감축 거부

OPEC 「쿼터制 부활」특별회의 개막

"하루 830만배럴 固守" 사우디

監視委 21弗線유지위한 減産논의 陣痛

석유수출국기구(OPEC)사무차장인 이라크의 람지 살만박사(左)가 10일 OPEC시장감시위원회에 참석하기 위해 제네바의 한 호텔에 도착, 영접을 받고 있다. 【제네바=AP전송】

【제네바=AP聯합】석유수출국기구(OPEC)시장감시위원회의 특별회의가 걸프戰이 끝난후 처음으로 11일 제네바에서 개막됐다.

이 회의에서는 걸프戰이 벌어지고있는 동안 중단된 산유량쿼터制를 부활시키기 위한것이지만 이번 전쟁으로 약5백억달러의 예산이 필요한 사우디아라비아는 그들의 산유량을 대폭적으로 감축시키려는 어떠한 시도에도 반대한다는 원칙을 고수하고있다.

OPEC 13개국중 최대의 산유국인 사우디는 현재 그 산유량 쿼터인 하루5백40만배럴보다 약3백만배럴이 더많은 약8백30만배럴을 생산하고있는데 지난주 빈에서 열린 非걸프地域 OPEC회원 6개국 회의에서는 사우디측에 현재의 하루 산유량 8백30만배럴중 15%를 감산하도록 요구하자는 방안이 제시됐다.

그러나 한 사우디 고위관리는 니코시아에서 발행되는 석유업계 전문지인 中東경제 조사誌(MEES)와의 회견에서 사우디가 이같은 제의를 받아들일수 없다고 말한 것으로 보인다.

그는 사우디가 배럴당21달러로 유가를 회복하기위해 사우디측에 산유량을 상당량 감축하도록 요구하려는 OPEC의 어떠한 압력도 거부할것이며 OPEC의 다른나라들이 먼저 산유량을 감축해야할것으로 믿고있다고 말했다.

그는 또한 사우디가 걸프 위기당시 이라크와 쿠웨이트의 공급량을 메우기 위한 막대한 산유량증가를 위해 이를 갑자기 변경시킬수 없다고 지적하고 또한 이라크가 쿠웨이트를 침공한 지난90년 8월2일의 상황과 지금과는 다르다고 주장했다.

세계의 주요석유소비국을 대표하는 국제에너지기구(IEA)에 따르면 OPEC의 하루 산유량은 현재 약2천3백만배럴인데 금년의 소비와 저장용량 수요는 하루2천1백만배럴을 넘지않을것으로 보인다.

0121

외　무　부

종　별 :

번　호 : FRW-0827　　　　　　　　　　　일　시 : 91 0312 1740

수　신 : 장 관 (기협)

발　신 : 주 불 대사

제　목 : 유가 및 주식 동향

　　　연:FRW-0776

　　　1.91.3.4-10간 평균 유가 (100L 당) 아래보고함.(괄호안은 유통마진이 포함된
과세이전원가)

　　　-고급 휘발유:522 (123)

　　　-고급 무연휘발유(옥탄가 95): 511 (149)

　　　-디젤유: 365 (144)

　　　-가정용 연료: 225.80 (148.20)

　　　2.최근 주가 동향은 아래와 같음.(매주 최고 및최 저 주가지수)

　　　기간 최고치 최저치 순임

　　　2.11-15, 1670.4, 1626.2

　　　2.18-22, 1716.9, 1693.1

　　　2.25-3.1,1759.8, 1712.3

　　　3.4-8, 1831.8, 1766.7.끝.

　　　(대사 노영찬-국장)

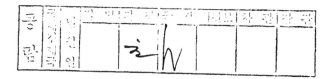

경제국　　　동자부

PAGE 1　　　　　　　　　　　　　　　　　　　91.03.13　　09:55 WG

　　　　　　　　　　　　　　　　　　　　　　외신 1과 봉제관

　　　　　　　　　　　　　　　　　　　　　　　　　　　　　0122

91.3.13.
중앙일보

産油量 5% 감축키로

OPEC 국제油價 반등…배럴당 19·68弗

【제네바·뉴욕 AP·로이터=연합】석유수출국기구(OPEC) 석유장관들은 12일 OPEC 시장감시위원회 특별회의 이틀째 회의에서 油價를 인상하기 위한 노력의 일환으로 OPEC 총산유량을 현재 하루 2천3백40만배럴에서 2천2백30만 배럴로 감축키로 합의했다.

장관 가봉 석유장관은 올 2·4분기중 OPEC의 하루 산유량 상한선을 1백10만배럴 감축키로 합의했다고 밝혔으며 수브로토 OPEC 사무총장도 이같은 사실을 확인했다.

수브로토 총장은 그러나 알제리와 이란은 산유량 감축계획에 대한 입장을 유보함에따라 이번 합의틀을 이행하지 않을지도 모른다고 전하면서 非OPEC 산유국들도 원유생산을 감축할 것을 촉구했다.

【걸프전후 산유량 감축방안을 논의하기 위해 시장감시위원회 특별회의에 들어간, OPEC 석유장관들은 전날에 이어 이날 오후 11시 회의를 속개, 집중적인 논의끝에 이같이 합의했는데 앞서 걸프지역의 한 고위 소식통은 사우디아라비아를 포함한 OPEC의 9개 회원국들이 산유량을 5% 감축할 것이라고 전했었다.

한편 OPEC 석유장관들의 원유 감산합의에 따라 12일 뉴욕시장에서 초강세를 보이던 유가가 하락세로 돌아섰다.

이날 뉴욕 상품시장에서 4월 인도분 서부텍사스 중질유는 OPEC의 감산 결정후 하락세를 벗어나 급반등하면서 배럴당 19·6달8러로 치솟았다.

배럴당 18·55달러까지 떨어졌던 4월 인도분 서부텍사스중질유는 OPEC의 감산결정후 하락세를 벗어나 급반등하면서 배럴당 19·6달8러로 치솟았다.

OPEC 減産합의

1百萬배럴규모 뉴욕油價 반등勢

[제네바·뉴욕 聯合] 석유수출국기구(OPEC)석유장관들은 12일 油價를 인상하기 위해 하루 산유량을 현산유량보다 1백만배럴가량을 줄여 OPEC 총 산유량을 하루 2천2백30만배럴로 감축키로 합의했다.

13개국 석유장관들은 OPEC 시장감시위원회 이틀째 회의에서 4~6월까지의 2분기중 OPEC 총 산유량 상한선을 2천2백30만배럴로 정하기로 합의했다고 밝혔으며 수브로토 OPEC 사무총장도 이같은 사실을 확인했다.

수브로토 총장은 그러나 트와 이란크가 2·4분기말까지는 원유생산을 재개하지 않을 것이라는 가정에 근거한 것이라고 지적하면서 감축된 산유량을 회원국들에 어떻게 할당할지에 대해서는 구체적으로 밝히지 않았다.

알제리와 이란은 산유량을 대폭 감축할것을 주장, 산유량 감축계획에 대한 입장을 유보했으며 이번 합의를 이행하지 않을지도 모른다고 전하면서 非OPEC 산유국들도 원유생산을 감축할것을 촉구했다.

그는 이번 합의는 쿠웨이

한편 OPEC 석유장관들의 원유 감산합의에 따라 12

長官報告事項

1991. 3 .13 .
國際經濟局
(技協 -   )

題目 : OPEC 會議 結果 (外信綜合)

1. 會議開催時期 및 場所 : 91.3.11(월)-12(화), 제네바

2. 參加國 : 12개 會員國 (이라크는 불참)

3. 會議結果

   o 91년 2/4분기 OPEC 生産量을 2,230B/D 로 減縮 合意 (약 7만5/0 감소)

     - 현 OPEC 生産量 약 2,300만B/D

     - 각 産油國別 具體的 減産量은 未確認 (사우디 약30만B/D 減産說)

   o 이란과 알제리는 同 減縮合意에 留保

   o OPEC 基準油價 目標 $21/B 再確認 (91.2 평균현수가 $16.29 B/D)

4. 評價 및 分析

   o 금번 減産決定 불구, 2/4분기 豫想需要 2,150B/D 보다 供給過剩

     - OPEC 이 目標로하는 基準油價 $21/B 달성에는 불충분

   o 減産合意에 대한 石油市場 反應은 減縮이 이미 豫想되었던 관계로 미미

     - 싱가폴 Dubai (3월 인도분) : $14.05/B(3.11)→$14.35/B (3.12, 19:00)

     - 뉴욕 WTI (4월 인도분) : $18.86/B (3.11) → $19.03/B(3.12, 19:00)

   o 最大 産油國 사우디, 와 태이유로 대규모 減産에 반대한 것으로 分析

     - 당분간 이라크, 쿠웨이트의 生産再開 不可能으로 石油市場 아직 불안정

     - 걸프사태 이후 300만B/D 增産을 위해 막대한 施設投資

     - 戰後 復舊資金所要

     - OPEC 에 대한 影響力 確保

   o 向後 油價는 배럴당 $21을 밑도는 線에서 形成 展望

     - OPEC 減縮合意가 제대로 履行되지 않을 경우, 급격한 下落 可能性 尙存

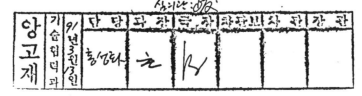

0125

長官報告事項

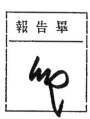

報告畢

1991. 3 .13 .
國際經濟局
(技協 - 46)

題目 : OPEC 會議 結果 (外信綜合)

1. 會議開催時期 및 場所 : 91.3.11(월)-12(화), 제네바

2. 參加國 : 12개 會員國 (이라크는 불참)

3. 會議結果

   o 91년 2/4분기 OPEC 生産量을 2,230B/D 로 減縮 合意 (약70만B/D 減産)

     - 현 OPEC 生産量 약 2,300만B/D

     - 각 産油國別 具體的 減産量은 未確認 (사우디 약30만B/D 減産說)

   o 이란과 알제리는 同 減縮合意에 留保

   o OPEC 基準油價 目標 $21/B 再確認 (91.2 平均油價 $16.29B/D)

4. 評價 및 分析

   o 금번 減産決定 불구, 2/4분기 豫想需要 2,150B/D 보다 약80만B/D 供給過剩

     - OPEC 이 目標로하는 基準油價 $21/B 달성에는 불충분

   o 減産合意에 대한 石油市場 反應은 減縮이 이미 豫想되었던 관계로 미미

     - 싱가폴 Dubai (3월 인도분) : $14.05/B(3.11)→$14.35/B (3.12, 19:00)

     - 뉴욕 WTI (4월 인도분) : $18.86/B (3.11) → $19.03/B(3.12, 19:00)

   o 最大 産油國 사우디, 대규모 減産에 반대한 것으로 分析

     - 당분간 이라크, 쿠웨이트의 生産再開 不可能으로 石油市場 아직 불안정

     - 걸프사태 이후 300만B/D 增産을 위해 막대한 施設投資

     - 戰後 復舊資金所要

     - OPEC 에 대한 影響力 確保

   o 向後 油價는 베릴당 $21을 밑도는 線에서 形成 展望

     - OPEC 減縮合意가 제대로 履行되지 않을 경우, 급격한 下落 可能性 尙存

0126

외　무　부

종　별 :

번　호 : USW-1195　　　　　　　　　　　　일　시 : 91 0313 2030

수　신 : 장　관(기협,중동일,미북)

발　신 : 주 미 대사

제　목 : OPEC 각료 회의 결과

연: USW-1153

3.11-12간 제네바에서 개최된 OPEC 각료 회의결과를 하기 보고함.(주요 일간지 언론 보도 별첨)

1.회의 결과

가. 합의 사항

0 91.2/4 분기 동안 각 회원국이 현 생산 수준에서 5 프로씩 자율 감산키로 합의

- 대부분의 회원국은 유가를 21불선으로 인상키 위해 일산 2 백만배럴을 감산하자고 제안하였으나, 사우디의 당초 계획대로 1 백만 배럴수준으로 감축 결정

- 이경우 OPEC 의 총 생산량은 일산 22.3 백만 배럴이 됨.

0 91.6. 제차 각료회의를 개최, 91년 3/4분기 생산수준을 결정키로 합의

0 강회원국은 구체적인 감산 계획을 수립, 7일이내 OPEC 사무국에 제출토록 결정

나. 일부 회원국의 반발

0 회의 종료후 이란과 알제리아등은 일산 1 백만 배럴 감축으로는 OPEC 목표인 배럴당 21불선으로의 유가 인상인 어렵다는 이유로 사우디등 석유부국의 대폭 감산과 석유 생산 빈국의 현생산 수준 유지를 계속 주장하며 합의 사항에 유보의사를표명하였음.

2.평가

0 사우디는 여타 회원국이 2 백만불 감축을 주장한데 대해,소 련의 석유 수출 감소, 선진국의 석유비축 시설 증대등을 이유로 2/4분기중 석유 수요증대가 예상된다고 주장하며, 당초 소폭 감산계획을 관철 시키는등 이라크가 불참한 OPEC 강력한 영향력을 행사 하게 되었음.

0 일부 OPEC 회원국들은 사우디가 미국의 압력으로 소폭 감산을 주장하고 있다고

경제국　　2차보　　미주국　　중아국　　안기부

PAGE 1

비판하였으나, 사우디는 꾸준한 석유 수요 증대를 위해서는 유가 안정이 긴요하므로 소폭 감산을 계획하였다고 주장하였음.

3. 전망

0 OPEC 관계자들은 이라크,쿠웨이트의 생산감축분 4 백만배럴을 여타 회원국이 배분, 90.7에 합의한 생산 쿼타를 이미 상회하여 생산하고있기 때문에 5 프로 감산 이행에 무리가 없다고설명하고 있으나,

0 일부 전문가들은 금번 합의가 기본적으로 자율감산에 의존하고 있기 때문에 5프로 감산 이행을 회의적으로 평가하고 있으며, 이에 따라 유가가 OPEC 목표인 21불선으로 인상될지의 여부도 현재로서는 불투명한 상태임.

첨부: USW(F)-0857

(대사 대리 김봉규-국장)

외 무 부

종   별 :

번   호 : CNW-0328   일   시 : 91 0313 1700

수   신 : 장 관(기협,통일,미북,정일,동자부) 사본:박건우 대사

발   신 : 주 카나다 대사대리

제   목 : 국제원유 동향 (자료응신 제 31호)

　　　연 : CNW-0258, 263

1. 3.11.-12 간 제네바 개최 OPEC감사위원회 (MONITORING COM.) 각료회의관련,FINANCIAL POST 등 주재국 반응을 종합,아래보고함.

가. 91 년 2/4 분기 수요 예상치 21.5 백만 B/D 와비교, 금번 합의된 22.5 백만 B/D 는 여전히 공급 과잉상태이나 걸프전후 최초로 열린 OPEC회의에서 합의에 도달한 점은 국제원유시장의 안정에 도움을 줄것임.

나. OPEC 회원국의 2/4 분기 쿼타 준수여부는 불확실하며, 감시위원회는 구속력있는 결정권을 갖고있지 않다는 점은 금번 합의의 구속력 여부에 의문점이 있음.

다. 한편, 카나다 석유협회 (CANADIAN PETROLEUMASSOCIATION) 부회장 MACIEJ 는 당분간 원유가격등락이 지속될 것으로 전망하면서 원유가격 결정에 미칠 주요 요인을 다음과 같이 들었음.

　　- 세계 경제 불황.회복 시기와 정도

　　- 소련 원유 감산율

　　- 북해 원유시설 유지보수시기

　　- 하절기 휴가철 (DRIVING SEASON) 관련, 소비국의원유 비축규모

2. 한편 주재국 전문가는 카나다내의 서부 원유생산 지역과 중동부 소비지역을 동시에 만족시키는 원유가격을 배럴당 18 - 20 미불 수준인 것으로 평가하고 있으며, 당분간 국제원유가격도 18 - 20 미불선을 유지 할것으로 전망하고 있음.

3. 최근 발표된 자료에 의하면 주재국은 90.1 월 -11 월중 평균 생산 169 만 B/D, 수출 64.6 만B/D, 수입 54.2 만 B/D 로서 10.4 만 B/D 의순 수출 실적을 보였음.카나다 원유 (EDMONTON PARCRUDE) 가격은 지난 2.15 자 20.28 미불/B 로서

경제국	2차보	미주국	통상국	정문국	대사실	안기부	동자부

PAGE 1

동일자 WTI 20.88 미불/B 과 거의 동일한수준임.끝

　　(대사대리 조원일 - 국장)

기 안 용 지

분류기호 문서번호	기협 20635-	(전화 :	)	시 행 상 특별취급	

보존기간	영구·준영구. 10 . 5 . 3 . 1 .	장 관 머*(서명)*

수 신 처 보존기간	

시행일자	1991.3.13.

보 조 기 관	국장	전결	협 조 기 관		문 서 통 제	
	과장	*(서명)*				
					발 송 인	

기안책임자	홍성화

경 유 수 신 참 조	주오만대사	발신명의	

제 목	'90 아국의 국별원유도입현황

대 : OMW - 0064

대호 90년도 아국의 각 산유국별 원유도입현황 자료를 별첨

송부합니다.

첨부 : 상기 원유도입현황 자료. 끝.

1505-25(2-1) 일(1)갑
85. 9. 9. 승인 "내가아낀 종이 한장 늘어나는 나라살림"

190mm×268mm 인쇄용지 2급 60g/㎡
가 40-41 1990. 5. 28

原油導入實績('90.1-12月)

1. 原油導入實績 總括

(단위:千B, $/B, 千$, FOB)

구분			'88 년간	'89 12月	'89 1-12月	%	'90 12月	'90 1-12月	%	증감 (%)
내	장기계약분	물량	102,599	15,654	117,020	42.3	10,293	163,124	55.2	39.4
		단가	13.91	16.04	15.83		29.19	19.92		
		금액	1,426,678	251,137	1,852,071		300,467	3,249,323		
수	현물	물량	103,449	16,315	157,626	57.7	10,549	132,311	44.8	△16.1
		단가	13.82	16.95	15.81		30.31	20.55		
		금액	1,429,986	276,538	2,492,118		320,610	2,719,619		
	소계	물량	206,048	31,968	274,646	100	20,842	295,435	100	7.6
		단가	13.86	16.51	15.82		29.76	20.20		
		금액	2,856,664	527,675	4,344,189		620,202	5,968,941		
임가공	물량		47,091	1,180	21,765			11,148		△48.8
	단가		13.95	15.35	15.72			14.85		
	금액		656,718	18,113	342,114			165,593		
비축	물량		7,940					1,785		
	단가		14.17					16.27		
	금액		112,516					29,054		
합계	물량		261,079	33,149	296,411		20,842	308,368		4.0
	단가	FOB	13.89	16.47	15.81		29.76	19.99		26.4
		CNF	14.71	17.48	16.63		30.76	20.92		25.8
		CIF	14.74	17.50	16.65		30.83	20.95		25.8
	금액	FOB	3,625,898	545,788	4,686,303		620,202	6,163,588		31.5
		CNF	3,841,196	579,582	4,929,174		641,024	6,450,330		30.9
		CIF	3,850,076	580,234	4,935,158		642,470	6,460,387		30.9

註 : 持分原油는 長期에 包含

0132

2. 國別 原油 導入現況 ('90.1-12)

(단위:千B, $/B, 千$, FOB)

구 분		'89(1-12)				'90(1-12)				물량 증감 (%)
		물 량	%	단 가	금 액	물 량	%	단 가	금 액	
중 동	오 만	70,282	23.7	15.98	1123,286	63,792	20.7	20.23	1290,750	▲ 9.2
	U A E	49,122	16.6	15.60	766,428	49,700	16.1	20.64	1025,774	1.2
	이 란	38,599	13.0	15.17	585,414	34,286	11.1	20.05	687,366	▲11.2
	사 우 디	14,974	5.1	15.34	229,690	39,616	12.8	21.80	863,619	164.6
	쿠웨이트	15,097	5.1	14.83	223,909	17,069	5.5	15.15	258,534	13.1
	이 라 크	5,751	1.9	13.78	79,227	10,539	3.4	14.23	150,008	83.3
	카 타 르	3,470	1.2	16.54	57,387	6,610	2.1	19.64	129,811	90.5
	중립지대	14,526	4.9	15.02	218,118	7,333	2.4	15.61	114,420	▲49.5
	소 계	211,819	71.5	15.54	3291,459	228,944	74.2	19.74	4520,282	8.1
동 남 아	말레지아	28,009	9.4	17.77	497,783	23,135	7.5	21.45	496,142	▲17.4
	브루나이	13,233	4.5	17.99	238,071	11,514	3.7	23.30	268,282	▲13.0
	중 국	8,099	2.7	14.09	114,110	7,209	2.3	17.53	126,356	▲11.0
	인 니	12,362	4.2	16.89	208,774	19,097	6.2	22.51	429,786	54.5
	태 국					671	0.2	30.89	20,725	
	호 주	1,881	0.6	18.09	34,036	689	0.2	18.07	12,458	▲63.4
	소 련					214	0.1	28.68	6,138	
	소 계	63,584	21.4	17.19	1092,774	62,529	20.3	21.75	1359,887	▲ 1.7
미 주	에 콰 돌	2,996	1.0	13.77	41,245	1,724	0.6	12.69	21,886	▲42.5
	멕 시 코					3,091	1.0	20.78	64,233	
	캐 나 다	831	0.3	12.93	10,741	2,318	0.8	13.58	31,482	178.9
	소 계	3,827	1.3	13.58	51,986	7,133	2.3	16.49	117,601	86.4
아 프 리 카	알 제 리	6,591	2.2	16.07	105,933	1,457	0.5	17.50	25,496	▲77.9
	이 집 트	6,600	2.2	13.71	90,455	5,713	1.9	17.49	99,907	▲13.4
	카 메 룬	2,992	1.0	15.68	46,911	1,349	0.4	15.97	21,548	▲54.9
	가 봉	998	0.4	14.81	14,785	1,243	0.4	15.18	18,868	24.5
	소 계	17,181	5.8	15.02	250,084	9,762	3.2	16.99	165,819	▲43.2
합 계		296,411	100	15.81	4686,303	308,368	100	19.99	6163,588	4.0
OPEC의존도		164,484	55.5	15.44	2538,910	188,673	61.2	19.75	3725,568	14.7

0133

戰後복구 바쁜 「中東경제」

쿠웨이트, 곧 200억弗 은행借入

G7各國도 개발銀·특별基金 설립 검토

걸프戰爭이 끝남에 따라 앞으로의 관심사는 이들 지역의 戰後복구에 쏠려 있다.

선진국들은 국제기구를 중심으로 전후복구책수립을 서두르고 피해당사자인 쿠웨이트는 거액의 복구자금마련에 나서고 있다.

쿠웨이트정부는 빠르면 금주중 국제적인 은행차관단을 구성, 2백억달러를 借入하기위한 협상을 벌일것으로 알려졌다.

쿠웨이트가 전쟁피해를 복구하는데 드는 비용은 최소 2백억달러에서 수천 억달러까지 아직 어림잡기도 힘들 정도다.

쿠웨이트정부는 1천억달러를 넘는것으로 알려진 해외자산을 담보로 일단 2백억달러를 借入, 국가재건에 쓴다는 계획으로 이는 석유富國 쿠웨이트로서는 최초의 해외借入이다.

이같은 차입은 모건개런티은행을 주간사로한 英·英·美·西獨 등 세계정상의 국제은행단에 의해 이뤄질것으로 보이며 금주중 영국런던에서 결정될것이란 관측이 강하다.

한편 서방선진 7개국(G7)도 中東지역부흥을 지원키위한 전략수립에 들어갔다.

기본적으로는 IMF(국제통화기금)와 IBRD (세계은행)등 국제기구를 축으로 협조체제를 유지한다는 방침이다. 이를위해 IMF·IB RD가 쿠웨이트의 복구 주변 3개국을 지원키위해 만든 GCFCG(걸프지역협태금융지원조정위원회)의 기능을 대폭조정한다는 내용이 구체적으로 거론되고 있다.

이 IMF·IBRD와 협조해 2國間 방식으로 쿠웨이트의 복구에 필요한 자금규모를 산정하고 이중 世銀이 제창한 중동부흥개발은행이나 世銀內 특별기금설립도 검토하고 있다.

G7各국은 중기적 부흥책으로 베이커美국무장관의 일단은 경제기구의 정비하기위한 구조조정기능이 강화되도록 선진각국도 이에 보조를 맞춰 각국 개별적인 용의가 유력하며 2단계로 1~2년후에 중동개발은행등으로 이와 관련된 작업을 일원화한다는 구상이다.

결국 中東의 戰後복구는 美國을 중심으로한 서방선진국이 완전한 주도권을 쥘것은 분명하다.

한편 요르단·터키·이집트등 3개국지원을 위해 작년9월 만들어진 GCFCG는 전쟁終결후 기능변화가 불가피해 대상에 다툼국가도 지원대상에 포함시켜 포괄적인 부흥지원기구로 만들어야 한다는 의견이 높아 삼국가및 기능에 큰 변화가 예상된다. 美國이 주장하는 中東개발은행이 이를위해선 세인정권의 붕괴가 기본대상이 되겠으나 이를위해선 이라크가 주요 지원대상으로 되어있는 상황이다.

이 교통·上水도등 사회간접자본의 정비사업에 기여하며 ▲선진각국다.

〈朴泰旭기자〉

0134

OPEC 減産 불구

국제油價 안정 전망

하반기 19~20달러線 유지할듯

석유수출기구(OPEC)는 12일 올 2·4분기(4~6월)중 원유생산물량을 하루 1백만배 럴씩 줄이기로 결정했다.

OPEC석유장관들은 이를 간의 시장감시위원회 특별회의 틀 마치고 발표한 성명을 통해 국제석유시장을 안정시키고 油價를 배럴당 21달러까지 회복시 키기위해 이같은 감산을 결정 했다고 밝혔다.

이에따라 사우디등 13개 O PEC 회원국들은 이번 감산결 정을 이행하게 될 경우 내달부 터 하루 2천2백30만배럴을 생 산하게 된다.

이같은 생산물량은 걸프사태 발발전인 작년 7월의 OPEC 각료회의가 합의한 생산쿼터 2 천2백49만배럴에 비해 약 20만 배럴 줄어든 셈이다.

이같은 소식으로 12일 국제시 장의 油價는 일제히 올랐다.

특가 올랐다. 또 北海産브렌트 油도 20달러22센트로, 美國의 西部텍사스油는 20달러 47센트로 69센트가 뛰었다.

OPEC쿼터를 2천1백50만배 럴까지 줄일것을 합의사항에 참여를 유보한 것도 O PEC의 결속력을 불안하게 하기때문.

더욱이 곧 석유비수기가 닥 치는데다 이란과 알제리가 O PEC의 결속력을 불안하게

OPEC의 감산합의 사실이 이같은 가격수준은 작년 8월 초의 걸프사태직전보다 1~3 달러가 낮은 것이다.

그러나 이번 감산합의로 세 계원유값이 지속적인 오름세를 보일지는 미지수.

우선 이번회의에서 공급과잉 과잉사태가 해소되기 어려울

배럴적은 수준.

OPEC의 감산합의 사실이 전해진 13일 국제유가는 일제 히 오름세로 돌아서 中東産 두 바이油와 오만油는 각각 배럴 당 15달러12센트와 15달러67센 트틀 기록, 전날에 비해 55센

으로 인한 유가폭락사태를 막 자는데는 회원국간에 이해가 일치했으나 국가별산및 생산 물량을 합의하지않은채 자발적 감산만 합의함으로써 현재로선 각국의 이해관계를 감안할때 합의사항의 이행여부가 불투명 하기때문.

덕이 곧 석유비수기가 닥 치는데다 이란과 알제리가 O PEC쿼터를 2천1백50만배 럴까지 줄일것을 합의 의사항 참여를 유보한 것도 O PEC의 결속력을 불안하게

따라서 두바이 오만산기준 배 럴당 16달러내외틀 유지하다 하반기 성수기가 시작될 즈음 해서 19~20달러수준으로 올 라 이 가격수준이 국제유가 가 안정될 것으로 내다보고 있 다. 동자부도 이같은 가능성이 가장 높은 것으로 보고있다.

동자부는 그러나 국제유가가 국내기준으로 배럴당 18달러 내 리지않을 방침이며 기준유가보 다 낮은 가격차액은 석유사업 기금으로 걸어 석유관련사업에 집중 투자할 계획을 세워놓고 있다.

동자부는 유가가 당초예상보 다 더 낮은 가격수준에서 안정 될 전망임에 따라 올해 경제성 장은 정부의 당초전망 7%보 다 다소 높아질 가능성이 있으 며 국제수지적자폭도 줄어들것 으로 분석했다.

것이라는 분석도 유력하다.

〈李寅<!--불확실-->기자〉

91. 3.14
매일경제

국제油價 일제 상승

OPEC 減産결정 따라

◇美·加 협력강화 캐나다를 방문중인 조지·부시 美대통령과 브라이언·멀로니 캐나다총리가 13일 의회에서 양국간의 환경보호를 위한 산성비협정에 서명하고 있다. 【오타와 AP電送연합】

브렌트 1·12弗 WTI 77센트 올라

【제네바·런던 AP연합】 석유수출국기구(OPEC)가 금년 2·4분기의 원유생산량을 하루 2천2백30만 배럴 수준으로 감축키로 결정함에 따라 국제원유가는 13일 일제히 상승했다.

런던시장의 4월 인도분 北海産 브렌트油는 이날배럴당 20·15달러를 기록, 전날 폐장가인 배럴당 19·03달러보다 무려 1·12달러가 올랐으며 뉴욕상품거래소의 WTI 4월인도분 가격도 전날 배럴당 19·69센트나 상승한 20·45달러로 폐장됐다.

사우디아라비아는 이날 OPEC의 새돈유 감산합의에 따라 내달 1일부터 하루 원유생산량을 현행 8백만배럴에서 8백만배럴로 감축할 것이라고 발표했으며 알제리와 이란도표했으며 OPEC의 총 원유생산량을 1백만배럴 (5%)정도 줄이기로한 OPEC 시장감시위원회의 특별회의의 결정을 존중할 것이라고 밝혔다.

한편 사데크·부세나 OPEC의장은 13일 자신은 OPEC의직에 재출마하지 않을것이라고밝혔다.

부세나 의장은 이날 기자회견을통해『나는 더 편안한 것으로 생각O하지 않을 것이라고 밝혔다. 알제리의 광업·석유장관O의 입장만을 대변하는것이 기로 결정했다』고말했다.

알제리의 광업·석유장관PEC의장직에서 물러나

◇OPEC합의 産油量

〈단위 : 만배럴/하루〉

국 가	조정된 쿼타	2월중 산유량	'90년 7월 쿼타
사 우 디	803. 4	840	538
이 · 란	321. 7	326	314
U A E	232. 0	243	150
베네수엘라	223. 5	235	195
나이지리아	184. 0	193	161
인도네시아	144. 3	150	137
리 비 아	142. 5	147	123
알 제 리	82. 7	80	82.7
에 콰 도 르	27. 3	30	27. 3
가 봉	28. 5	29. 9	19. 7
카 타 르	39. 9	41. 8	37. 1
이 라 크	0	20. 0	314
쿠 웨 이 트	0	5. 0	150
계	2, 229. 8	2, 340	2, 248. 8

0136

주 영 대 사 관

2-/

UKW (F) - 0162   DATE: 10315 1200

수 신 : 장 관 (기협, 중동일)

발 신 : 주 영 국 대 사

제 목 : OPEC 동향

THE FINANCIAL TIMES (1991. 3. 15)

Opec after the gulf war

OPEC IS dead; long live Opec. Iraq's criminal misbehaviour may have ensured that Opec will not soon be what it was. Opec is changed, the difference being the self-confidence of its dominant producer. Newly confident in the guarantee given to its security, Saudi Arabia insisted at the two-day meeting in Geneva earlier this week that Opec will have to operate on its terms, rather than the other way round. Provided the Kingdom plays its hand with skill, the result could be globally beneficial. But it need not be. The game of chicken over quotas now in prospect could prove ruinous.

This is not just a concern for Opec. There is a global interest in the price of oil. It is not merely the world's most important commodity, it is one whose production and sale are determined almost entirely by governments. Ideally, they should deliver price stability around a gradually rising trend. Nobody knows what the right price for oil actually is. But present prices are at least in the neighbourhood of those that have ruled, except in the aftermath of the Iraqi invasion

basis of these prices. It would be most undesirable for those decisions to be invalidated at Opec's whim.

Saudi behaviour

The question then is whether Saudi behaviour is consistent with the needed price stability. It certainly was following Iraq's invasion. Opec did far better than generally expected in increasing output to compensate for the loss of Iraqi and Kuwaiti production. The daily output of Opec, other than from these two, rose from 18.9m barrels in the first half of 1990 to 22.5m barrels in early 1991. Saudi Arabia alone contributed over two-thirds of this increase, lifting its output from 5.6m barrels to a peak of 8.4m barrels a day.

It was to these increases in production and, subsequently, to the allies' success in the war in the air that the world owes the fall in oil prices from the peak of more than $40 a barrel last September and October, to about $20 today. Moreover, with the bulk of Iraqi production and virtually all of

Kuwaiti production likely to be out of the market for years, Saudi Arabia and other producers must produce well over their quotas for a long time. If, for example, these suppliers were to return to their pre-war quotas, with Iraq and Kuwait still out of the market, Opec output would fall from 22.7m barrels today, to about 18m barrels. Such a decline would generate a price explosion.

Marginal adjustments

What is needed, instead, is marginal adjustments to current levels of production in the short term. The agreement reached in Geneva was for the current official Opec ceiling of 22.5m barrels to be lowered, voluntarily, to 22.3m barrels for the second quarter of 1991. The Saudis believe that, with Soviet output falling and stocks needing to be replenished, the market will be able to absorb this level of production at current prices. They are probably too optimistic, but the resultant fall in prices should be modest. In any case, with the world economy weakening, a limited decline in oil prices would certainly be better than the increase that the

0137

If the near-term prospect looks tolerable, the same cannot be said for the longer term. With Saudi Arabia talking of raising its sustainable output to 10m barrels a day and rejecting any notion of returning to its official quota, a war over output seems certain.

Unless demand for oil explodes over the next several years, the world cannot absorb production from Opec of 27m barrels a day. Yet this is what Opec would deliver if the Iraqis and Kuwaitis were to return to the market at pre-war levels, without adjustment elsewhere.

Something will have to give. Since it should not be the price, Saudi Arabia will have to accept cuts in production. The only question is what proportion of the total cut in supply it will have to bear itself. If it refuses to be flexible about its output and market share, it will almost certainly find itself in a destabilising price war. The Kingdom may have delivered the opening shot in Geneva, but this battle has hardly started.

0138

외　무　부

원　본

종　별 :

번　호 : OMW-0076　　　　　　　　　일　시 : 90 0324 1220

수　신 : 장 관(기협, 중근동, 정일)

발　신 : 주 오만 대사

제　목 : 주재국 석유정책 동향(자응제 91-6호)

　1. AL SHANFARI 주재국 석유.광물부장관은 금 3.24. 최근 OPEC 측의 원유감산결정 (일산 2,230만 배럴로의)과 관련, 이를 긍정적 조치로 평가하고, 원유가의 합리적 수준으로의 인상을위해 필요하다면, 오만도 현 70만 BPD 의 산유량을 감산할 용의가 있다고 밝힘.

　2. 따라서 IPEC(INDEPENDENT PETROLEUM EXPORTINGCOUNTRIES)그룹의 지도적 역활을 하고 있는 오만을 OPEC 측으로부터 원유가격 안정을 위한 감산 요청이 있을 경우, 과거 2차례 감산조치한바와 동일한 협조를 할 것이라고 말함.

　3. 한편, 주재국 원유가 동향에 대해 밝힌 바, 이는 아래와 같음.

90.7.: 17 (배럴당)90.8. 걸프사태 이후: 3391.1.2091.2. :17 .

끝.

(대사 강종원-국장)

경제국　　중아국　　정문국　안기부

PAGE 1　　　　　　　　　　　　　　　　91.03.24　　18:56 FG

외신 1과　통제관

0139

91.3.27
중앙경제

"수년내 에너지危機 온다"

유엔 사무차장 국제적 産油대책 촉구

美·蘇·非OPEC國 생산줄어

공급량 수요증가 못따라

【뉴욕·로이터聯合本社特約】유엔의 국제경제사회문제 담당 사무차장인 라페운던트 씨는 이날 유엔집회자 답회 원유원동에서 행한 연설을 통해 『세계에 또 다구(OPEC)특히 컬프사 태에 적합하고 있다』고지 적하고 『이는 非OPEC개 국이 약4백30억달러의원

유엔의 국제경제사회문제 고 있었 몇년안에 또 다 세계 각국은 원유의 공 탑당 사무차장인 라페운던 급확대가 수요증가를 따라 트 에너지위기가 우리에게 아게드는 이날 유엔집회자 닥칠 것이라고 말했다.

그는 『OPEC가 광대한 원유매장량에도 불구하고 걸 이 20억달러를 각 각 지불 특히 동유럽이 있는 동유럽과 개도국들 큰 영향을 받았다 프사태이후 심각한 재정적 어려움을 겪고있어 이들의 원유증산 능력에 의문이 제 기되고 있다』면서 국제석유 유지를 위한 국제협력의 필요성을 강조

외교문서 비밀해제: 걸프 사태 27
걸프 사태 국제원유 수급 동향 2

초판인쇄 2024년 03월 15일
초판발행 2024년 03월 15일

지은이 한국학술정보(주)
펴낸이 채종준
펴낸곳 한국학술정보(주)
주 소 경기도 파주시 회동길 230(문발동)
전 화 031-908-3181(대표)
팩 스 031-908-3189
홈페이지 http://ebook.kstudy.com
E-mail 출판사업부 publish@kstudy.com
등 록 제일산-115호(2000. 6. 19)

ISBN 979-11-6983-987-7 94340
      979-11-6983-960-0 94340 (set)